証券アナリスト

1次対策

総まとめ
テキスト　科目Ⅲ

市場と経済の分析
数量分析と確率・統計
職業倫理・行為基準

FINANCIAL ANALYST

TAC証券アナリスト講座

はじめに

証券アナリストとは、証券投資において必要な情報を収集し、分析を行い、多様な投資意思決定のプロセスに参画するプロフェッショナルな人たちをいいます。公益社団法人　日本証券アナリスト協会では、証券アナリストとしてのスタンダードを確立するため、通信教育講座を通じて教育を行い講座終了後の試験によって、証券アナリストの専門水準の認定を行い、検定会員の資格を与えています。証券アナリスト試験は、アナリスト協会が自主的措置として行っている資格制度であり、合格しなくとも、証券分析業務や投資アドバイスといった証券アナリストの業務はできます。それにもかかわらず証券アナリスト試験は、金融の自由化・国際化、資産の証券化、その他さまざまな要因から、金融業界を中心に非常に注目を集めてきました。近年では、証券業界に携わる方にとっては必須の資格といっても過言ではないでしょう。証券アナリストの社会的役割や責任は、ますます大きくなっているのです。

証券アナリストに求められる知識は極めて広範囲にわたります。ですから、よりポイントを絞った効率的な学習が必要です。本書では、１次試験対策の総まとめとして、ＴＡＣが過去の出題傾向を徹底分析したうえで厳選した問題を収載しています。その問題を解きながら、証券アナリスト試験の科目Ⅲ「市場と経済の分析」「数量分析と確率・統計」「職業倫理・行為基準」の出題ポイントを整理できるように構成しており、併せて解答作成に必要な力を身につけることも主眼としています。したがって、必ず問題を自分の力で解き、理解が不十分であれば本文を読み直し、再度問題にチャレンジしてください。また、十分な知識が身に付いていると思われる方は、解答作成のポイントまでしっかりと把握し、実力をより確かなものとしてください。

本書およびその他2科目の総まとめテキストが、皆さんの証券アナリスト試験合格のためにお役に立てることを、心より願ってやみません。

ＴＡＣ証券アナリスト講座

CONTENTS

第3章　金融経済

第4章　国際金融と国際経済

第2部　数量分析と確率・統計

第1章　お金の時間価値

第2章　確率と統計の基礎

第3章　確率分布

第4章　推定と検定

第3部　職業倫理・行為基準

第1章　証券アナリスト職業行為基準の概要

第2章　職業的専門家に重要な信任義務

第3章　信任義務を果たすための忠実義務

第4章　信任義務を果たすための注意義務

巻　末　付録

証券アナリスト試験とは
～1次試験の概要～

本試験を受験するためには協会通信教育の申込が絶対条件！

受験資格

証券アナリスト試験を受験する場合には、公益社団法人日本証券アナリスト協会の1次レベルの通信教育を受講することが条件となっています。なお、通信教育の受講に際しては、だれでも受講することができ、年齢や学歴などの制限は一切ありません。

＊通信教育講座受講申込期間…例年5月～
（詳細につきましては、日本証券アナリスト協会にお問い合わせください。）
＊通信講座受講期間…約8ケ月間

- 1次試験日程…毎年2回、例年4月下旬、9月下旬～10月上旬
- 出願締切…例年3月上旬、8月中旬
  （日本証券アナリスト協会のマイページから申込）
- 合格発表…例年5月下旬、10月下旬～11月上旬
- 試験実施場所…＜国内＞札幌、仙台、東京、金沢、名古屋、大阪、広島、松山、福岡
  ＜国外＞ニューヨーク、ロンドン、香港
- 試験科目…科目Ⅰ「証券分析とポートフォリオ・マネジメント」
  科目Ⅱ「財務分析」「コーポレート・ファイナンス」
  科目Ⅲ「市場と経済の分析」「数量分析と確率・統計」「職業倫理・行為基準」
  （科目合格制）

●留意事項…以下のような場合、それまでの１次試験の合格実績はすべて無効となる。

①受講可能期間（原則、３年）に実施された第１次試験がすべて終了した時点において、第１次試験に未合格（受験しない場合を含む）の科目があり、受講申込受付期間内に再受講しなかった場合

②第１次試験で３科目の合格を達成した後、所定の期間内（その年度を含む３年以内）に第２次レベル講座の受講を開始しない場合

●近年の協会通信及び受験状況（１次レベル）

年　度	検定試験*		
	受験者数（人）	合格者数（人）	合格率（%）
2022年(春)	7,533	3,663	48.6
2022年(秋)	5,107	2,402	47.0
2023年(春)	6,880	3,189	46.4
2023年(秋)	4,826	2,438	50.5
2024年(春)	6,567	3,053	46.5

＊　検定試験の受験者数・合格者数は、科目別の延べ人数

協会通信教育講座に関するお問い合わせは、日本証券アナリスト協会のホームページをご確認ください。

公益社団法人　日本証券アナリスト協会

https://www.saa.or.jp

●本書の使用方法

この『**総まとめ・科目Ⅲ・市場と経済の分析、数量分析と確率・統計、職業倫理・行為基準**』では、「市場と経済の分析」として**ミクロ経済・マクロ経済・金融経済・国際金融と国際経済**の4つの分野を、「数量分析と確率・統計」としてお金の時間価値・確率と統計の基礎・確率分布、推定と検定、回帰分析の基礎、微分と最適化の基礎の6つの分野を、「職業倫理・行為基準」として証券アナリスト職業行為基準の概要、職業的専門家に重要な信任義務、信任義務を果たすための忠実義務、信任義務を果たすための注意義務をそれぞれ部として取り扱い、それらに関連した基本的事項を、問題演習を通して確実に習得することを目的としている。各章は、**傾向と対策、ポイント整理**によって構成されている。

傾向と対策では、過去の出題傾向の分析を各分野ごとに行っており、その分析に基づいた対策も示している（「数量分析と確率・統計」は2022年試験から新たに独立の分野として出題されることになったばかりのため、従来の「証券分析とポートフォリオ・マネジメント」と「経済」での出題傾向の分析も踏まえて対策を示している）。過去の出題例や重要度を参考にして、効率的な学習を進めて頂きたい。特に近年何回も出題されている論点は欠かすことなく学習しておかれたい。

ポイント整理では、その分野における基本的な制度的知識、基礎理論、およびその理論の現実妥当性をみるときに有用な考え方・知識を取り上げている。さらに、それぞれの分野におけるもっとも基本的な事項（ないし、典型的な過去問題）を、**ポイントチェック**のかたちで取り上げている。この**ポイントチェック**は、どれも基本的な内容となっているが、近年の本試験の傾向に合わせた学習ができる問題ばかりを集めてある。**ポイントチェック**を解いて正解できなかった場合には**ポイント解説**を参考にして、その内容の理解に努めてもらいたい。

この『**総まとめ・科目Ⅲ・市場と経済の分析、数量分析と確率・統計、職業倫理・行為基準**』は、試験直前期にあたって、必要最小限の努力で、証券アナリスト1次試験に合格できるだけの実戦力を身につけることを目的としている。したがって、問題数も決して多くはない。むしろ少ないと感じるかもしれないが、どれも厳選されたものである。ここで取り上げている問題は、数多く解くことよりも、ひとつひとつの問題の内容を確実に押さえることによって、その効果が発揮されるように考えられている。したがって、解けなかった問題には何度でも繰り返しあたってみていただきたい。この『総まとめ・科目Ⅲ・市場と経済の分析、数量分析と確率・統計、職業倫理・行為基準』にある問題の内容が十分に理解されていれば、必ずや証券アナリスト1次レベル試験に合格できるものと確信している。

●過去の出題一覧および重要度

第1部　市場と経済の分析

総まとめの項目 ＼ 年度	2022年秋試験	2023年春試験	2023年秋試験	2024年春試験	重要度
第1章　ミクロ経済					
1　消費者行動の分析	○	○	○	○	A
2　企業行動の分析	○		○	○	B
3　市場均衡と市場の失敗	○	○	○	○	A
4　不完全競争市場	○	○	○	○	B
第2章　マクロ経済					
1　国民経済計算	○	○	○	○	A
2　財市場と資産市場	○	○	○	○	A
3　IS－LM分析	○	○	○	○	A
4　総需要・総供給分析	○	○	○	○	A
5　物価動向と失業	○	○	○	○	A
第3章　金融経済					
1　金融取引と金融市場			○		C
2　資金循環と金融システム		○		○	B
3　中央銀行と金融政策	○	○	○	○	B
4　財政の機能とその問題点	○	○	○	○	B
第4章　国際金融と国際経済					
1　国際収支統計				○	B
2　外国為替と為替レート	○	○	○		A
3　国際資本取引と為替レート	○	○	○	○	A
4　国際経済の基礎理論	○	○	○	○	B

（注）重要度
A　　B　　C
高い ←――――→ 低い

第2部　数量分析と確率・統計

総まとめの項目＼年度	2022年秋試験	2023年春試験	2023年秋試験	2024年春試験	重要度
第1章　お金の時間価値					
1　現在価値と将来価値		○			A
2　お金の時間価値の応用例	○	○	○	○	A
第2章　確率と統計の基礎					
1　統計の基礎：記述統計量					
分布の代表値	○		○		A
分布の散らばり			○	○	A
分布の形状（歪度・尖度）	○				B
2　確率の基礎					
確率に関する基本用語		○			B
ベイズの定理		○			C
確率変数の期待値、分散・標準偏差、共分散・相関係数		○			A
2つの確率変数の加重和の期待値と分散		○	○		B
第3章　確率分布					
1　確率変数と確率分布					B
2　二項分布			○		B
3　正規分布	○	○	○	○	A
4　対数正規分布		○		○	B
第4章　推定と検定					
1　標本平均の分布					B
2　推定			○	○	A
3　仮説検定	○	○	○	○	A
第5章　回帰分析の基礎					
1　標本相関係数	○	○			A
2　回帰係数の最小2乗推定	○				B
3　決定係数	○	○			A
4　係数の信頼区間と仮説検定	○		○		B
第6章　微分と最適化の基礎					
1　微分の基礎		○	○	○	A
2　最適化問題	○	○		○	A

第3部　職業倫理・行為基準

総まとめの項目＼年度	2022年秋試験	2023年春試験	2023年秋試験	2024年春試験	重要度
第1章　証券アナリスト職業行為基準の概要					
1　証券アナリスト職業行為基準					C
2　職業行為基準における主な用語の定義					
証券分析業務	○	○	○	○	A
職業行為基準や関係法令等		○	○		B
3　総則					C
第2章　職業的専門家に重要な信任義務					
1　職業的専門家に重要な信任義務	○	○		○	A
第3章　信任義務を果たすための忠実義務					
1　忠実義務の系となる主な基準	○	○	○	○	A
2　利益相反の防止および開示等	○		○	○	A
3　その他の行為基準					
4　CMAが絶対にしてはならないインサイダー取引（未公開の重要な情報の利用の禁止等）	○		○		B
第4章　信任義務を果たすための注意義務					
1　注意義務の系となる主な基準	○		○	○	A
2　投資情報の提供等	○	○	○	○	A
3　投資の適合性の確認等	○		○	○	A
4　不実表示に係る禁止等					C

●重要論点チェックリスト

第1部　市場と経済の分析

論　　点	チェック欄		
第1章　ミクロ経済			
1　消費者行動の分析			
2　企業行動の分析			
3　市場均衡と市場の失敗			
4　不完全競争市場			
第2章　マクロ経済			
1　国民経済計算			
2　財市場と資産市場			
3　IS－LM分析			
4　総需要・総供給分析			
5　物価動向と失業			
第3章　金融経済			
1　金融取引と金融市場			
2　資金循環と金融システム			
3　中央銀行と金融政策			
4　財政の機能とその問題点			
第4章　国際金融と国際経済			
1　国際収支統計			
2　外国為替と為替レート			
3　国際資本取引と為替レート			
4　国際経済の基礎理論			

第２部　数量分析と確率・統計

論　　点	チェック欄		
第１章　お金の時間価値			
1　現在価値と将来価値			
2　お金の時間価値の応用例			
第２章　確率と統計の基礎			
1　統計の基礎：記述統計量			
分布の代表値			
分布の散らばり			
分布の形状（歪度・尖度）			
2　確率の基礎			
確率に関する基本用語			
ベイズの定理			
確率変数の期待値、分散・標準偏差、共分散・相関係数			
２つの確率変数の加重和の期待値と分散			
第３章　確率分布			
1　確率変数と確率分布			
2　二項分布			
3　正規分布			
4　対数正規分布			
第４章　推定と検定			
1　標本平均の分布			
2　推定			
3　仮説検定			
第５章　回帰分析の基礎			
1　標本相関係数			
2　回帰係数の最小２乗推定			
3　決定係数			
4　係数の信頼区間と仮説検定			
第６章　微分と最適化の基礎			
1　微分の基礎			
2　最適化問題			

第３部　職業倫理・行為基準

論　点	チェック欄		
第１章　証券アナリスト職業行為基準の概要			
1　証券アナリスト職業行為基準			
2　職業行為基準における主な用語の定義			
証券分析業務			
職業行為基準や関係法令等			
3　総則			
第２章　職業的専門家に重要な信任義務			
1　職業的専門家に重要な信任義務			
第３章　信任義務を果たすための忠実義務			
1　忠実義務の系となる主な基準			
2　利益相反の防止および開示等			
3　その他の行為基準			
4　CMAが絶対にしてはならないインサイダー取引（未公開の重要な情報の利用の禁止等）			
第４章　信任義務を果たすための注意義務			
1　注意義務の系となる主な基準			
2　投資情報の提供等			
3　投資の適合性の確認等			
4　不実表示に係る禁止等			

第１部
市場と経済の分析

●出題傾向と対策

証券アナリスト１次レベル試験の**市場と経済の分析**の最近の出題傾向としては、⑴**出題分野の範囲が広まっていること**、⑵**基礎理論を問う問題が中心的に出題されていること**、の２点を大きな特徴として挙げることができる。ただし、最近の１次レベル試験では、協会指定の基本テキストで扱われている細かい項目までも出題されており、**限られた時間内でそれらすべてを学習することは難しい**といえる。

このような試験傾向をもつ１次レベル試験に合格するためには、市場と経済の分析における**基礎理論およびそれに関連する制度的知識を絞り込んで、その基本的事項の習得に努めること**が必要である。基本的事項を十分に理解することは、市場と経済の分析で**合格点をとるための必要条件**であること、また、基本的事項に絞って学習することは、**時間的にも効率的**なものとなること、さらに、先に基本的事項を習得すると、**周辺的な理論・知識の理解もしやすくなり、過去問題と少し視点の異なる類題が出題されても対応できるようになる**ことが、その大きな理由である。

これまでの出題傾向を踏まえつつ、新たな分野に対応していくために、本テキストでは市場と経済の分析を、**ミクロ経済・マクロ経済・金融経済・国際金融と国際経済**の４つの分野に大きく分けて整理している。証券アナリスト１次レベル試験対策としては、これら４つの分野を軸として、基本的事項について、その知識を整理し、理解を深めることが重要である。さらに、問題演習をあわせて行うことによって、知識を実戦に結びつけていくことが**もっとも効率的な学習方法**と考えられる。

ミクロ経済

1. 傾向と対策

ミクロ経済は、本試験の第1問において、15問程度出題されている。最近の出題内容としては、「消費者行動の分析」、「企業行動の分析」、「完全競争市場」、「市場の失敗」、「不完全競争市場」、「情報の経済学」などの分野が中心となっている。

各分野において最近よく出題されている項目としては、「消費者行動の分析」では、無差別曲線の性質、最適消費点、需要の所得弾力性、代替効果と所得効果などが挙げられる。

一方、「企業行動の分析」では、規模に関する収穫、限界生産力、利潤最大化などが挙げられるが、他の分野と比較して内容的に難しいこともあり、出題数は少ない傾向にある。

「完全競争市場」では、需給均衡、比較静学、消費者余剰と生産者余剰、市場需要の価格弾力性などが挙げられる。

「市場の失敗」では、外部効果、費用逓減産業、公共財などが挙げられる。

「不完全競争市場」では、独占市場、寡占市場（クールノー・モデルとベルトラン・モデル）が挙げられる。

「情報の経済学」では、逆選択とモラルハザードが挙げられる。

本試験では、とくに基本問題について、過去の問題と同じような内容や形式で繰り返し出題されることが多いので、上に挙げた基本項目を十分に理解したうえで、過去問をもちいてトレーニングすることが効果的である。

「総まとめテキスト」の項目と過去の出題例

「総まとめ」の項目	過去の出題例	重要度
第１章　ミクロ経済		
1　消費者行動の分析	2022年秋・第３問Ⅱ 2023年春・第３問Ⅰ・問３ 2023年秋・第３問Ⅰ・問３ 2024年春・第３問Ⅰ・問３	A
2　企業行動の分析	2022年秋・第３問Ⅰ・問２ 2023年秋・第３問Ⅱ 2024年春・第３問Ⅰ・問５	B
3　市場均衡と市場の失敗	2022年秋・第３問Ⅰ・問１ 2023年春・第３問Ⅰ・問１，問４ 2023年秋・第３問Ⅰ・問１，問２ 2024年春・第３問Ⅰ・問１，問２	A
4　不完全競争市場	2022年秋・第３問Ⅰ・問３，問４ 問５ 2023年春・第３問Ⅰ・問２，問５ 第３問Ⅱ 2023年秋・第３問Ⅰ・問４，問５ 2024年春・第３問Ⅰ・問４ 第３問Ⅱ	B

2. ポイント整理

1　消費者行動の分析

Point ① 消費者行動の基本的なしくみ

1人の代表的消費者（＝平均的な消費者）の合理的な行動を通して、消費者行動の分析を行う。消費者は、自分が利用できる資金の範囲内（＝予算制約のもと）で、自分の満足度が最高（＝効用が最高）となるように財を購入すると考える。

Point ② 消費者行動は二者択一

代表的消費者は、数種類の財（多くの場合、X財とY財といった2財）から構成される2つのバスケット（＝数種類の財から構成される2つの組合せ）だけを選択の対象として、自分の好きなほうを選ぶと考える。このように、消費者行動は**二者択一の選択問題**として単純化してとらえる。

Point ③ 選好と選好関係

消費者の嗜好（好み）のことを「選好」という。消費者の選好は、**所得（＝消費に利用可能な資金）や財の価格と無関係**である。

代表的消費者の嗜好にもとづく好ましさの順序関係のことを「選好関係」という。代表的消費者は、2つの選択肢に直面したとき、各自の嗜好（好み）にしたがって、どちらが好き（選好する）かを決める。

選好関係には、2つの選択肢AとBについて、次の3つのパターンがある。

(1)　AをBよりも選好する。（AがBよりも好きだ。）

(2)　BをAよりも選好する。（BがAよりも好きだ。）

(3)　AとBとは**無差別**である。（AとBとは同じくらい好きだ。）

なお、選択肢Aよりも選択肢Bを選好し、選択肢Bよりも選択肢Cを選好するときには、かならず、選択肢Aよりも選択肢Cを選好する。このように、選好関係に逆転は生じないとする「推移性」を想定する。

Point ④ 効用と効用関数

代表的消費者が2財（X財とY財）の組合せを消費することにより得られる満足度の指標のことを「効用」という。効用が数値であらわされる場合、数値が大きいほど効用は高いことを意味する。さらに、2財（X財とY財）の組合せと、そこから代表的消費者が得る効用との関係のことを「効用関数」という。

なお、効用は1人の代表的消費者のなかだけで比較可能であり、2人以上の**複数の消費者の効用の比較は不可能**と想定する。

Point ⑤ 無差別曲線

2財（X財とY財）の組合せから代表的消費者が得る効用のうち、効用が等しくなる（＝選好が無差別となる）財の組合せをむすんだ曲線を「無差別曲線」という。無差別曲線の形状としては、通常、「**原点に対して凸**」を想定する。

無差別曲線は、各消費点の効用の高さを測るためにもちいられる。このことより、無差別曲線は各消費点の効用の高さを示す**等高線の役割**をする。原点に対して凸の無差別曲線では、右上に位置する無差別曲線ほど、高い効用を示す。また、効用の大きさを示す等高線である無差別曲線は、どのような状況においても**けっして交わらない**。なお、無差別曲線の間隔は、効用の高さに応じていくらでも密に描くことができる。

図表１-１　無差別曲線

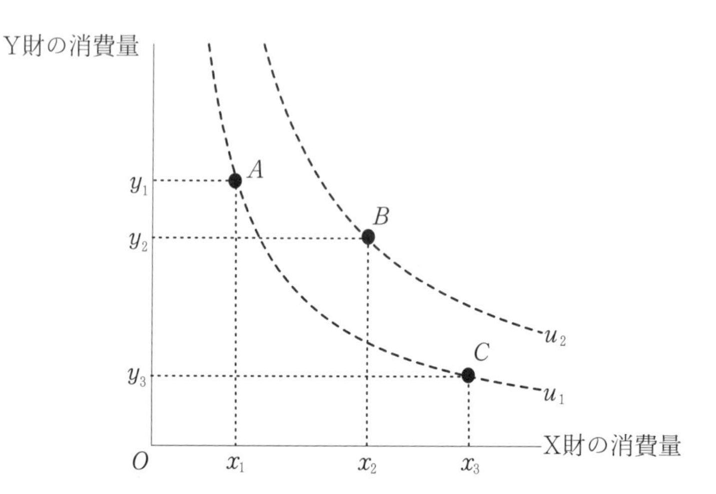

図表１-１の無差別曲線には、次のような関係がある。

(1)　１本の無差別曲線u_1上の２点であるA点とC点の効用は等しい（＝A点とC点は無差別である）。

(2)　無差別曲線u_1よりも右上にある無差別曲線u_2のほうが消費者の効用は大きい。このため、A点およびC点よりもB点のほうが効用は大きい。

(3)　無差別曲線の形状は、代表的消費者がもつ効用関数により変化する。さらに、ひとつの無差別曲線群は、１人の代表的消費者の効用だけをあらわすことができ、複数の消費者の効用の比較はできない。

Point ⑥ 限界代替率と限界効用

無差別曲線に対する接線の傾きの絶対値を「限界代替率」という。限界代替率は、X財とY財を物々交換するとき、X財をΔx単位手に入れるために、Y財を最大（＝自分の効用を低下させない範囲で）何単位手放すことができるかを示している。

一方、ある財の消費量を1単位増加させたとき、どのくらい効用水準uが増加するかを示す指標を「限界効用」という。

$$\text{X財の限界効用}=\frac{\Delta u}{\Delta x}\text{、Y財の限界効用}=\frac{\Delta u}{\Delta y}$$

Y財ではかったX財の限界代替率は、X財の限界効用とY財の限界効用との比率によって、次のように示される。

$$\text{Y財ではかったX財の限界代替率（絶対値）}=\left|\frac{\frac{\Delta u}{\Delta x}}{\frac{\Delta u}{\Delta y}}\right|=\left|\frac{\Delta y}{\Delta x}\right|$$

図表1－2　限界代替率

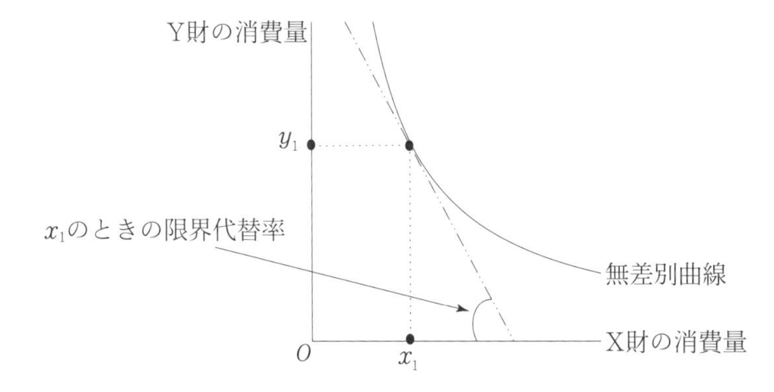

Point ⑦ 限界代替率逓減の法則

X財の消費量が増加するにつれて、限界代替率が減少することを「限界代替率逓減の法則」という。原点に対して凸の無差別曲線では、この法則が成立する。

図表 1 - 3　限界代替率逓減の法則

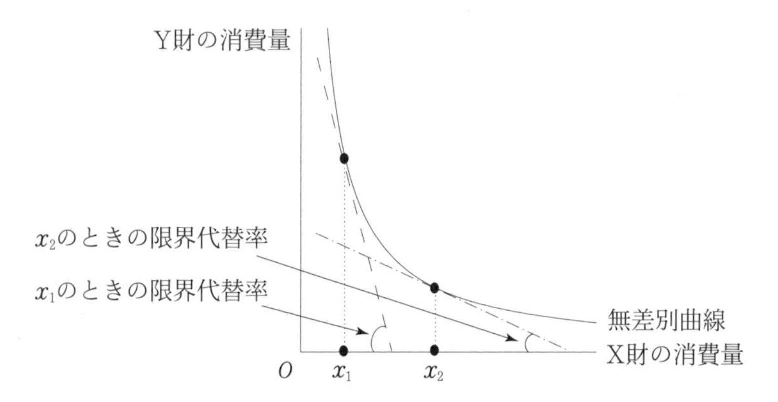

Point ⑧ 予算制約式と予算制約線

一定の所得（＝消費に利用できる資金）のもとで、購入できる財の組合せをあらわした式のことを「予算制約式」という。X財の消費量をx個、Y財の消費量をy個、所得をI円とし、また、X財の価格をP_X円、Y財の価格をP_Y円とすると、予算制約式は、次のように示される。

$$P_X\text{円}\times x\text{個}+P_Y\text{円}\times y\text{個}=I\text{円}$$

予算制約式を、横軸にX財の消費量xを、縦軸にY財の消費量yをとった平面上に描いた右下がりの直線のことを「予算制約線」という。

図表1-4　予算制約線

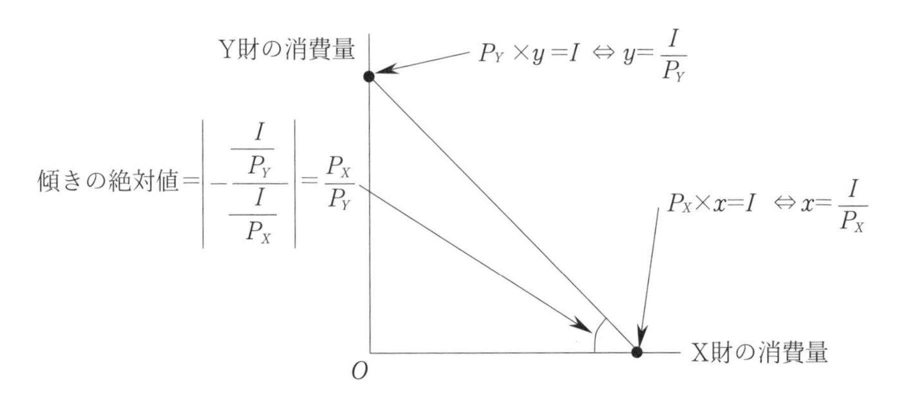

Point ⑨ 最適消費点

ある予算制約（＝一定の所得と財の価格のもとで消費が可能な領域）において、代表的消費者の効用水準が最大となる消費点のことを「最適消費点」という。最適消費点は、通常、無差別曲線と予算制約線との接点で示される。また、最適消費点においては、X財とY財の価格比（＝予算制約線の傾きの絶対値）と限界代替率（＝無差別曲線の接線の傾きの絶対値）が等しくなる。

図表1－5　最適消費点

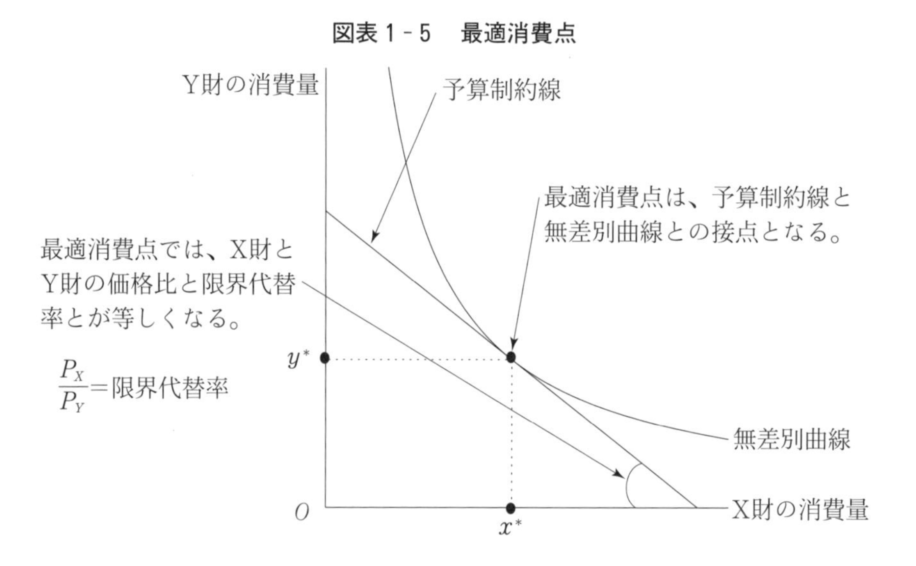

例題1　消費者行動理論に関する次の記述のうち、正しくないものはどれですか。

A　無差別曲線の接線の傾きの絶対値は限界代替率を表している。

B　無差別曲線は右上ほど高い効用を表している。

C　予算制約線と無差別曲線が接する点が最適消費点である。

D　予算制約線は、通常右上がりである。

解答　D

解説

A　限界代替率は、無差別曲線の接線の傾きの絶対値であり、限界代替率無差別曲線が原点に対して凸な形状をしている場合、横軸の財の需要量が増加するほど、限界代替率は減少する。

B　原点に対して凸な無差別曲線は、右上に位置するほど、効用が高くなる。

C　最適消費点において、予算制約線と無差別曲線が接する。

D　予算制約線は、右下がりとなる。

Point ⑩　代替効果と所得効果

(1)　代替効果

財の価格の変化は、消費者の主観的価値観に影響をあたえる。そして、消費者は、財の価格の変化によって、「割高」に感じられる財から「割安」に感じられる財に、その消費を代える。このような消費の変化を「代替効果」という。

X財とY財からなる2財のうち、X財の価格だけが低下し、Y財の価格は変化しない場合、消費者は価格が低下したX財を「割安」と感じるため、X財の消費量を増加させる。同時に、価格が変化していないY財については、

X財と比較して「割高」と感じるため、Y財の消費量を減少させる。

(2) 財の価格の変化と所得効果

価格の変化による実質所得の変化を通して需要量が変化することを「所得効果」という。所得が実質的に変化すると（実際の所得の金額が変化しなくても）、2財がそれぞれ正常財か劣等財かによって、各財の需要量は変化する。

① 需要の所得弾力性

所得が1％変化したとき、需要量（消費量）が何％変化するかを示す指標のことを「需要の所得弾力性」という。

$$\text{需要の所得弾力性} = \frac{\text{需要量の変化率}}{\text{所得の変化率}}$$

② 正常財（上級財）

所得が増加したとき、消費量が増加する財を「正常財」または「上級財」という。正常財（上級財）の需要の所得弾力性はプラスとなる。

- 必需品：正常財のうち、需要の所得弾力性が1よりも小さい財を「必需品」という。
- 奢侈品：正常財のうち、需要の所得弾力性が1よりも大きい財を「奢侈品」という。

③ 劣等財（下級財）

所得が増加したとき、消費量が減少する財を「劣等財」または「下級財」という。劣等財（下級財）の需要の所得弾力性はマイナスとなる。

(3) 価格効果（総効果）

財の価格が変化したとき、消費者が行う実際の財の消費量の変化のことを「価格効果（総効果）」という。価格効果（総効果）は、代替効果と所得効果の合計によって示される。

$$\text{価格効果（総効果）} = \text{代替効果} + \text{所得効果}$$

Point ⑪ エンゲル曲線

ある財の需要量（消費量）と消費者の所得の関係を示す曲線を「**エンゲル曲線**」という。横軸に所得を、縦軸に需要量をとった平面上において、ある財が上級財であれば、エンゲル曲線は右上がりとなり、下級財であれば、エンゲル曲線は右下がりとなる。

図表１－６　エンゲル曲線

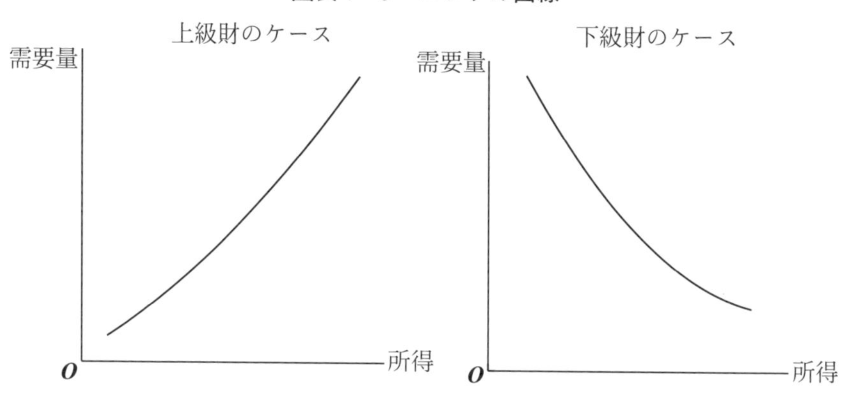

各財への支出額が所得に占める割合を「**エンゲル係数**」という。さらに、所得の低い家計（消費者）ほど食費のエンゲル係数が高くなることを「**エンゲルの法則**」という。

Point ⑫ 需要の交差弾力性

Ｙ財の価格が１％変化したときに、Ｘ財の需要量（消費量）が何％変化するかを示す指標のことを「**需要の交差弾力性**」という。需要の交差弾力性は、つぎのように定義される。

$$\text{需要の交差弾力性} = \frac{\text{X 財の需要量の変化率}}{\text{Y 財の価格の変化率}}$$

Ｙ財の価格が上昇するとき、Ｘ財の需要量が増加する場合、「Ｘ財とＹ財は**代替財**である」といい、このとき、需要の交差弾力性はプラスとなる。代替財の例には、「コーヒーと紅茶」や「牛肉と豚肉」などが挙げられる。一方、Ｙ財の価格が上昇するとき、Ｘ財の需要量が減少する場合、「Ｘ財とＹ財は**補完財**である」といい、このとき、需要の交差弾力性はマイナスとなる。補完財の例には、「コーヒーと砂糖」や「自動車とガソリン」などが挙げられる。

Point ⑬ ギッフェン財

価格が上昇したとき需要量が増加し、価格が低下したとき需要量が減少するような財を「ギッフェン財」という。

ギッフェン財のおもな性質に次の２点がある。①ギッフェン財であれば、必ず劣等財（下級財）となる。ただし、劣等財（下級財）だからといって、ギッフェン財になるとは限らないことに注意しよう。②ギッフェン財に関して、代替効果と所得効果をみると、所得効果による変化が代替効果による変化を上回る。

さらに、縦軸に価格を、横軸に需要量をとった平面上において、ギッフェン財の需要曲線は右上がりとなることも確認しておこう。

例題2

2財（X、Y）に関する消費選択問題を考える。X財の価格低下によって生じる需要の変化に関する次の記述のうち、常に正しいものはどれですか。ただし、片方が劣等財の場合、もう一方の財は正常財である。

A　X財が劣等財の場合、X財の需要は増加する。

B　Y財が正常財の場合、Y財の需要は増加する。

C　X財が正常財の場合、Y財の需要は減少する。

D　Y財が劣等財の場合、X財の需要は増加する。

解　答　D

解　説

A　X財が劣等財の場合、X財の需要が増加するか、減少するかの判断はできない。

B　Y財が正常財の場合、Y財の需要が増加するか、減少するかの判断はできない。

C　X財が正常財の場合、Y財が正常財か、劣等財かの判断はできない。さらに、このとき、Y財の需要が増加するか、減少するかの判断はできない。

D　Y財が劣等財の場合、X財は正常財となる。このとき、X財の需要は代替効果でも所得効果でも増加し、価格効果（総効果）でかならず増加する。

2　企業行動の分析

Point ①　生産関数

生産要素として資本と労働だけを想定した場合、原材料を資本（設備などのモノ）と労働（ヒト）をもちいて加工して生産物を産出するしくみは、下図のようにあらわされる。このうち、生産要素の投入量と生産量との技術的関係のことを「生産関数」という。

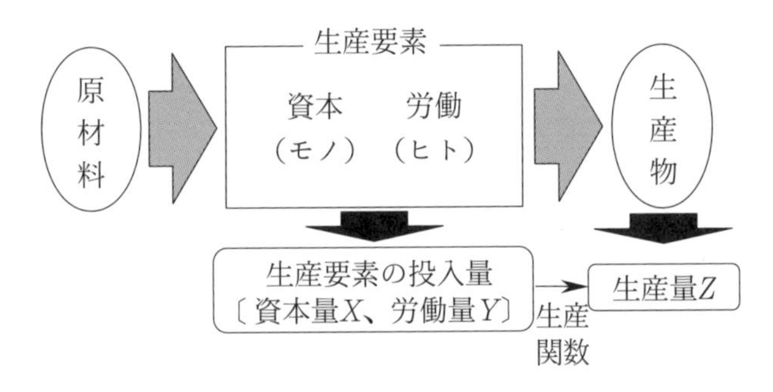

Point ②　生産関数の性質

(1)　規模に関する収穫

すべての生産要素の投入量をλ倍したとき、生産量が何倍増加するか？を示したものを「規模に関する収穫」という。

- 規模に関して収穫逓増：生産量はλ倍より大きく増加する状態のことを「規模に関して収穫逓増」という。
- 規模に関して収穫一定：生産量もλ倍増加する状態のことを「規模に関して収穫一定」という。
- 規模に関して収穫逓減：生産量はλ倍より小さくしか増加しない状態のことを「規模に関して収穫逓減」という。

(2)　限界生産力

ある製品の生産にもちいている生産要素が数種類存在するとき、このうちの**1種類の生産要素**の投入量だけを1単位増加すると、その製品の生産量が何単位増加するかを示す指標を「限界生産力」という。さらに、1種類の生産要素の投入量だけを増加させていくと、製品の生産量は増加していくものの、「限界生産力」が低下するという性質を「**限界生産力逓減の法則**（＝**収穫逓減の法則**）」という。

Point ③ 等生産量曲線

2つの生産要素（XとY）を利用して、Z財を生産している場合、等しい生産量を達成することができる2つの生産要素の投入量の組合せ（x, y）を示した下の図を「等生産量曲線」という。基本的に、消費者理論における無差別曲線と同じような性質をもつが、効用がその数字に意味がないのに対して、生産量には意味がある点が異なる。

図表1－7　等生産量曲線

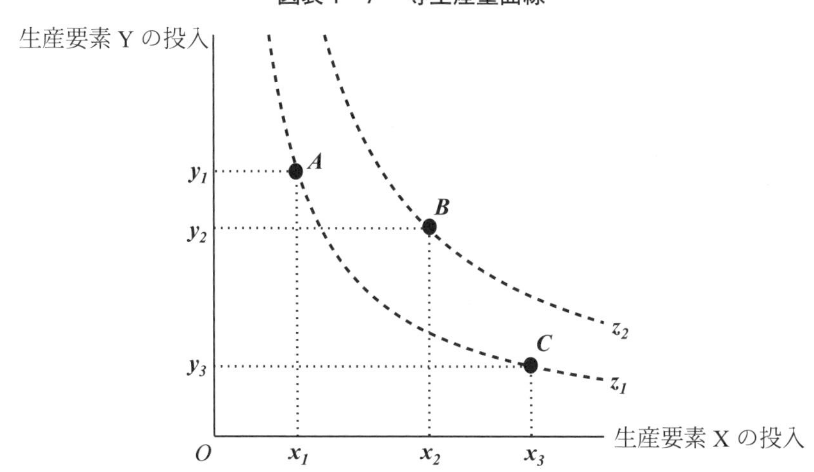

図表1－7の等生産量曲線には、つぎのような関係がある。

(1)　生産要素Xをx_1、生産要素Yをy_1もちいている生産点Aの生産量と、生産要素Xをx_3、生産要素Yをy_3もちいている生産点Cの生産量は、どちらもz_1となる。

(2)　生産量z_1よりも生産量z_2のほうが大きい。

例題 3　等生産量曲線が通常持つ性質に関する次の記述のうち，正しくないものはどれですか。

A　右下がりである。

B　原点に対して凸である。

C　右下に位置するほど、高い生産量に対応している。

D　互いに交わらない。

解　答　C

解　説

C　右上に位置するほど、高い生産量に対応している。

Point ④　費用関数と費用曲線

(1)　費用関数

企業が、資本と労働の 2 つの生産要素だけを利用して、ある製品を生産していると仮定する。このとき、この製品の生産量を Y、資本の投入量（工作機械の台数）を K、労働の投入量（労働者の人数）を L として、資本の価格（レンタルコスト）を r、労働の価格（賃金）を w とすると、企業の総費用 C は、

$$C=rK+wL$$

のように、すべての生産要素への支出額の合計としてあらわされる。

一部の生産要素の投入量が変更できない状況を「短期」といい、すべての生産要素の投入量が変更できる状況を「長期」という。そして、投入量を変更できない生産要素への支出額を「固定費用」といい、投入量を変更できる生産要素への支出額を「可変費用」という。このうち、「固定費用」は、生産量が変化しても一定の値をとる。

これらのことより、「短期」においては、資本への支出額 rK が固定費用、労働への支出額 wL が可変費用となる。一方、「長期」においては、すべての生産要素への支出額が可変費用となるので、固定費用はゼロになる。

(2) 費用曲線

企業の総費用は、生産量が増加するとともに、増加する。このような生産量と総費用の関係をあらわす曲線を「費用曲線」という。「短期」において、費用曲線は、通常、図表1-8のような逆S字型の曲線で示される。

図表1-8において、生産量が Ox_1 のときの総費用は OC_1 であらわされる。また、固定費用は OF であらわされる。このため、生産量が Ox_1 のときの可変費用は FC_1 であらわされる。

図表1-8　費用曲線

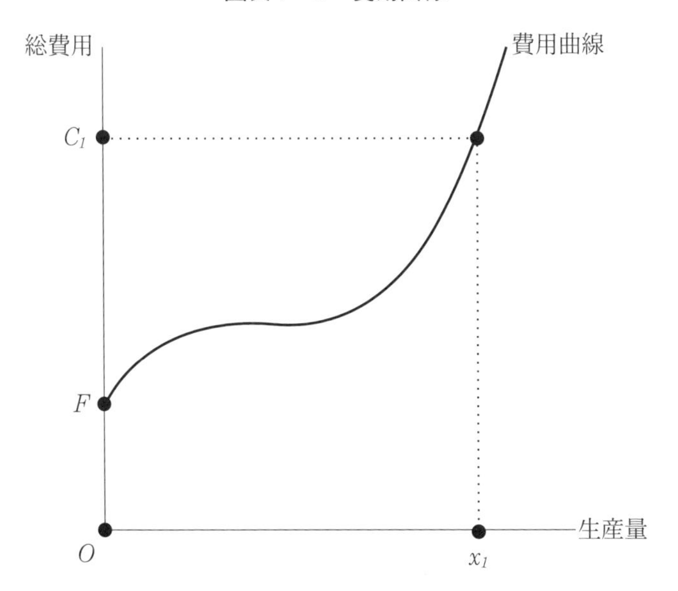

なお、「長期」における費用曲線は、固定費用がゼロになるので、原点を通過する。

Point ⑤ 費用関数と各種費用

(1) 平均費用

生産物1単位あたりの総費用のことを「平均費用」という。図表1－9において、生産量が Ox_1 のときの総費用が OC_1 であるので、平均費用は $\frac{OC_1}{Ox_1}$ となる。平均費用は、原点から費用曲線上の点に引いた直線の傾きであらわされる。

(2) 平均可変費用

生産物1単位あたりの可変費用のことを「平均可変費用」という。図表1－9において、生産量が Ox_1 のときの可変費用が FC_1 となるので、平均可変費用は $\frac{FC_1}{Ox_1}$ となる。平均可変費用は、費用曲線の縦軸の切片から費用曲線上の点に引いた直線の傾きであらわされる。

(3) 限界費用

生産物を1単位だけ増加（減少）させたときの総費用の増加分（減少分）のことを「限界費用」という。生産物を Δx だけ増加させたとき、総費用が ΔC だけ増加すれば、限界費用は $\frac{\Delta C}{\Delta x}$ となる。限界費用の値は、費用関数を生産量に関して微分することにより求められる。さらに、図表1－9において、限界費用は、費用曲線の接線の傾きであらわされる。

図表１－９　費用曲線と各種費用

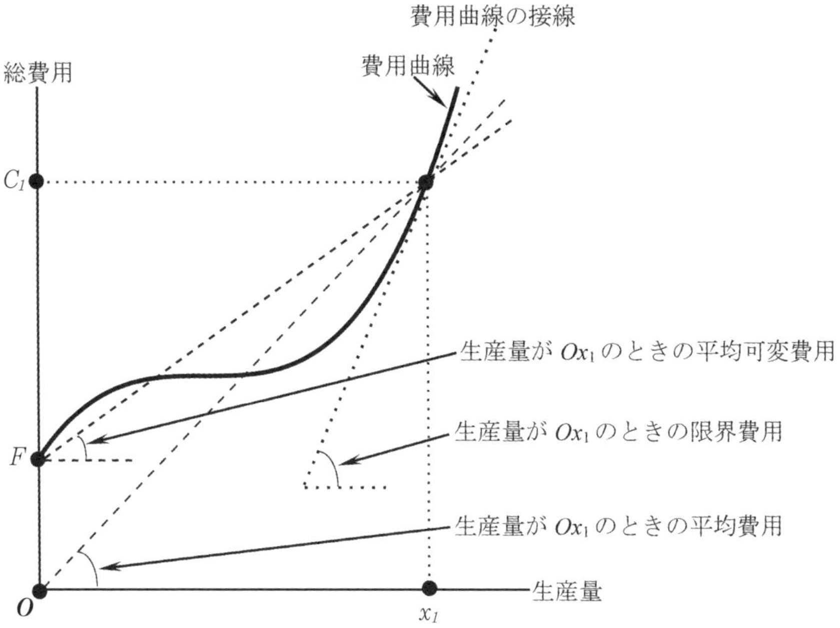

Point ⑥ 平均費用曲線・平均可変費用曲線・限界費用曲線

(1) 平均費用曲線と限界費用曲線

生産量と平均費用の関係をあらわす曲線を「平均費用曲線」といい、生産量と限界費用との関係をあらわす曲線を「限界費用曲線」という。費用曲線が逆Ｓ字型の曲線で示される場合、平均費用曲線と限界費用曲線は、両方とも、Ｕ字型の曲線となる。

図表１-10において、平均費用の最小値は、原点から引いた費用曲線の接線の傾きで示され、このときの生産量はx_2となる。さらに、生産量x_2のときの限界費用も、原点から引いた費用曲線の接線の傾きであらわされ、平均費用の最小値と等しくなる。このことより、平均費用曲線の最低点を限界費用曲線が通過する。

(2) 平均可変費用曲線と限界費用曲線

生産量と平均可変費用の関係をあらわす曲線を「平均可変費用曲線」という。費用曲線が逆Ｓ字型の曲線で示される場合、平均可変費用曲線は、Ｕ字型の曲線となる。

図表１-10において、平均可変費用の最小値は、費用曲線の縦軸の切片から引いた費用曲線の接線の傾きで示され、このときの生産量はx_1となる。さらに、生産量x_1のときの限界費用も、費用曲線の縦軸の切片から引いた費用曲線の接線の傾きであらわされ、平均可変費用の最小値と等しくなる。このことより、平均可変費用曲線の最低点を限界費用曲線が通過する。

図表1-10　平均費用曲線・平均可変費用曲線・限界費用曲線

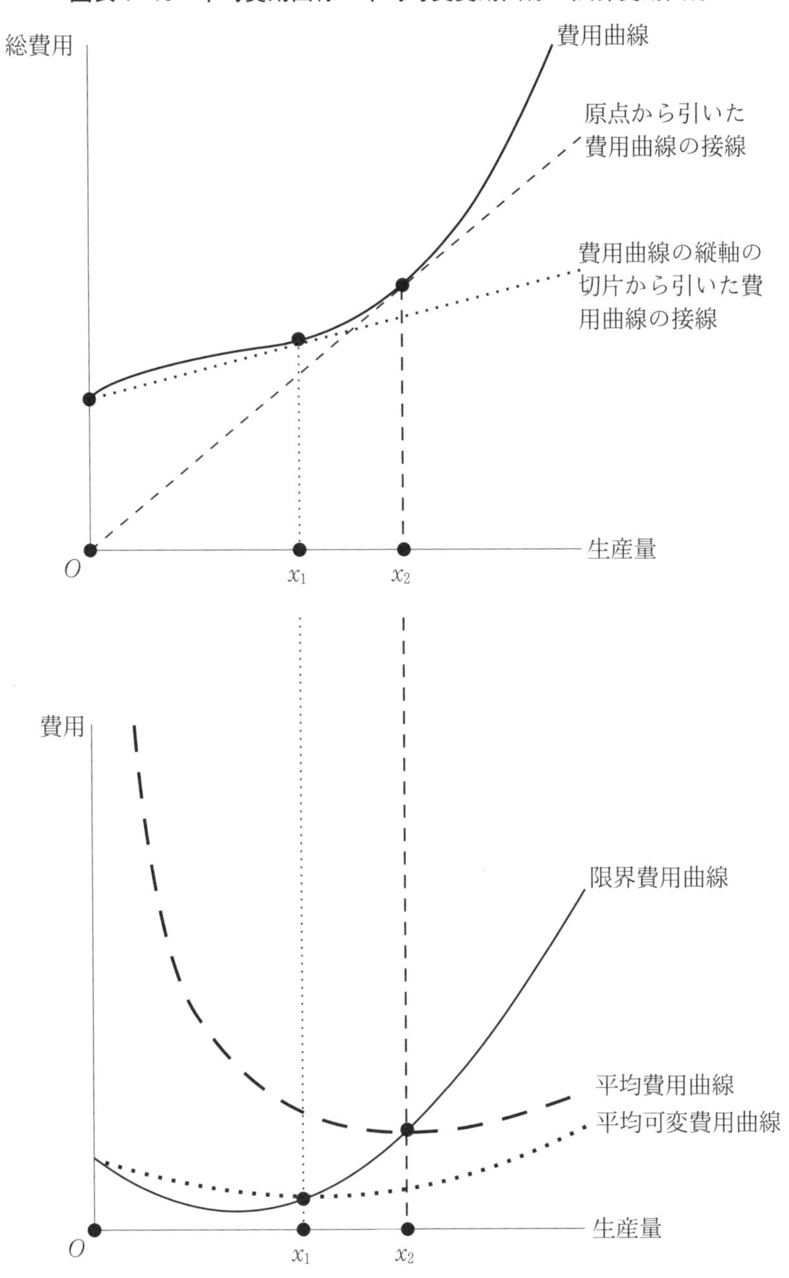

Point ⑦ 利潤最大化

⑴ 利潤

総収入から総費用を控除したものを「利潤（超過利潤）」という。

利潤＝総収入－総費用

ミクロ経済理論上の「利潤（超過利潤）」は、会計上の利益である「当期純利益」とは異なる。ミクロ経済理論上の「利潤（超過利潤）」は、「当期純利益」から「正常利潤」を控除したものに等しい。ここで、「正常利潤」とは、事業を継続するために必要とされる正常な水準の利潤のことであり、ミクロ経済理論においては、どの産業に属する企業にとっても必要な経費と考えられている。このため、「利潤（超過利潤）」には費用の一部となる「正常利潤」は含まれない。

⑵ 利潤最大化の条件

生産物を１単位追加して生産・販売するときの総収入の増加分のことを「限界収入」という。一方、生産物を１単位追加して生産・販売するときの費用の増加分のことを「限界費用」という。

「限界収入＞限界費用」であれば、生産量を増加すると、利潤は増加し、「限界収入＜限界費用」であれば、生産量を減少させると、利潤は増加する。このため、利潤が最大となるように企業が生産量を決定するとき、次の利潤最大化の条件が成立する。

限界収入＝限界費用

⑶ 完全競争市場における利潤最大化

完全競争市場では、生産量に関係なく、価格は所与（一定）となる。

たとえば、価格が300円で一定のとき、限界収入（＝生産物を１単位追加したときの総収入の増加分）は、いつでも価格300円に等しくなる。このため、利潤最大化の条件は、次のように示される。

限界収入＝限界費用 ⇒ 価格＝限界費用

(4) 完全競争市場における長期均衡

代表的企業（＝平均的な企業）の利潤が黒字であれば、長期的には市場への参入により利潤が低下し、代表的企業の利潤が赤字であれば、長期的には市場からの退出により利潤が上昇し、完全競争市場における代表的企業の超過利潤（＝利潤）は、長期的には**ゼロ**となる。

(5) 不完全競争市場における利潤最大化

不完全競争市場（独占市場や寡占市場）においては、生産・販売量を増加させるほど、それを売り切るために、企業は、より低い価格を設定しなければならない。このため、不完全競争市場での価格は、完全競争市場のように一定とならず、生産量の増加にともなって、低下していく。

たとえば、生産量が100個のときの価格が300円であり、101個のときの価格が299円に低下しているとき、100個のときに生産物を１単位増加させたときの総収入の増加分である限界収入は、

限界収入＝299円×101個－300円×100個＝199円

となり、生産量が100個のときの価格300円よりも低くなる。このため、不完全競争市場では、利潤最大化の条件と価格の関係は、次のように示される。

価格＞限界収入＝限界費用

例題４

企業行動に関する次の記述のうち、正しいものはどれですか。

A　完全競争市場では、企業は価格と限界費用が等しくなるように供給量を決める。

B　完全競争市場では、企業は限界費用がゼロになるように供給量を決める。

C　独占市場では、企業は価格と限界収入が等しくなるように供給量を決める。

D　独占市場では、企業は限界収入がゼロになるように供給量を決める。

解　答　A

解　説

A・B　完全競争市場では、価格が一定となるため、限界収入が価格につねに等しくなる。さらに、企業の利潤は、限界収入と限界費用が等しいときに最大となる。これらのことより、完全競争市場では、企業は、価格と限界費用が等しくなるように供給量を決める。

C・D　独占市場において、企業の利潤は、限界収入と限界費用が等しいときに最大となる。このため、企業は、限界収入と限界費用が等しくなるように供給量を決める。

Point ⑧ 企業の供給曲線

(1) 損益分岐価格

市場価格（＝生産物１個あたりの収入）が平均費用（＝生産物１個あたりの総費用）に等しいとき、利潤（＝収入－総費用）はゼロになる。利潤がゼロになる価格を「損益分岐価格」という。利潤を最大化する企業は、市場価格と限界費用が等しくなるように生産量を決定しているので、損益分岐価格においては、

市場価格＝平均費用＝限界費用

が成立する。図表１-11において、「損益分岐価格」は、平均費用曲線と限界費用曲線の交点（＝平均費用が最小となっている点）A 点に対応する価格 P^* となる。なお、平均費用曲線と限界費用曲線の交点 A 点を「損益分岐点」という。

(2) 操業停止価格

固定費用を負担している企業は、操業を停止した場合、固定費用分だけ利潤がマイナス（利潤＝－固定費用）になる。一方、操業を続行したときの利潤は、利潤＝収入－可変費用－固定費用となるので、収入＜可変費用であれば、操業を続行したときの利潤は、操業を停止したときの利潤を下回り、企業は操業を停止する。

このことを生産物1個あたりで考えると、市場価格（＝生産物1個あたりの収入）が平均可変費用（＝生産物1個あたりの可変費用）を下回れば、企業は操業を停止することとなる。このことから、市場価格＝平均可変費用となる価格を「操業停止価格」という。利潤を最大化する企業は、市場価格と限界費用が等しくなるように生産量を決定しているので、操業停止価格においては、

市場価格＝平均可変費用＝限界費用

が成立する。図表1-11において、「操業停止価格」は、平均可変費用曲線と限界費用曲線の交点（＝平均可変費用が最小となっている点）B 点に対応する価格 P^{**} となる。なお、平均可変費用曲線と限界費用曲線の交点 B 点を「操業停止点」という。

(3) 長期の企業の供給曲線

「供給曲線」とは、市場価格と最適生産量（＝利潤が最大となる生産量）の関係をあらわす曲線のことである。ここで、これから市場に新規参入しようとしている企業（＝まだ、工場などを建設しておらず、固定費用を負担していない企業）を考える。このような企業は、市場価格が損益分岐価格を下回っており、利潤がマイナスにしかならない場合には、工場などを建設して固定費用を負担することはなく、生産も行わない。一方、市場価格が損益分岐価格以上であれば、企業は、工場などを建設して、価格＝限界費用となる生産量を決定する。

これらのことより、これから市場に新規参入しようとしている企業（＝固定費用を負担していない企業）を対象とする長期の企業の供給曲線は、図表1-11において、損益分岐価格以下の縦軸部分 OP^{*} と損益分岐点 A 点より右上の部分の限界費用曲線になる。

(4) 短期の企業の供給曲線

すでに市場に参入している企業（＝固定費用を負担している企業）を考える。このような企業は、市場価格が操業停止価格を下回っている場合には、操業を停止するので、生産量はゼロとなる。一方、市場価格が操業停止価格以上であれば、企業は、操業を続行するので、価格＝限界費用となる生産量を決定する。

これらのことより、すでに市場に参入している企業（＝固定費用を負担している企業）を対象とする短期の企業の供給曲線は、図表１-11において、操業停止価格以下の縦軸部分 OP^{**} と操業停止点 B 点より右上の部分の限界費用曲線になる。

図表１-11　平均費用曲線・平均可変費用曲線・限界費用曲線

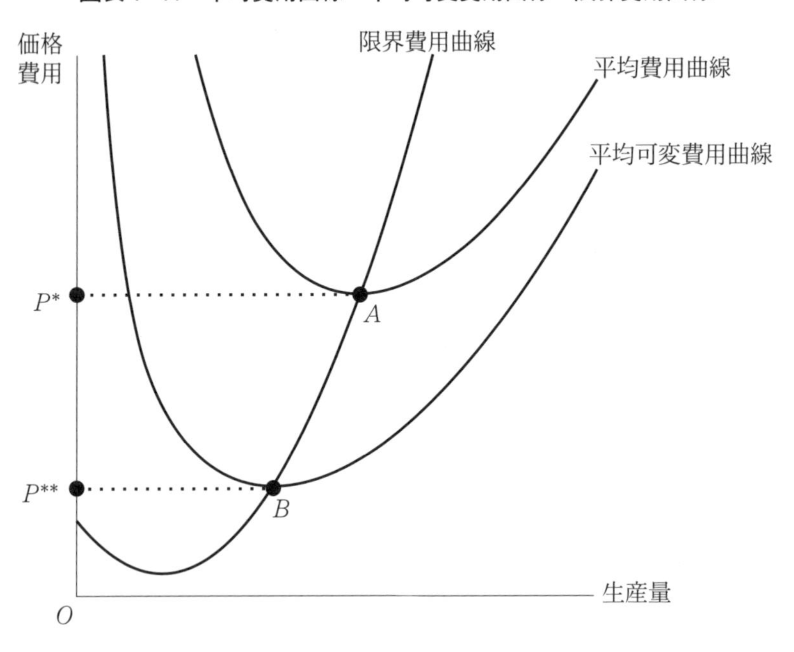

3　市場均衡と市場の失敗

Point ①　完全競争市場

(1)　完全競争市場が成立するための条件

次の3つの条件をみたす市場を「完全競争市場」という。なお、①と②を満たす市場を「完全市場」といい、③を満たす市場を「競争市場」という。

①　情報の完全性

取引に参加する主体が、取引される財の品質・内容・価格について、完全な知識をもっている状態を想定する。この条件のもとでは、ある財の価格に関して、異なる価格が存在すれば、それをすべての取引主体は知ることとなり、一番安いところで取引が行われるため、同質の財にはただ1つの価格が決まる。

②　取引費用がゼロ

取引に要する費用（たとえば、手数料・輸送費、交通費など）がかからないという状態を想定する。この条件のもとでは、ある財の一番安い価格が、かなり離れたところに存在しても、そこに「どこでもドア」で、手間なく移動できるため、やはり、同質の財にはただ1つの価格が決まる。

③　多数の取引主体の存在

取引に参加している主体（売り手と買い手）が非常に多く存在する（市場が競争的な）とき、各個別の主体の取引量は、市場全体の取引量と比較するときわめて小さくなり、各取引主体の行動は、市場価格に影響をあたえることができなくなる。このため、完全競争市場において、取引主体は「価格受容者（プライス・テイカー）」となる。

(2)　完全競争市場の特徴

完全競争市場においては、ひとつの財には、ただひとつの価格が決まるという「一物一価の法則」が成立する。

さらに、完全競争市場においては、企業（売り手）や消費者（買い手）は、市場価格を所与（一定）のものとして、それぞれの取引量を決めなければならない「価格受容者（プライス・テイカー）」の立場になる。このため、消費者（買い手）は、一定の価格のもとで、各自の効用が最大となるように消費量（＝需要量）を決定し、企業（売り手）は、一定の価格のもとで、各自の利潤が最大となるように生産量（＝販売量＝供給量）を決定する。

例題5　完全競争市場に関する次の記述のうち、正しくないものはどれですか。

A　完全競争市場の条件の１つは、取引費用がゼロであるということである。

B　完全競争市場の条件の１つに、情報の不完全性がある。

C　市場価格を所与として行動する主体は、価格受容者（プライス・テイカー）と呼ばれる。

D　売り手の数だけでなく、買い手の数が多いことも完全競争市場の条件の１つである。

解　答　B

解　説

A・B・D　完全競争市場が成立するための条件は、①情報の完全性、②取引費用がゼロ、③多数の取引主体の存在、の３つである。

C　完全競争市場では、買い手（消費者）も売り手（企業）も価格受容者（プライス・テイカー）となるため、市場で決定される価格を所与として、それぞれの取引量（需要量・供給量）を決定する。

Point ② 市場均衡とワルラス的調整過程

(1) 供給曲線

供給曲線は、各生産量に対する限界費用を示している。生産量が増加するとともに、この限界費用は増加すると想定するので、供給曲線は右上がりとなる。このため、供給曲線は、各生産量において、企業がこれ以上の価格で売りたいと思う最低販売価格（供給価格）を示している。

(2) 需要曲線

需要曲線は、各購入量に対して、消費者がこれ以下の価格で買いたいと思う最高購入価格（需要価格）を示している。消費者は、財をできるだけ安く買いたいと考えるため、需要曲線は右下がりとなる。

(3) 市場均衡

図表1-12の需要曲線と供給曲線との交点Eにおいて、価格p^*のときに、需要量と供給量とがともにQ^*と等しくなっている。この交点Eを「市場均衡」といい、このときの取引量Q^*を「均衡取引量」、価格p^*を「均衡価格」という。

図表1-12　完全競争における市場均衡

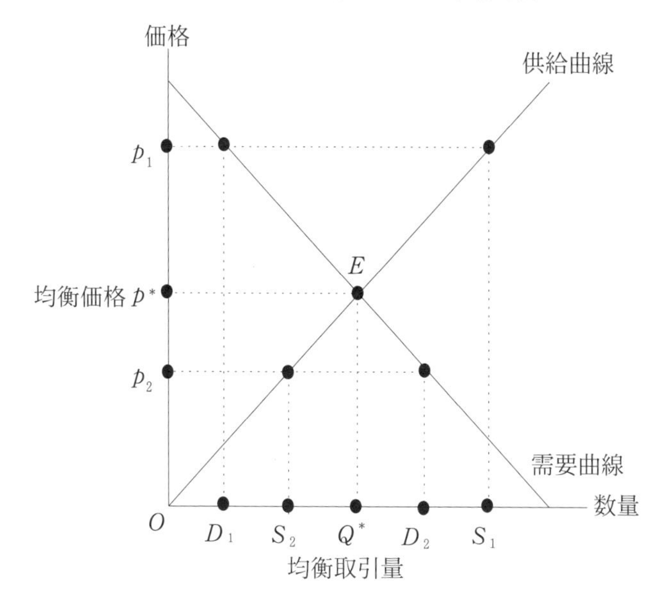

⑷ ワルラス的調整過程

超過供給のとき市場価格が下落し、超過需要のとき市場価格が上昇する価格調整過程を「ワルラス的調整過程」という。価格調整により、市場均衡に到達できる場合、市場均衡は「安定的」であるという。

図表1-12では、市場価格がp_1のとき、供給量がS_1、需要量がD_1に決まり、供給量が需要量を上回る超過供給となる。このとき、市場価格は下落し、均衡価格p^*に近づいていくため、市場均衡は「安定的」となる。また、市場価格がp_2のとき、供給量がS_2、需要量がD_2に決まり、需要量が供給量を上回る超過需要となる。このとき、市場価格は上昇し、均衡価格p^*に近づいていくため、市場均衡は「安定的」となる。

Point ③ 比較静学

需要曲線や供給曲線のシフトが、市場均衡（均衡価格や均衡取引量）をどのように変化させるかを分析する方法を「比較静学」という。

⑴ 需要曲線のシフトと市場均衡の変化

需要曲線がシフトした場合、市場均衡の変化により、価格と数量とは同じ方向に変化する。図表1-13において、需要曲線がD_1からD_2に右上方にシフトすると、市場均衡はE点からF点に移動し、このとき、均衡価格は上昇し、均衡取引量は増加する。需要曲線を右方にシフトさせる要因としては、価格以外の変化により需要量が増加する、以下のような場合が挙げられる。

① 所得の増加（正常財のケース）

正常財（上級財）とは、所得が増加したとき、需要量が増加する財のことである。正常財の価格が変化しなくても、所得が増加すれば、正常財の需要量は増加する。

② 所得の減少（劣等財のケース）

劣等財（下級財）とは、所得が減少したとき、需要量が増加する財のことである。劣等財の価格が変化しなくても、所得が減少すれば、劣等財の需要量は増加する。

③　代替財の価格の上昇

ゴルフ場がボーリング場の代替財（＝代わりに利用できる財）であれば、ゴルフ場の利用料金の上昇は、ボーリング場の価格が変化しなくても、その需要量を増加させる。

④　有力な代替商品の減少

鉄道が廃線になると、バスの需要量が増加する。

⑤　補完財の価格の低下

ゴルフ場はゴルフクラブの補完財（＝一緒に利用する財）であるので、ゴルフ場の利用料金の低下は、ゴルフクラブの価格が変化しなくても、その需要量を増加させる。

⑥　新たな補完財の登場

携帯電話の普及により、充電池の需要量が増加する。

⑦　消費者の好みの変化

消費者がいままでよりもボーリングを好きになれば、価格が変化しなくてもボーリング場の需要量は増加する。

図表1-13　需要曲線のシフトと市場均衡の変化

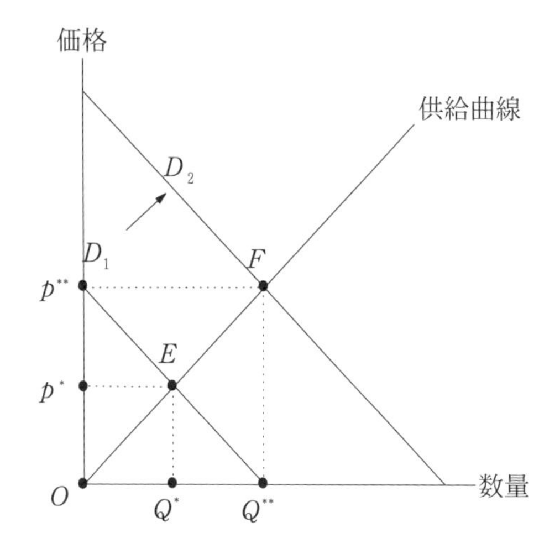

(2) 供給曲線のシフトと市場均衡の変化

供給曲線がシフトした場合、市場均衡の変化により、価格と数量とは逆方向に変化する。図表1-14において、供給曲線がS_1からS_2に右下方にシフトすると、市場均衡はE点からF点に移動し、このとき、均衡価格は低下し、均衡取引量は増加する。供給曲線を右方にシフトさせる要因としては、価格以外の変化により供給量が増加する、以下のような場合が挙げられる。

① 生産コストの低下

技術進歩（生産性の上昇)、原材料価格の低下、実質賃金の低下などにより生産コストが低下し、供給量が増加するとき、供給曲線が右方にシフトする。

② 新規企業の参入

完全競争市場では、どの企業も同質の財を供給すると想定する。このため、長期的世界において、ある財の市場に新規企業が参入し、企業数が増加すると、その財の供給量が増加するため、供給曲線が右方にシフトする。

図表1-14 供給曲線のシフトと市場均衡の変化

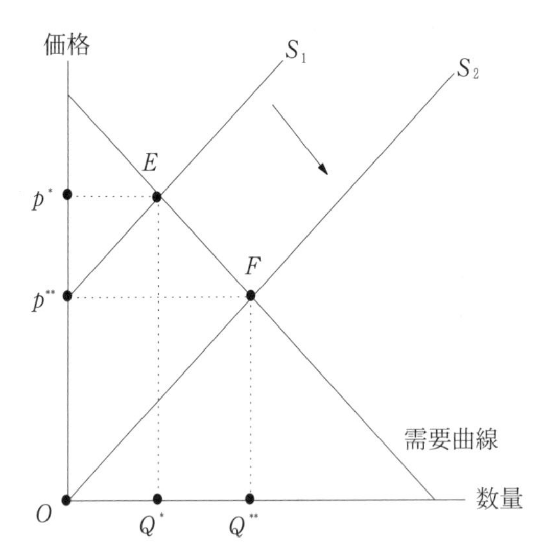

Point ④ 余剰分析と市場の効率性

(1) 消費者余剰

需要曲線は、消費者がこれ以下の価格で買いたいと考えている最高価格（需要価格）を示しているが、実際には市場価格で購入できる。その差額を「消費者余剰」という。「消費者余剰」は、取引量（需要量）までの範囲における、需要曲線（需要価格）と市場価格の水準で囲まれる面積であらわされる。

(2) 生産者余剰

供給曲線は、企業がこれ以上の価格で売りたいと考えている最低価格（供給価格）を示しているが、実際には市場価格で販売できる。その差額を「生産者余剰」という。「生産者余剰」は、取引量（供給量）までの範囲における、供給曲線（供給価格）と市場価格の水準で囲まれる面積であらわされる。

(3) 総余剰

市場全体の余剰の合計を「総余剰」という。この「総余剰」が大きいほど、市場は効率的と判断される。完全競争市場において、「総余剰」は、「消費者余剰」と「生産者余剰」の合計となる。

(4) 完全競争市場の均衡における効率性

完全競争市場の市場均衡での「総余剰」は、通常、その他の状況と比較して最大となる。このことは、完全競争市場均衡では、資源が効率的に配分されていることを意味する。図表1-15において、完全競争市場の市場均衡での「消費者余剰」、「生産者余剰」、「総余剰」は、それぞれ、次のようにあらわされる。

- 消費者余剰：三角形abp^*の面積となる。
- 生産者余剰：三角形p^*bOの面積となる。
- 総余剰：三角形abOの面積となる。

図表1-15　完全競争市場の均衡と余剰分析

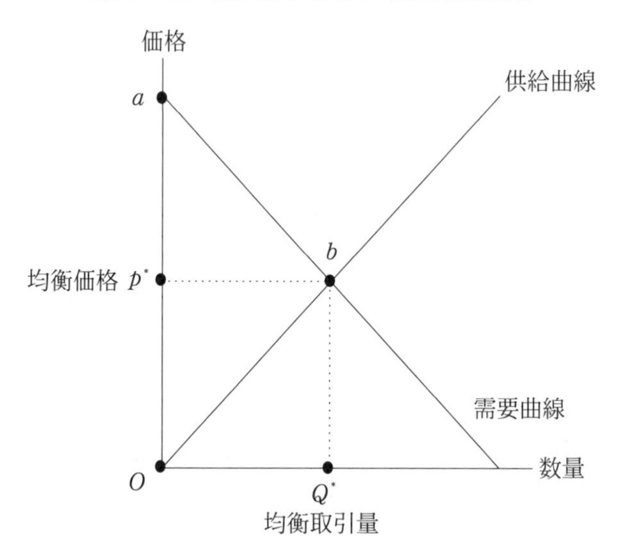

例題６　完全競争市場における需給均衡分析について考えます。次の記述のうち、正しくないものはどれですか。なお、需要は価格の減少関数であり、供給は価格の増加関数であるとする。

A　右上がりの供給曲線は限界費用が生産量の増加とともに増加することを表している。

B　需要量が供給量を上回る場合は供給曲線の変化によって供給量が減少し、需給は均衡に至る。

C　市場での取引量と価格がともに上昇した場合には、需要曲線を変化させるショックがあったと考えられる。

D　完全競争市場においては需給が均衡する点において消費者・生産者それぞれの余剰の和は最大となる。

解　答　B

解　説

A　供給曲線は、限界費用をあらわしている。なお、ある生産量における限界費用は、その生産量から、さらに生産物を１単位増加させたとき、費用がどれだけ増加するか、その費用の増加分をあらわしている。

B　超過需要（＝需要量が供給量を上回っている状態）は、価格の上昇によって市場均衡が達成される。一方、供給量の増加は価格の上昇によってもたらされると考える。

C　市場での取引量と価格が同じ方向に変化したとき、需要曲線のシフトがおこったと考えられる。

D　完全競争市場においては需給が均衡する点において消費者余剰と生産者余剰の和である総余剰が最大となる。

Point ⑤ 価格弾力性

(1) 供給の価格弾力性

価格が１％変化したときに供給量が何％変化するかを示す指標のことを「供給の価格弾力性」といい、次のように示される。

$$供給の価格弾力性=\frac{供給量の変化率}{価格の変化率}$$

供給の価格弾力性が０のとき、価格が変化しても供給量が一定となるので、供給曲線は垂直となる。一方、供給の価格弾力性が無限大のとき、供給曲線は水平となる。このため、供給の価格弾力性が大きいほど、供給曲線の傾きは水平に近くなる。

図表１-16　供給の価格弾力性と供給曲線

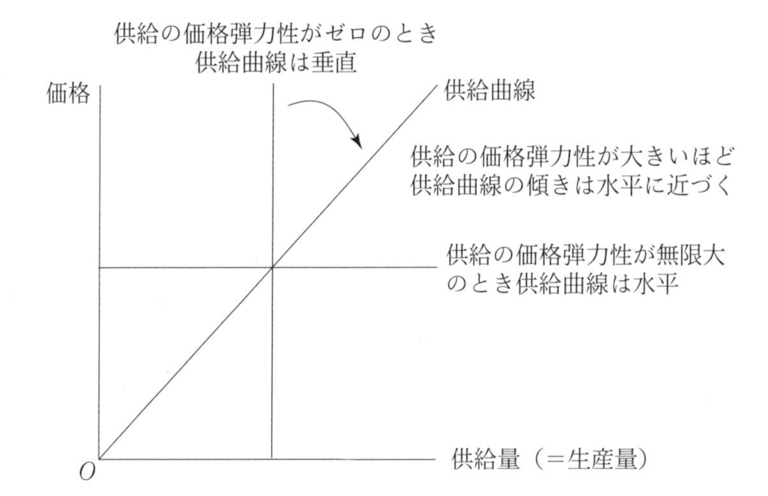

(2)　需要の価格弾力性

価格が1％変化したときに需要量が何％変化するかを示す指標のことを「需要の価格弾力性」といい、需要量の変化率を価格の変化率で割った値によって示される。ただし、価格が上昇する（＝価格の変化率がプラスになる）と需要量は減少する（＝需要量の変化率がマイナスになる）といったように、通常、価格と需要量は逆に変化する（＝価格の変化率の符号と需要量の変化率の符号は逆になる）ので、需要の価格弾力性がマイナスになることを避けるために、次のようにマイナスをかけて定義される。

$$\text{需要の価格弾力性} = -\frac{\text{需要量の変化率}}{\text{価格の変化率}}$$

需要の価格弾力性が０のとき、需要量が一定となるので、需要曲線は垂直となる。一方、需要の価格弾力性が無限大のとき、需要曲線は水平となる。このため、需要の価格弾力性が大きいほど、需要曲線の傾きは水平に近くなる。また、この定義式をもとにすると、ギッフェン財の需要の価格弾力性はマイナスになる。

図表1-17　需要の価格弾力性と需要曲線

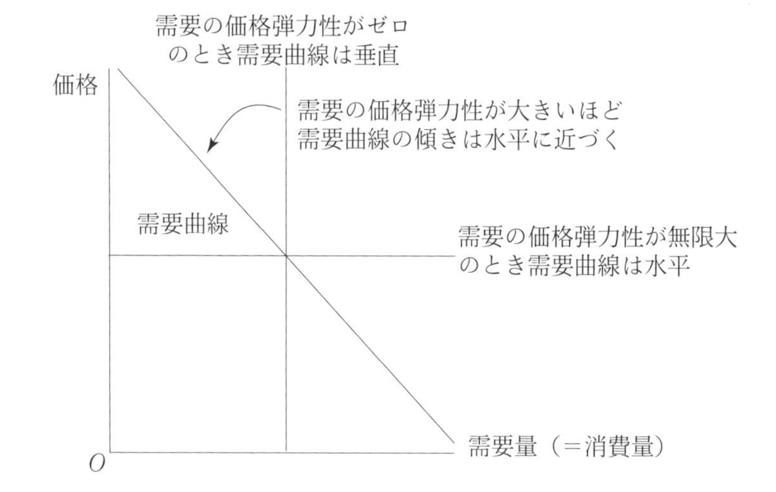

例題 7　需要曲線と供給曲線に関する次の記述のうち、正しくないものはどれですか。

A　需要の価格弾力性が大きい財の需要曲線は垂直に近くなる。

B　所得が増加した場合には、上級財の需要曲線は右方にシフトすると考えられる。

C　供給の価格弾力性が小さい財の供給曲線は垂直に近くなる。

D　原材料費が低下した場合には、供給曲線は右方にシフトすると考えられる。

解　答　A

解　説

A　需要の価格弾力性が大きいほど、需要曲線の傾きは水平に近くなる。

B　所得が増加した場合、上級財（正常財）の需要量は増加するので、上級財の需要曲線は右方にシフトする。

C　供給の価格弾力性が小さいほど、供給曲線の傾きは垂直に近くなる。

D　原材料費の低下は、生産量の増加要因となるので、供給曲線は右方にシフトする。

Point ⑥ 市場の失敗

市場が効率的な資源配分の実現に失敗する状況のことを「市場の失敗」という。「市場の失敗」が起こる状況において、効率的な資源配分を実現するためには、政府の介入などの手段が必要となる。「市場の失敗」が起こる例として、「外部効果」、「費用逓減産業」、「公共財」が挙げられる。

(1) 外部効果

ある経済主体の経済活動が、市場の外部を通して（＝資金の受取や支払をともなわずに）、他の経済主体に影響を与えることを「外部効果」という。ある経済主体が良い影響を他の経済主体に与えているのに、謝礼金などを受け取っていない場合を「外部経済」といい、ある経済主体が悪い影響を他の経済主体に与えているのに、迷惑料などを支払っていない場合を「外部不経済」という。外部効果が存在する場合、資金の受取や支払がともなう取引だけを対象としている完全競争市場における市場均衡では、効率的な資源配分が実現せず「市場の失敗」が起こる。

図表1-18　外部不経済のケース

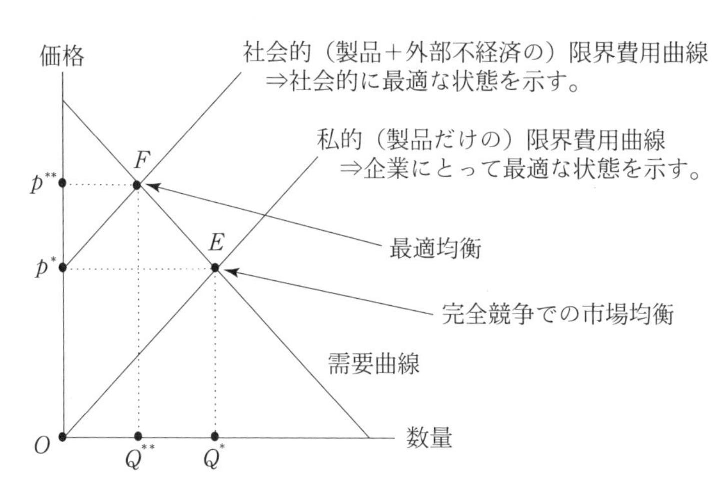

⑵ 費用逓減産業

生産量の増加とともに、平均費用（生産物１単位あたりのコスト）が逓減する領域（＝規模の経済が働く領域）で生産を行う産業を「費用逓減産業」という。このような産業には、固定費用（設備費）が巨額であり、平均費用が逓減する領域が大きなものとなっている点に特徴があり、たとえば、電力、ガス、鉄道、鉄鋼業などが該当する。このような産業では、自然に、独占あるいは寡占化される傾向があり、このため効率的な資源配分が実現せず、「市場の失敗」が起こる。

⑶ 公共財

ある人の消費が他の人の消費からの利益を減少させないという「非競合性」という性質と、対価を支払わない人でも消費から排除されないという「非排除性」という性質の両方をもつ財のこと。「非競合性」と「非排除性」の両方の性質をもつ公共財には、フリーライダー（ただ乗り）の問題が起こるので、市場メカニズム（民間経済）においては公共財を供給できず、「市場の失敗」が起こる。このため、公共財は、政府により供給される必要がある。

例題 8

市場の失敗に関する次の記述のうち、正しいものはどれですか。

A　政府が資源配分機能をうまくコントロールできないことを、市場の失敗という。

B　外部不経済（負の外部性）は、市場の失敗の１つであるが、外部経済効果（正の外部性）は、市場の失敗とはいわない。

C　消費について非競合性をもたない財を公共財と呼んでいる。

D　固定費が大きい費用逓減産業でも、市場の失敗が生じる。

解　答　D

解　説

A　市場の失敗は、市場機構がうまく機能しない場合である。

B　外部不経済（負の外部性）と外部経済（正の外部性）は、どちらも市場外を通じて他の経済主体におよぼす効果であり、ともに市場の失敗の要因となる。

C　公共財とは「非競合性」と「非排除性」の両方の性質をもつ財である。

Point ⑦　情報の非対称性

売り手と買い手といった経済主体間に情報の格差があるため、市場メカニズムが十分に機能しない状況を「情報の非対称性」という。この場合にも「市場の失敗」が起こる。「逆選択」と「モラルハザード」の２つのケースがある。

(1)　逆選択

取引の契約前において、取引される財の品質について、売り手と買い手の間で情報に格差があるとき、情報が少ない主体が騙されることを警戒するため、品質の良い財の取引が阻害され、品質の劣る財・サービスがより多くでまわることを「逆選択」という。

①　アカロフのレモン

中古車市場では、売り手（中古車ディーラー）は車の品質をよく知っているが、買い手は購入しようとしている車の品質がわからない。このような売り手と買い手の間に情報の格差が存在するとき、中古車市場に「レモン」（＝英語の隠語で「欠陥のある中古車」のこと）が出回り、価格が高くても優良な中古車とはかぎらなければ、買い手は価格の高い中古車の購入をさけるため、優良な中古車の取引が十分に行われず、「レモン」がより多くでまわるという逆選択の状況となる。

②　逆選択を防ぐ方法

情報優位にある側が質に関する情報を伝えるための「シグナリング」や情報劣位にある側がシグナルを求める「スクリーニング」がある。

③　ペッキング・オーダー

外部資金よりも内部資金を、株式よりも借入を優先させるという資金調達の態度のことを「ペッキング・オーダー」という。経営者が資金調達をするとき、外部投資家が企業の質の高低の区別ができなければ逆選択の状況となる。ペッキング・オーダーは、この逆選択の状況において、情報優位にある側（経営者）が情報劣位にある側（外部投資家）に企業の質に関する情報を伝えるためのシグナルとして機能する。

⑵　モラルハザード

取引の契約後において、売り手または買い手の一方の主体が、契約後に裏切るため、他方の買い手または売り手が契約前に想定していた状況が、もはや適合しなくなることを「モラルハザード」という。

①　エージェンシー問題

エージェント（代理人）が必ずしもプリンシパル（主人）の利益とはならない行動をとってしまい、またそのことからさまざまな問題が引き起こされる可能性があるというモラルハザードのことを「エージェンシー問題(プリンシパル・エージェント問題)」という。

②　モラルハザードを防ぐ方法

エージェンシー問題を緩和するための方法には、プリンシパルがエージェントの行動を監視する「モニタリング」や、エージェントがプリンシパルの利益になるように働きたいと思うような誘引を与える「インセンティブ契約」などがある。

例題9　情報の非対称性に関する次の記述のうち、正しいものはどれですか。

A　モラルハザードは、相手のことが良く分かっている場合に生じる。
B　逆選択は、売り手と買い手が商品の品質に関して異なる情報を持っている場合におきる。
C　シグナリングは、逆選択が生じている状況では行われない。
D　モニタリングをいくら行ってもエージェンシー問題は軽減しない。

解　答　B

解　説

A　モラルハザードは、一方の経済主体が、他方の経済主体の行動について限られた情報しかもてないことから発生する問題である。
C　シグナリングは、逆選択を防ぐ方法のひとつである。
D　モニタリングは、エージェンシー問題（モラルハザード）を防ぐ方法のひとつであり、モニタリングによって、エージェンシー問題は軽減する。

4　不完全競争市場

Point ① 不完全競争市場

供給者が少数しか存在しない不完全競争市場は、「**独占市場**」と「**寡占市場**」とに大別される。「独占市場」とは、文字通り、ある財を生産し販売している供給者（企業）が1つしか存在しない市場のことをいう。それに対して、「寡占市場」とは、2つ以上の少数の供給者（企業）によって、ある（同質的な）財が生産・販売されている市場のことをいう。

「独占市場」や「寡占市場」においては、企業がある程度価格支配力をもつ。完全競争市場では、価格は所与（一定）であり、各企業は、各自の生産量に関係なく、一定の価格のもとで行動（生産・販売）する「価格受容者（プライス・テイカー）」であった。これに対して、「独占市場」や「寡占市場」では、企業の生産量によって、価格が変化する場合を考える。

Point ② 独占市場と利潤最大化

独占市場においてただ1つだけ存在している供給者（以下、「独占企業」という。）の利潤は、「第1章　2　企業行動の分析」のPoint⑦でみたように、

利潤＝総収入－総費用

とあらわされる。さらに、この独占企業の利潤が最大となるための条件は、

限界収入＝限界費用

と示される。

図表1-19には、独占企業の限界収入曲線 MR と限界費用曲線 MC、および、独占企業が直面している需要曲線（独占企業が生産している財に対する需要曲線）D が描かれている。独占企業は、限界収入と限界費用とが一致する点 f に対応する生産量 x_M を選択する。さらに、この生産量がすべて需要尽くされるとき（独占企業による供給量と市場全体の需要量とが等しく、独占市場が均衡しているとき）の最大限の価格は、需要曲線を通してみてみると、p_M となり、これが独占価格となる。

図表1-19　独占市場における利潤最大化

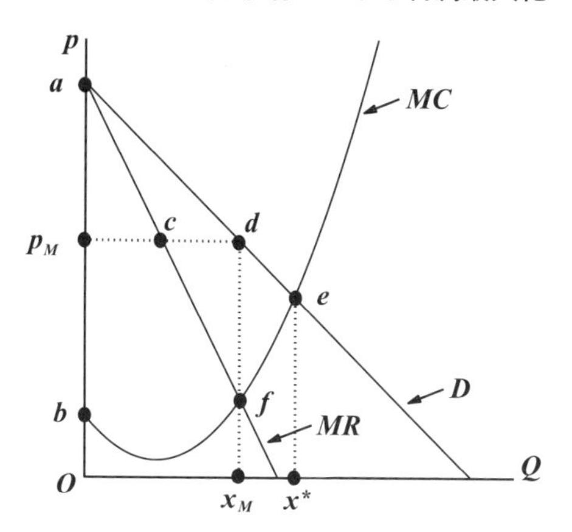

独占価格がp_M、生産量がx_Mのとき、独占企業の収入（＝独占価格×生産量）は、この図において、四角形p_M d x_M Oの面積で示される。さらに、この収入は、生産量が0からx_Mまでのときの限界収入の合計（限界収入曲線の下側の面積）として四角形a f x_M Oの面積で捉えることもできる。

ここで、需要曲線Dが図表1-19のように右下がりの直線であらわされている場合、限界収入曲線MRは、その縦軸の切片が需要曲線と等しく、その横軸の切片は需要曲線の横軸の切片の半分となる。

ちなみに、このことは、図表1-19において、四角形p_M d x_M Oの面積と四角形a f x_M Oの面積とが、ともに独占企業の収入を示しており、等しくなっていることからも確認できる。その確認のためには、図表1-19において、三角形a c p_Mと三角形c d fとが合同であり、面積が等しくなっている点に注意するとよい。

Point ③ 独占企業のマークアップ率

独占企業の**マークアップ率（ラーナーの独占力指数）**は、

$$\text{マークアップ率}=\frac{\text{価格}-\text{限界費用}}{\text{価格}}=\frac{1}{\text{需要の価格弾力性}}$$

と示される。この関係式により、たとえば、独占企業が直面する需要の価格弾力性が２のとき、マークアップ率は0.5となり、独占企業は限界費用の２倍の独占価格を設定することとなる。需要の価格弾力性が小さいほどマークアップ率は高くなる。さらに、マークアップ率が高いほど、一般的に、独占企業の最適生産量はより過少になる。

Point ④ 寡占市場の特徴

「寡占市場（＝企業数が少数の市場）」においては、「ライバル企業」が存在するため、各企業が価格や生産量を決定するとき、ライバル企業の価格設定や生産量の影響をうける。さらに、各企業の価格設定や生産量の決定に対して、ライバル企業がどのように反応するかも考慮しなければならない。

⑴ クールノー・モデル

「寡占市場」に存在する各企業は、同質の製品に同一の価格を設定して、ライバル企業の生産量を所与として、利潤が最大となるように生産量を決定すると想定する。ライバル企業の生産量を所与としたもとで、自社の利潤が最大となる生産量を示したものを「反応曲線」というが、各企業の反応曲線の交点が「クールノー均衡」となる。

⑵ ベルトラン・モデル

「寡占市場」に存在する各企業は、ライバル企業の価格を所与として、利潤が最大となるように価格を決定すると想定する。ベルトラン・モデルでは、値下げ競争のように、価格が戦略変数となる場合を考慮している。このため、ベルトラン均衡での均衡価格は、完全競争市場での均衡価格に等しくなる。

(3)　不完全競争市場と経済的効率性

不完全競争市場（独占市場・寡占市場）において、経済的効率性（パレート効率的な状態）は、市場まかせでは達成されない。このため、不完全競争市場（独占市場・寡占市場）においては、総余剰も最大化されず、厚生損失（効率性の損失）が発生する。

Point ⑤　屈折需要曲線

寡占市場において、自社が値上げしても他社は値上げに追随しないが、自社が値下げすると他社も値下げに追随すると想定するとき、「**屈折需要曲線**」が示される。この想定のもとでは、現行価格よりも自社が価格を高くすると、他社に需要を奪われるため、自社の需要が大きく減少する一方、現行価格よりも自社が価格を低くすると、他社も値下げするので、自社の需要があまり増加しないため、自社の需要曲線が現行価格を境として屈折することとなる。屈折需要曲線の理論では、値下げしても利益が増加しないため、企業の値下げインセンティブが奪われ、「**価格の硬直性**」がみられることが説明される。

Point ⑥　独占的競争市場

供給者（企業）は多数存在するが、製品の差別化（ブランド化）が行われている市場を「**独占的競争市場**」という。製品の差別化が行われている場合、それぞれの企業の生産する財は不完全代替財となる。このため、独占的競争企業は、一定の価格支配力をもつ。独占的競争市場の長期均衡においては、

●利潤最大化条件（限界収入＝限界費用）

●（超過）利潤＝ゼロ（価格＝平均費用）

が同時に成立する。独占的競争企業の戦略としては、製品差別化の程度を高めることで、より多くの需要を獲得し、企業の直面する競争度を低下させることが考えられる。

例題10 独占・寡占市場に関する次の記述のうち、正しいものはどれですか。

A　独占市場における供給量は総余剰を最大にする供給量より少ない。

B　独占価格はクールノー均衡価格よりも低い。

C　クールノー均衡では市場価格は限界費用より低い。

D　ベルトラン競争のモデルでは、企業は供給量を決定する。

解　答　A

解　説

A　独占市場における供給量は、総余剰を最大にする供給量（＝完全競争市場の均衡で達成される供給量）より少ない。

B・C　「独占価格＞クールノー均衡価格＞完全競争市場の均衡価格」となる。さらに、「完全競争市場の均衡価格＝限界費用」となる。

D　価格を戦略変数とするベルトラン・モデルでは、企業は価格を決定する。

Point ⑦ 市場集中度指標

供給者（企業）の競争度が高いほど市場価格は低くなり、供給者の競争度が低いほど市場価格は高くなる傾向がある。供給者の競争度を決定する要因の一つとして供給者の集中度がある。

供給者の集中度は、企業数や市場シェア（市場占有率）にもとづく指標によってはかられる。市場集中度指標には、「**上位n社市場占有率**」や「**ハーフィンダール・ハーシュマン指数（HHI）**」などがある。

上位n社市場占有率は、上位n社の市場シェアを単純に合計した値となる。このため、一般的には、上位n社市場占有率が高いほど、供給者（企業）の市場支配力は強く、供給者（企業）の競争度は低いと考えられる。ただし、上位n

社市場占有率自体は、市場支配力や競争度そのものを定量的に示す市場ではない。

ハーフィンダール・ハーシュマン指数（HHI）は、財を供給する全企業の市場シェアの2乗の総和と定義される。ハーフィンダール・ハーシュマン指数（HHI）が高いほど、市場シェアはより不均等に分布しており、市場の集中度は高く、競争度は低いと考えられる。

このような市場集中度指標には、市場範囲の特定が困難なため、正しい数値を計算することが難しいという問題点がある。なお、市場集中度指標は、公正取引委員会が独占禁止法に抵触する可能性のある企業結合（M&Aなど）を審査するときにももちいられている。

Point 8　価格差別

供給者（企業）が、同一の財について、消費者の属性などによって区別された価格設定を行うことを「**価格差別**」という。価格差別には3つの種類がある。

第3種価格差別とは、消費者の年齢や居住地域（店舗の場所）などにより消費者を区分し、それぞれの区分に異なる価格設定を行うことをいう。第3種価格差別では、需要の価格弾力性が高い消費者の区分に対しては低い価格を設定し、需要の価格弾力性が低い消費者の区分に対しては高い価格を設定することが最適となる。

第1種価格差別では、企業は、各消費者の購買単位ごとに価格の区分を設定する。

第2種価格差別では、企業は、複数の料金プランを提示し、それを消費者に選択させる。これは、消費者の需要を企業が知らないという情報の非対称性がある場合に、消費者の行動の違いを利用して消費者を区別する、自己選択（自己選抜）メカニズムの一種である。

例題11　財の市場需要量をX、財の価格をPとして、市場需要関数が$X=20-P$で与えられている。この財の市場は複占市場で、企業1と企業2はクールノー競争をしており、企業1の生産量はX_1、企業2の生産量はX_2で、両企業の限界費用はどちらも8で一定とする。このクールノー競争における均衡価格はいくらですか。

A　10

B　11

C　12

D　13

解　答 ▶ C

解　説

C　市場需要関数を変形した、

$$P=20-X$$

に、$X=X_1+X_2$を代入すると、逆需要関数は、

$$P=20-(X_1+X_2) \quad \Leftrightarrow \quad P=20-X_1-X_2$$

と示される。これより、企業1の収入R_1は、

$$R_1=P\times X_1=(20-X_1-X_2)X_1=20X_1-X_1^2-X_2X_1$$

となるので、企業1の限界収入MR_1は、収入R_1を生産量X_1で微分して、

$$MR_1=\frac{dR_1}{dX_1}=20-2X_1-X_2$$

と求められる。同じようにして、企業2の収入R_2は、

$$R_2=P\times X_2=(20-X_1-X_2)X_2=20X_2-X_1X_2-X_2^2$$

となるので、企業2の限界収入MR_2は、収入R_2を生産量X_2で微分して、

$$MR_2 = \frac{dR_2}{dX_2} = 20 - X_1 - 2X_2$$

と求められる。一方、企業１の限界費用MC_1と企業２の限界費用MC_2はいずれも８である。このとき、企業１について、利潤最大化の条件$MR_1 = MC_1$より、反応曲線は、

$$20 - 2X_1 - X_2 = 8 \quad \Leftrightarrow \quad 2X_1 + X_2 = 12 \qquad \cdots\cdots\cdots(1)$$

となる。また、企業２について、利潤最大化の条件$MR_2 = MC_2$より、反応曲線は、

$$20 - X_1 - 2X_2 = 8 \quad \Leftrightarrow \quad X_1 + 2X_2 = 12 \qquad \cdots\cdots\cdots(2)$$

となる。これら反応曲線(1)式と反応曲線(2)式を連立して、X_1、X_2について解くと、

$$X_1 = 4、X_2 = 4$$

と求められる。これらの値を逆需要関数に代入すると、クールノー競争における均衡価格は、

$$P = 20 - 4 - 4 = 12$$

と求められる。

MEMO

第2章

マクロ経済

1. 傾向と対策

マクロ経済では、国民経済計算（GDP）や、乗数効果、IS-LM分析、総需要・総供給分析（AD-AS分析）を中心に、フィリップス曲線、物価指数、フィッシャー方程式などから幅広く出題されている。

1次レベルの市場と経済の分析では、マクロ経済の配点が最大のウェイトを占めているので、合格のためにはマクロ経済である程度の得点を狙う必要がある。

とくに、国民経済計算や乗数効果、IS-LM分析、総需要・総供給分析は頻出であり、用語の定義、理論的な考え方の理解、計算問題など出題形式も幅広い。まずはこれらの頻出論点に関して十分な得点力が求められる。

「総まとめテキスト」の項目と過去の出題例

「総まとめ」の項目	過去の出題例	重要度
第2章　マクロ経済		
1　国民経済計算	2022年秋・第4問Ⅰ・問1，問3， 2023年春・第4問Ⅰ・問1，問3，問4 2023年秋・第4問Ⅱ 2024年春・第4問Ⅰ・問1，問2 第4問Ⅱ	A
2　財市場と資産市場	2022年秋・第4問Ⅰ・問4 第5問Ⅰ・問1 2023年春・第5問Ⅰ・問1，問2 2023年秋・第4問Ⅰ・問1 第5問Ⅰ・問1 2024年春・第5問Ⅰ・問1	A
3　IS－LM分析	2022年秋・第4問Ⅰ・問5，問6 2023年春・第4問Ⅰ・問5 2023年秋・第4問Ⅲ 2024年春・第4問Ⅰ・問3，問4	A
4　総需要・総供給分析	2022年秋・第4問Ⅱ 2023年春・第4問Ⅱ 2023年秋・第4問Ⅰ・問2 2024年春・第4問Ⅰ・問5	A
5　物価動向と失業	2022年秋・第4問Ⅰ・問6，問7 第4問Ⅲ 2023年春・第4問Ⅰ・問6，問7 第4問Ⅲ 2023年秋・第4問Ⅰ・問3，問4，問5，問6，問7 第5問Ⅰ・問6 2024年春・第4問Ⅰ・問6，問7 第4問Ⅲ	A

2. ポイント整理

1　国民経済計算

Point ①　付加価値とGDP

GDP（国内総生産）とは、一定期間内に国内で産出された「付加価値」の合計のこと。生産要素として「労働」、「資本」、「土地」を想定する場合、これらの生産要素をもちいて原材料を加工して生産物を産出するとき、生産要素が加工した大きさが「付加価値」となる。この「付加価値」には、「企業利益」や「賃金」などが含まれる。

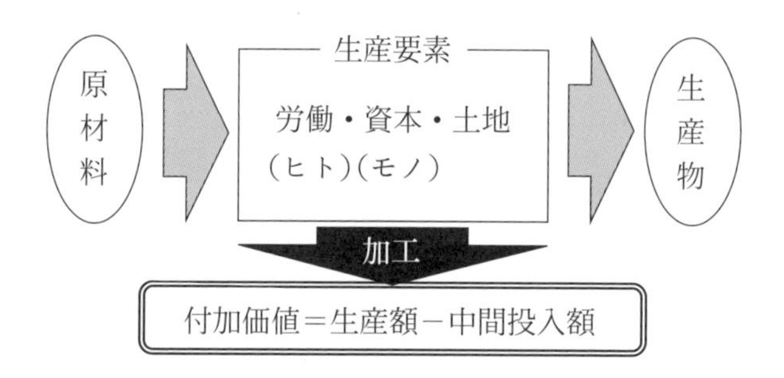

例２－１：付加価値とGDP

J国では１年間に200万円の自動車を５台だけ生産しており、その生産のため、400万円分の鋼板が必要であった。さらに、この鋼板の生産のために、150万円分の鉄鉱石の輸入が必要であったとする。このとき、J国の１年間のGDP（国内総生産）は、次のように求められる。

鋼板を生産する「製鉄業」は、「鉄鋼石」を150万円分輸入して、国内で「鋼板」を400万円分生産することで、250万円分の付加価値を産出する。

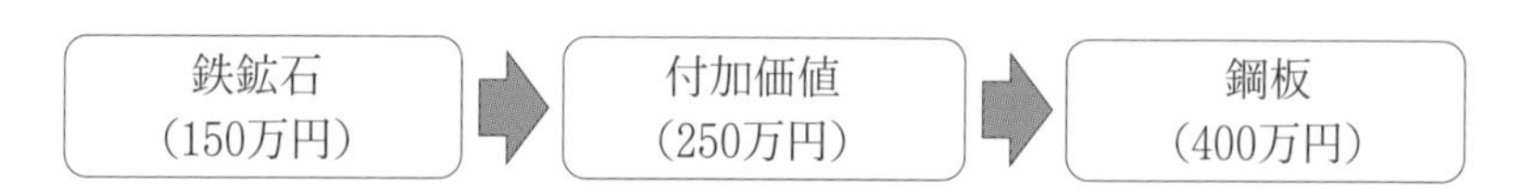

一方、「自動車産業」は、400万円分の「鋼板」をもちいて、国内で「自動車」

を1000万円分生産することで、600万円分の付加価値を産出する。

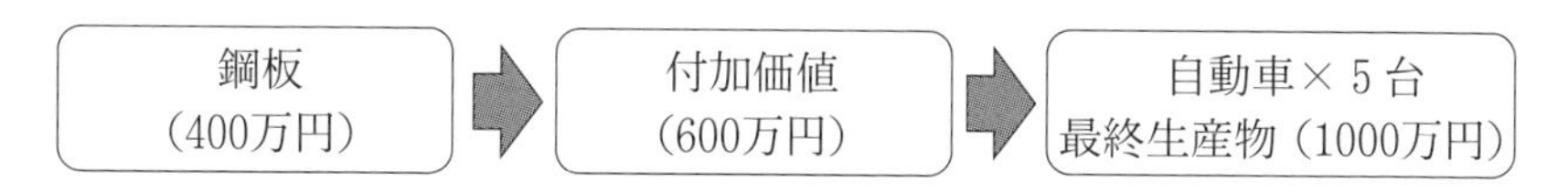

これらのことより、J国の1年間のGDPは、「製鉄業」が国内で産出した付加価値250万円と「自動車産業」が国内で産出した付加価値600万円を合計した850万円となる。

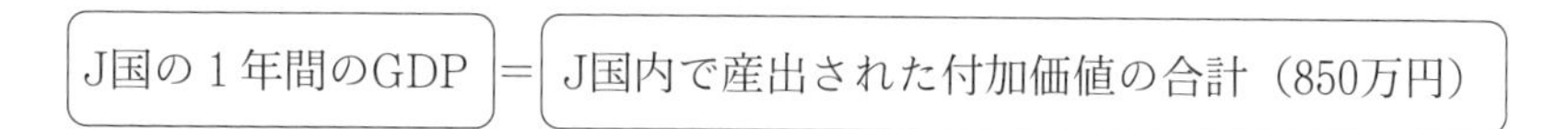

Point ② 最終生産物とGDP

生産物のうち、中間投入物（原材料）として、他の生産にもちいられないもの（＝これ以上、加工されないもの）を「最終生産物」という。GDP（国内総生産）は、国内の最終生産物の生産額の合計から輸入総額を控除したものに等しくなる。なお、最終生産物の購入額から輸入総額を控除して、「意図しない在庫投資（在庫変動）」で調整すると、支出面から見たGDPである「国内総支出（GDE）」となる。

例2-2：最終生産物とGDP

例2-1のJ国における最終生産物は自動車だけである。J国では、1年間に200万円の自動車を5台だけ生産しており、最終生産物の生産額の合計は1000万円となる。ただし、この生産のためにJ国では1年間に150万円分の鉄鉱石の輸入を行っている。

これらのことより、J国の1年間のGDPは、最終生産物（自動車）の生産額1000万円から輸入総額150万円を控除した、850万円と求められる。

J国のGDP（850万円）＝ 自動車×5台 最終生産物（1000万円）－ 輸入総額（鉄鉱石150万円）

Point ③ 要素所得とGDP

「付加価値」は、付加価値を産出するために利用した生産要素の提供者（＝労働者や企業など）に、賃金や企業利益など「要素所得」としてすべて分配される。このため、ある期間の国内の要素所得の合計は、その期間のGDPに等しくなる。

例2－3：要素所得とGDP

例2－1のJ国において、250万円の付加価値を産出している製鉄業が、賃金として100万円が必要なとき、製鉄業の企業利益は150万円となる。

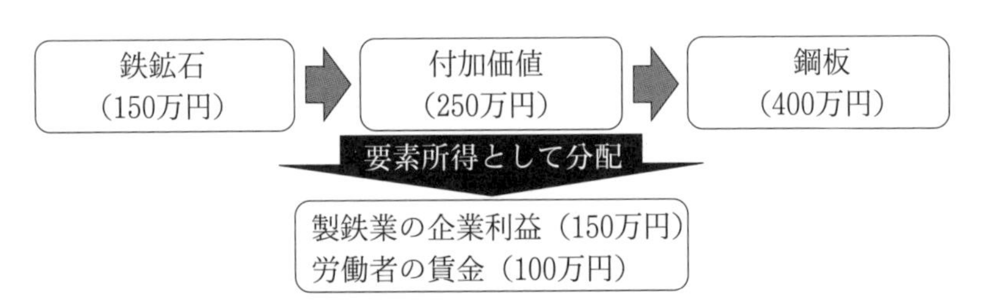

同じようにして、600万円の付加価値を産出している自動車産業が、賃金として150万円が必要なとき、自動車産業の企業利益は450万円となる。

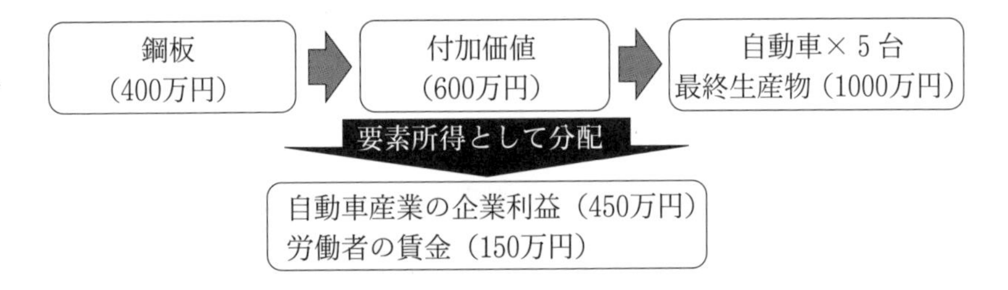

これらのことより、J国の１年間のGDPは、「製鉄業」における企業利益150万円と賃金100万円に、「自動車産業」における企業利益450万円と賃金150万円を合計した、850万円となる。

J国のGDP ＝ J国内における要素所得（＝利益・賃金）の合計（850万円）

Point ④ GDPにおける付加価値のタイプ

(1) 国内概念

GDP（国内総生産）は、一定期間において、「国内」で産出された粗付加価値（＝固定資本減耗を含んだ市場価格表示の付加価値）の合計となる。なお、「国内」に対する概念として「国民」がある。

① 国内概念

日本領土とみなせる土地で産出された付加価値の合計のことを「国内」といい、「海外からの所得の純受取（＝海外からの要素所得の受取－海外への要素所得の支払)」を含まない。

② 国民概念

日本の居住者が産出した付加価値の合計のことを「国民」といい、「海外からの所得の純受取」を含む。「国民」ではかった代表的な指標にGNI（国民総所得）がある。名目GNIと名目GDPの間には、次の関係がある。

名目GNI＝名目GDP＋海外からの所得の純受取

(2) 総概念

GDP（国内総生産）は、「総」という概念ではかられており、「固定資本減耗」を含む付加価値（粗付加価値）の合計となる。なお、「総」に対する概念として「純」がある。

① 総概念

「総」という概念による付加価値とは、「固定資本減耗（＝減価償却)」を含む付加価値（これを「粗付加価値」という。）の合計のこと。

② 純概念

「純」という概念による付加価値とは、「固定資本減耗」を含まない（＝固定資本減耗を控除した）付加価値のこと。

⑶　市場価格表示

GDP（国内総生産）は、「市場価格」表示の付加価値の合計となる。このため、GDP（国内総生産）には、「間接税（＝消費税や関税などのことで、国民経済計算では、「生産・輸入品に課される税」と呼んでいる。)」が含まれる一方、「補助金」は含まれない。なお、「市場価格」に対する概念として「要素費用」がある。

①　市場価格

「市場価格」表示の付加価値とは、市場で取引される価格にもとづいて算出された付加価値のことで、この「市場価格」表示の付加価値には「純間接税（＝間接税－補助金)」が含まれる。

②　要素費用

「要素費用」表示の付加価値とは、生産のためにもちいられた生産要素に対して支払われた費用により算出した付加価値のことで、生産要素（＝労働や資本など）を提供することにより得られる所得（＝雇用者報酬や営業余剰など）に等しい。この「要素費用」表示の付加価値には「純間接税(＝間接税－補助金)」が含まれない。

Point ⑤ 三面等価の原則

GDPを「生産面」、「分配面」、「支出面」からそれぞれとらえたとき、これらが一致することを「三面等価の原則」という。

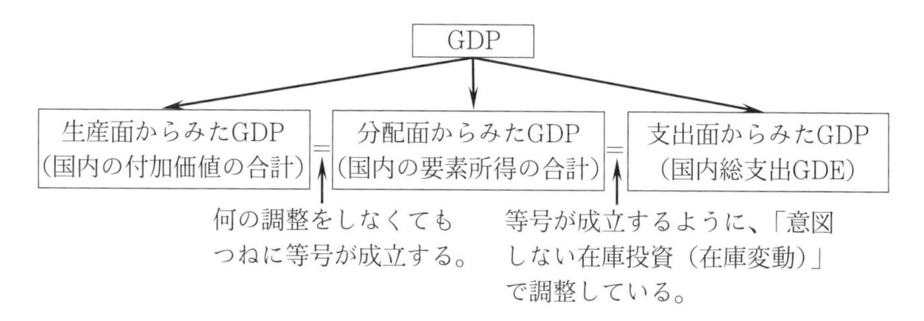

図表2－1　国内総生産勘定（2022年度）

（単位：億円）

生産・分配側		支出側	
雇用者報酬	2,962,748	民間最終消費支出	3,158,492
営業余剰・混合所得	786,109	政府最終消費支出	1,220,916
固定資本減耗	1,459,871	総固定資本形成	1,479,686
生産・輸入品に課される税	532,279	在庫変動	35,528
補助金（控除）	70,002	財貨・サービスの輸出	1,232,451
統計上の不突合	−6,109	財貨・サービスの輸入（控除）	1,462,176
国内総生産（生産・分配側）	5,664,897	国内総生産（支出側）	5,664,897

（注）計数については、億円未満を切り捨てて表示しているため、表上の合計額とは必ずしも一致しない。

（資料）内閣府ホームページ

Point ⑥ GDPに関する注意点

⑴ フロー統計

GDPは一定期間（＝1年間や3ヵ月間など）にあたらしく産出された付加価値の合計により求められる「フロー統計」である。このため、GDPには、以前生産された中古品や、株式や土地や絵画といった資産（ストック）は含まれない。

⑵ 帰属計算

実際には市場で取引が行われていないものを、あたかも市場で取引が行われたようにみなしてGDPに算入することを「帰属計算」という。

① 帰属家賃

住宅が産出する付加価値に対して、借家の場合は家賃がGDPに算入されるが、持ち家の場合も家賃相当額（＝帰属家賃）がGDPに算入されている。

② 農家の自家消費

農家が自分で生産した農産物を自分で消費した場合も、市場で売買されたとみなしてGDPに算入している。

⑶ 家事労働

家事労働により産出される付加価値については、国民経済計算（GDP）に算入しない。

⑷ 政府の付加価値

政府などの付加価値は、それが産出した財・サービスの生産にかかった費用で評価される。

例題１　日本の国民経済計算に関する次の記述のうち、正しいものはどれですか。

A　GNI（国民総所得）には、日本国内で海外の居住者が得た所得は含まれている。

B　GDP（国内総生産）には、海外で日本の居住者が得た労働所得は含まれている。

C　土地の取引に関わる仲介・手数料は、GDPに含まれない。

D　持ち家に住む家計の家賃支払い相当額は、帰属家賃としてGDPに含まれる。

解　答　D

解　説

A　GNI（国民総所得）は、日本の居住者が、一定期間内に新たに生み出された付加価値の総量であり、日本国内で海外の居住者（＝日本の非居住者）が得た所得は含まれない。

B　GDP（国内総生産）は、日本の国内（領土内）で、一定期間内に新たに生み出された付加価値の総量であり、海外で日本の居住者が得た労働所得は含まれない。

C　株式や土地などの取引額はGDPに含まれないが、これらの取引を円滑にするためのサービスの対価である仲介・手数料はGDPに計上される。

D　持ち家に住む家計の家賃支払い相当額は、帰属家賃としてGDPに含まれる。

Point ⑦ 産業連関表

産業連関表とは、産業から産業へと財・サービスが流れていく様子を描写した統計であり、GDP統計の基礎となるものである。

ある閉鎖マクロ経済において、国内産業が、産業Aと産業Bから構成されるとき、このマクロ経済に関する産業連関表は、以下のように示される。

投入＼産出		中間需要		最終需要	国内生産額
		産業A	産業B		
中間投入	産業A	①	②	③	④
	産業B	⑤	⑥	⑦	⑧
付加価値		⑨	⑩		
国内生産額		⑪	⑫		

この産業連関表について、産業Aを行方向（横方向）にみると、①には、産業Aで生産されたもののうち、産業Aでの生産にもちいられる中間投入額が入る。②には、産業Aで生産されたもののうち、産業Bでの生産にもちいられる中間投入額が入る。③には、産業Aで生産されたもののうち、最終生産物の需要額が入る。さらに、④には、産業Aの生産額が入り、④は①と②と③の合計に等しくなる。

同じようにして、産業Bを行方向（横方向）にみると、⑤には、産業Bで生産されたもののうち、産業Aでの生産にもちいられる中間投入額が入る。⑥には、産業Bで生産されたもののうち、産業Bでの生産にもちいられる中間投入額が入る。⑦には、産業Bで生産されたもののうち、最終生産物の需要額が入る。さらに、⑧には、産業Bの生産額が入り、⑧は⑤と⑥と⑦の合計に等しくなる。

一方、この産業連関表について、産業Aを列方向（縦方向）にみると、①と⑤は産業Aでの生産に必要な中間投入額を示しており、これらの合計に付加価値⑨を加えると産業Aの生産額⑪が得られる。なお、⑪と④は等しくなる。

同じようにして、産業Bを列方向（縦方向）にみると、②と⑥は産業Bでの生産に必要な中間投入額を示しており、これらの合計に付加価値⑩を加えると産業Bの生産額⑫が得られる。なお、⑫と⑧は等しくなる。

例題2　以下の表は、ある閉鎖マクロ経済において、すべての国内産業がX産業とY産業の２つの産業に分割されているとした場合の産業連関表であるが、表中の空欄①～③に入る数値の組合せとして、正しいものはどれですか。

産出／投入		中間需要		最終需要	国内生産額
		産業A	産業B		
中間投入	産業A	①	100	60	200
	産業B	90	80	130	300
付加価値		70	②		
国内生産額		③	300		

A　①40、②120、③200

B　①40、②130、③300

C　①50、②120、③300

D　①50、②130、③400

解　答　A

解　説

A　産業Aを行方向（横方向）でみると、空欄①と100と60の合計が国内生産額200に等しくなるので、空欄①は40と求められる。また、産業Bを列方向（縦方向）でみると、100と80と空欄②の合計が国内生産額300に等しくなるので、空欄②は120と求められる。さらに、産業Aについて、行方向（横方向）の合計として求められる国内生産額と列方向（縦方向）の合計として求められる国内生産額は等しくなるので、空欄③は200となる。

2　財市場と資産市場

Point ① 財市場

国内で産出された財・サービスの取引を集計した市場のことを「財市場」という。また、財市場における「総供給」は、国内全体の供給量（＝国内で産出された付加価値の合計）を意味しており、「GDP（国内総生産）」によりとらえられる。なお、「GDP」は、国内の「要素所得」の合計（＝国内の総所得）に等しくなる。

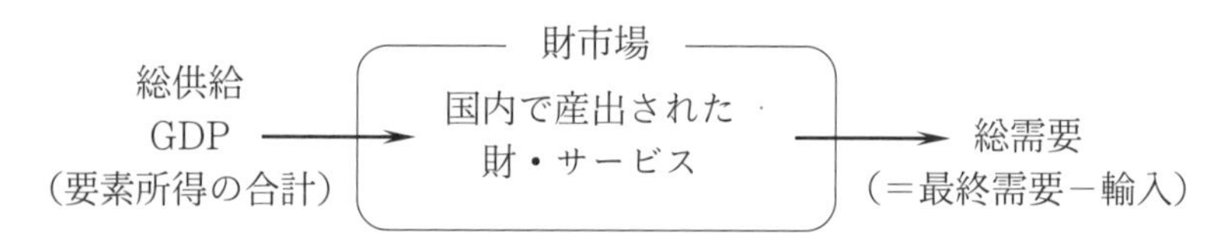

一方、財市場における「総需要」は、国内で産出された最終生産物に対する需要を集計したものであり、

総需要＝消費＋設備投資＋政府支出＋輸出－輸入

とあらわされる。

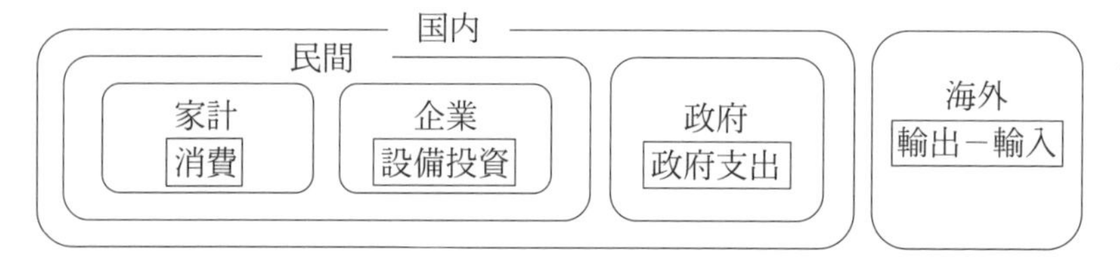

（注）民間部門の実物投資には、家計が行う住宅投資や、企業が行う建設投資、在庫投資などが含まれるが、ここでは簡単化のために、企業の設備投資以外を捨象して考えている。

Point ② ケインズ型消費関数

ある期の可処分所得（＝GDPから税など政府への支払を控除したもの）のうち、その期中に使ってしまう部分を「消費」という。なお、同じ期の可処分所得のうち、その期中には使わずに残す部分を「貯蓄」という。

可処分所得をY_d、消費をCとすると、可処分所得に占める消費の割合$\frac{C}{Y_d}$を「平均消費性向」という。

一方、可処分所得がΔY_dだけ増加したとき、消費がΔCだけ増加したとすると、これらの割合$c=\frac{\Delta C}{\Delta Y_d}$を「限界消費性向」という。また、可処分所得が増加したときに貯蓄が増加する割合を「限界貯蓄性向」といい、限界貯蓄性向をsとすると、$s=1-c$という関係がある。たとえば、$c=0.8$のとき、可処分所得が10兆円増加すれば、消費は、可処分所得の増加分の8割の8兆円増加する。同時に、貯蓄は、可処分所得の増加分の2割（$s=1-c=0.2$）の2兆円増加する。

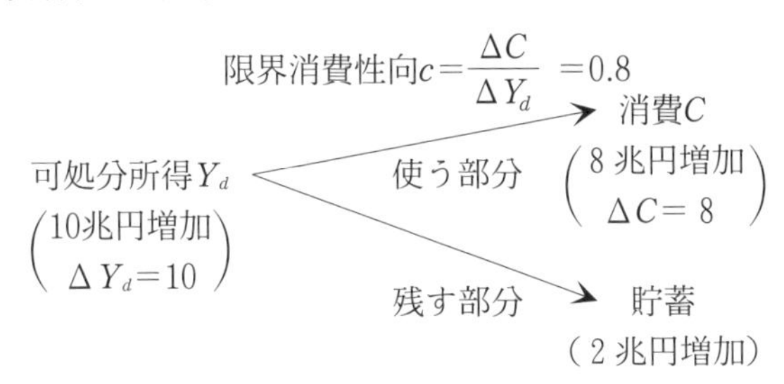

限界貯蓄性向$s=1-c=0.2$

「ケインズ型消費関数」は、「流動性制約（借入制約）」を想定した消費関数であり、今期の可処分所得Y_dによって今期の消費Cが決まるという関係を、次のように示す。

$$C=cY_d+C_0$$

〔c：限界消費性向（一定）、C_0：基礎消費（一定）〕

ケインズ型消費関数をもとにすると、平均消費性向は、

$$\frac{C}{Y_d}=\frac{cY_d+C_0}{Y_d}=c+\frac{C_0}{Y_d}$$

と示される。この関係より、基礎消費が正（$C_0>0$）の場合、可処分所得Y_dが増

加（減少）すると、平均消費性向は低下（上昇）する。このため、基礎消費が正の場合、ケインズ型消費関数においては、平均消費性向は可処分所得の減少関数となる。

例題３

１年目の家計最終消費支出は270兆円、家計可処分所得は360兆円であった。また、２年目の家計最終消費支出は276兆円、家計可処分所得は370兆円であった。家計消費はケインズ型消費関数に従うと仮定すると、限界消費性向はいくらですか。

A　0.5

B　0.6

C　0.7

D　0.8

解　答　B

解　説

限界消費性向cは、消費の増加分を所得の増加分で割ることで、次のように求められる。

$$c=\frac{\Delta C}{\Delta Y}=\frac{276-270}{370-360}=\frac{6}{10}=0.6$$

Point ③ GDPの決定と乗数効果

総供給（GDP）は、財市場において総供給と総需要が等しくなる（均衡する）ように、総需要の大きさに決定されると考える。このようなメカニズムを「有効需要の原理」という。「有効需要の原理」のもとでは、総需要が増加するとき、総供給（GDP）は増加する。

「有効需要の原理」と「ケインズ型消費関数」を想定した場合、設備投資や政府支出や輸出といった独立需要の増加は、総供給（GDP）を増加させ、可処分所得を増加させるが、この可処分所得の増加により消費を増加させ、総需要を増加させることで、さらに、総供給（GDP）を増加させる。このように、独立需要がいったん増加すると、それを「呼び水」として、その数倍の総供給（GDP）の増加が生じることとなる。この効果を「乗数効果」という。

限界消費性向が大きいほど、可処分所得の増加による消費の増加が大きくなるので、乗数効果は大きくなる。一方、租税や貯蓄や輸入の増加は、消費の増加を抑制するので、乗数効果を小さくする。

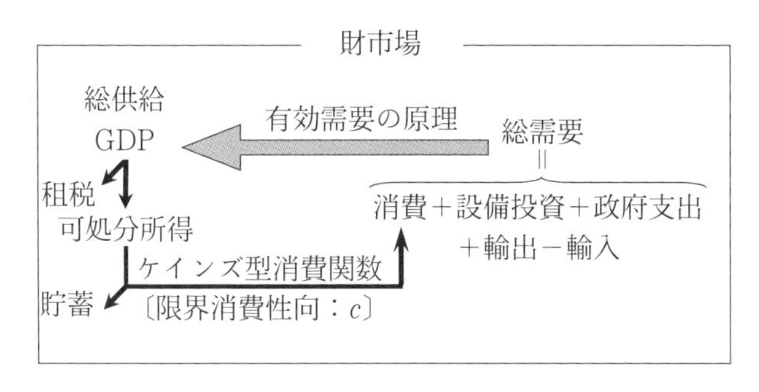

Point ④ 乗数の値

乗数の値は、有効需要の原理のもと、独立需要（設備投資や政府支出など）の増加がその何倍だけGDPを増加させるかを示す。

GDPの増加分＝乗数×独立需要の増加分

(1) 閉鎖経済において定額税が導入されている場合

総需要の範囲を「閉鎖経済（国内だけ)」として、定額税（＝GDPの大きさに関係なく一定の税のこと。）が導入されている場合、限界消費性向をcとすると、政府支出の増加がその何倍だけGDPを増加させるかを示す「政府支出乗数」や、設備投資の増加がその何倍だけGDPを増加させるかを示す「投資乗数」の値は、

$$政府支出乗数=投資乗数=\frac{1}{1-c}$$

とあらわされる。また、増税がその何倍だけGDPを減少させるかを示す「増税乗数」や、減税がその何倍だけGDPを増加させるかを示す「減税乗数」の値は、それぞれ、

$$増税乗数=-\frac{c}{1-c}$$

$$減税乗数=\frac{c}{1-c}$$

とあらわされる。なお、閉鎖経済において租税を考慮しない場合も、以上の乗数の値は同じものとなる。

(2) 閉鎖経済において比例所得税が導入されている場合

総需要の範囲を「閉鎖経済（国内だけ)」として、比例所得税（＝租税の大きさがGDPの大きさに比例して決定される税のこと。）が導入されている場合、限界消費性向をc、税率をtとすると、「政府支出乗数」や「投資乗数」の値は、

$$政府支出乗数=投資乗数=\frac{1}{1-c+ct}$$

とあらわされる。

⑶　開放経済において租税を考慮しないか、または、定額税が導入されている場合

総需要の範囲を「開放経済（＝総需要に輸出と輸入を含めた場合のこと。)」として、租税を考慮しないか、または、定額税が導入されている場合、限界消費性向をc、限界輸入性向をmとすると、「外国貿易乗数」の値は、

$$外国貿易乗数=\frac{1}{1-c+m}$$

とあらわされる。なお、「開放経済」において、「政府支出乗数」と「投資乗数」と「輸出乗数（＝政府支出の増加がその何倍だけGDPを増加させるかを示した乗数のこと。)」は、すべて同じ値となり、これらをまとめて、「外国貿易乗数」という。

⑷　開放経済において比例所得税が導入されている場合

総需要の範囲を「開放経済（海外も含める)」としたうえで、税を比例所得税（＝所得の大きさに比例して大きさが変化する租税のこと。）とした場合、乗数の値は、限界消費性向をc、限界輸入性向をm、限界税率をtとすると、次のように示される。

$$外国貿易乗数=\frac{1}{1-c+ct+m}$$

参考① 乗数の値の求め方

(1) 閉鎖経済において定額税が導入されている場合

総需要の範囲を「閉鎖経済（国内だけ）」として、定額税が導入されている場合、財市場の均衡式は、

$Y=C+I+G$ 〔Y：GDP、C：消費、I：設備投資、G：政府支出〕

と示され、ケインズ型消費関数は、可処分所得Y_dを$Y_d=Y-T$として、

$C=c(Y-T)+C_0$ 〔c：限界消費性向、C_0：基礎消費、T：租税〕

と示される。この消費関数を財市場の均衡式に代入すると、

$$\begin{aligned} Y&=C+I+G \\ &=c(Y-T)+C_0+I+G \\ &=cY-cT+C_0+I+G \end{aligned}$$

となる。右辺のcYを、左辺に移項すると、

$Y-cY=-cT+C_0+I+G \quad \Leftrightarrow \quad (1-c)Y=-cT+C_0+I+G$

となる。両辺を（$1-c$）で割り、$Y=$～のかたちにすると、租税T、設備投資I、政府支出Gの前の値が、それぞれ、「増税乗数」、「投資乗数」、「政府支出乗数」を示す。

$$Y=\underbrace{-\frac{c}{1-c}}_{\text{増税乗数}}\times T+\frac{1}{1-c}\times C_0+\underbrace{\frac{1}{1-c}}_{\text{投資乗数}}\times I+\underbrace{\frac{1}{1-c}}_{\text{政府支出乗数}}\times G$$

(2) 閉鎖経済において比例所得税が導入されている場合

総需要の範囲を「閉鎖経済（国内だけ）」として、比例所得税が導入されている場合、租税関数は、

$T=tY$ 〔t：限界税率〕

と示される。この租税関数を消費関数に代入すると、消費関数は、

$$\begin{aligned} C&=c(Y-T)+C_0 \\ &=c(Y-tY)+C_0 \\ &=cY-ctY+C_0 \end{aligned}$$

となる。この消費関数を財市場の均衡式に代入すると、

$$Y=C+I+G$$
$$=cY-ctY+C_0+I+G$$

となる。右辺のcYと$-ctY$を、左辺に移項すると、

$$Y-cY+ctY=C_0+I+G \quad \Leftrightarrow \quad (1-c+ct)Y=C_0+I+G$$

となる。両辺を（$1-c+ct$）で割り、$Y=$～のかたちにすると、設備投資I、政府支出Gの前の値が、それぞれ、「投資乗数」、「政府支出乗数」を示す。

$$Y=\frac{1}{1-c+ct}\times C_0+\underbrace{\frac{1}{1-c+ct}}_{\text{投資乗数}}\times I+\underbrace{\frac{1}{1-c+ct}}_{\text{政府支出乗数}}\times G$$

⑶　開放経済において租税を考慮しない場合

総需要の範囲を「開放経済」として、定額税が導入されている場合、財市場の均衡式は、

$$Y=C+I+G+EX-IM \quad 〔EX：輸出、IM：輸入〕$$

と示され、消費関数は、

$$C=cY+C_0$$

と示される。さらに、輸入関数は、

$$IM=mY \quad 〔m：限界輸入性向〕$$

と示される。財市場の均衡式に、消費関数と輸入関数を代入すると、

$$Y=C+I+G+EX-IM$$
$$=cY+C_0+I+G+EX-mY$$
$$=cY-mY+C_0+I+G+EX$$

となる。右辺のcYと$-mY$を、左辺に移項すると、

$$Y-cY+mY=C_0+I+G+EX \quad \Leftrightarrow \quad (1-c+m)Y=C_0+I+G+EX$$

となる。両辺を（$1-c+m$）で割り、$Y=$～のかたちにすると、設備投資I、政府支出G、輸出EXの前の値は、すべて同じものとなり、外国貿易乗数を示す。

$$Y=\frac{1}{1-c+m}\times C_0+\frac{1}{1-c+m}\times I+\frac{1}{1-c+m}\times G+\frac{1}{1-c+m}\times EX$$

外国貿易乗数

例題 4　45度線モデルにおいて、デフレギャップが存在するときに独立需要の変化が均衡GDPをどれだけ変化させるかを表す数値を、乗数と呼ぶ。海外部門を考慮した開放経済における乗数が2.5となるような限界消費性向の値はいくらですか。ただし、税は所得に依存せず、限界輸入性向は0.1とする。

A　0.6

B　0.7

C　0.8

D　0.9

E　1.0

解　答　B

解　説

限界輸入性向が0.1のとき、限界消費性向をcとすると、乗数の値は、次のように示される。

$$乗数=\frac{1}{1-c+0.1}$$

この乗数の値が2.5のとき、限界消費性向cの値は、次のように求められる。

$$\frac{1}{1-c+0.1}=2.5 \quad \Leftrightarrow \quad 1-c+0.1=\frac{1}{2.5} \quad \Leftrightarrow \quad c=1+0.1-\frac{1}{2.5}=\frac{7}{10}=0.7$$

Point ⑤ マネーストック

(1) 貨幣の機能

貨幣には、以下の3つの機能がある。

① 価　値　尺　度：貨幣単位により、財・サービスなどの価値が示される。

② 交換決済手段：貨幣は、財・サービスの交換の仲立ちをする。

③ 価値の保蔵手段：資産として価値を蓄える機能のこと。

(2) マネーストック

マネーストックとは、国および金融機関を除く一般法人、個人、地方政府などの通貨保有主体が保有する通貨量残高のことで、以下の4つの指標がある。なお、M2とM3に含まれる金融商品は同じだが、通貨発行主体に違いがある。

① M1＝現金通貨＋預金通貨（要求払い預金など）

② M2＝現金通貨＋国内銀行（ゆうちょ銀行を除く）等に預けられた預金

③ M3＝M1＋準通貨（定期性預金）＋譲渡性預金（CD）

④ 広義流動性＝M3＋金銭の信託・投資信託・金融債・国債など

M3の内訳（2023年9月末残高）

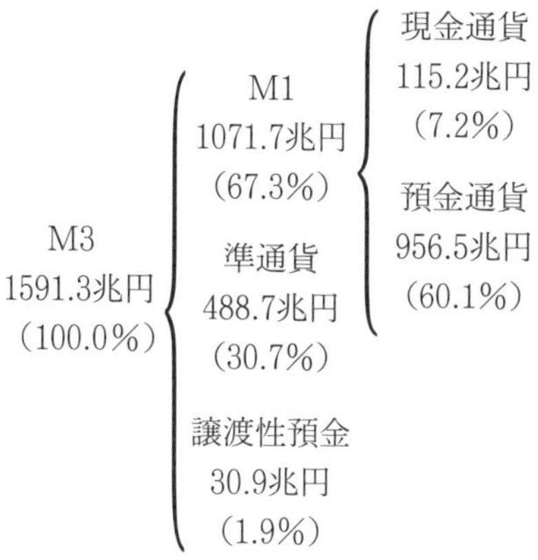

（資料）日本銀行ホームページ

（注）各項目の比率は、四捨五入しているため、合計が100%にならないことがある。

Point ⑥ 信用創造

民間銀行に現金が新規に預金されたものを「本源的預金」という。民間銀行は、本源的預金のうち一部を準備として中央銀行に預金し、残りを貸出にあてる。この企業や個人などに対する民間銀行による「貸出」は、「銀行振込」により行われるので、「新たな預金（派生預金）」が創造されることになる。このように、民間銀行の貸出により、マネーストック（＝現金＋預金）が増大するしくみを「信用創造」という。

民間銀行

資産	負債
銀行貸出	本源的預金 1000
準備200	

民間銀行

資産	負債
銀行貸出	派生預金 800
準備160	

民間銀行

資産	負債
銀行貸出	派生預金 640
準備128	

派生預金 512

預金の創造がつづく

（注）預金準備率＝$\frac{準備}{預金}$＝0.2（20%）と想定した場合を示している。

信用創造が促進されると、マネーストックが増加する。信用創造を促進させる要因としては、以下のものが挙げられる。

① 本源的預金の増加：日銀による準備預金への資金供給（＝金融緩和政策）や、民間の現金選好の低下が本源的預金を増加させ、信用創造を促進する。

② 貸出の増加：民間の資金需要や銀行による貸出の増加が信用創造を促進する。

③ 準備率の低下：準備率の低下は、銀行貸出を増加し、信用創造を促進する。

Point ⑦ ハイパワードマネー

(1) 日本銀行のバランスシートとハイパワードマネー

日本銀行のバランスシートを簡略化すると、資産側を日銀信用（国債、貸出金など）、負債側を、現金通貨、準備預金（日銀当座預金）、政府預金ととらえることができる。

「ハイパワードマネー」とは、日本銀行のバランスシートの負債側のうち、「現金通貨」と、民間金融機関が日本銀行に預ける「準備預金（日銀当座預金）」の合計のことをいう。「ハイパワードマネー」は、「マネタリーベース」、または、「ベースマネー」とも呼ばれる。「ハイパワードマネー」は、日本銀行がコントロールできる。

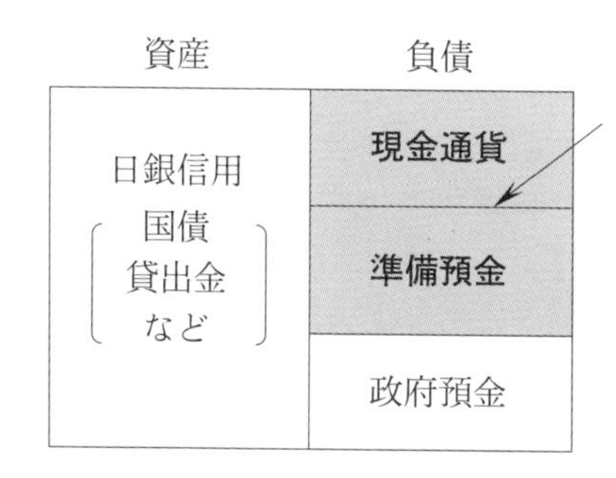

(2) ハイパワードマネーとマネーストック

日本銀行が、金融政策により準備預金に資金を供給し、ハイパワードマネーを増加させると、民間銀行は貸出を増加させることができ、信用創造が促進されて、マネーストックが増加する。

図表2-2　ハイパワードマネーとマネーストック

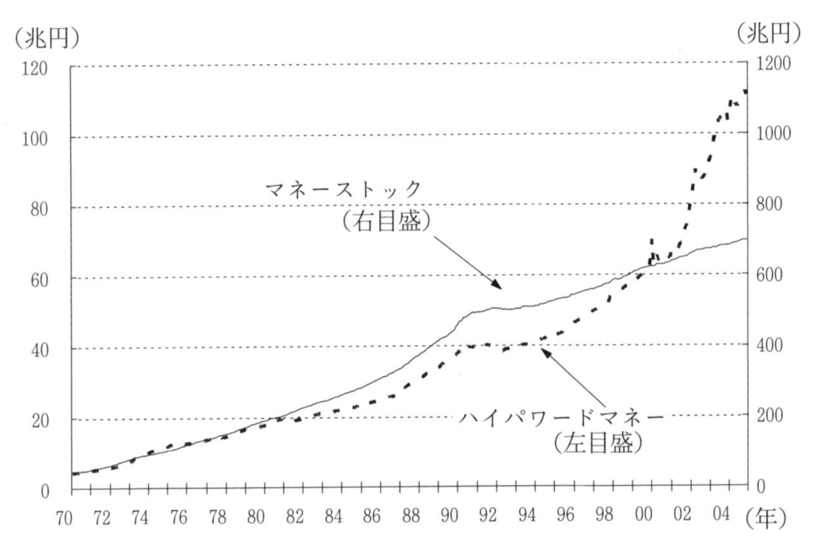

(注) 日本においては、1970年代から1990年代まで、ハイパワードマネーとマネーストック(M2+CD)の間には、比例関係があったが、1999年以降の非伝統的な金融政策の影響でその比例関係がみられなくなっている。

(資料) 日本銀行ホームページ

参考②　日本銀行のバランスシート

2023年度末（2024年３月31日現在）のバランスシート（貸借対照表）は、次のとおりである。

（単位：億円）

資産		負債および純資産	
科目	金額	科目	金額
金地金	4,412	発行銀行券	1,208,798
現金	4,593	預金	5,990,253
国債	5,896,634	政府預金	157,103
コマーシャル・ペーパー等	22,109	売現先勘定	42,585
社債	60,727	その他負債	5,993
金銭の信託（信託財産株式）	1,707	退職給付与引当金	2,110
金銭の信託（信託財産指数連動型上場投資信託）	371,861	債券取引損失引当金	69,849
金銭の信託（信託財産不動産投資信託）	6,659	外国為替等取引損失引当金	29,180
貸出金	1,079,079	**負債の部合計**	**7,505,874**
外国為替	107,361	資本金	1
代理店勘定	100	法定準備金	35,483
その他資産	6,532	特別準備金	0
有形固定資産	2,447	当期剰余金	22,872
無形固定資産（権利金）	4	**純資産の部合計**	**58,356**
資産合計	**7,564,231**	**負債および資本合計**	**7,564,231**

（注）計数については、億円未満を切り捨てて表示しているため、表上の合計額とは必ずしも一致しない。

（資料）日本銀行ホームページ

日本銀行のバランスシートの項目のうち、「現金」は、支払元貨幣（金融機関等の求めに応じて払いだされる貨幣）である。「金銭の信託（信託財産株式）」は、信託銀行を通じて金融機関から買い入れた株式などである。「金銭の信託（信託財産指数連動型上場投資信託）」は、信託銀行を通じて買い入れた指数連動型上場投資信託受益権などである。「金銭の信託（信託財産不動産投資信託）」は、信託銀行を通じて買い入れた不動産投資法人投資口などである。「外国為替」は、外国中央銀行、国際決済銀行等への預け金、外国政府等の発行する国債等、外貨投資信託、外貨金銭の信託および米ドル資金供給オペレーションによる貸付金である。「売現先」は、国債などを買い戻し条件つきで売却することである。

Point ⑧ 貨幣乗数

ハイパワードマネーをH、現金通貨をC、準備預金をRとすると、ハイパワードマネーは、次のように示される。

$$H=C+R$$

一方、マネーストックをM、預金をDとすると、マネーストックは、一般的に、現金通貨と預金の合計として、次のように示される。

$$M=C+D$$

「貨幣乗数」は、ハイパワードマネーとマネーストックとの間の比例関係を示したもので、貨幣乗数をmとすると、

$$M=m\times H$$

とあらわされる。これを、貨幣乗数mに関する式にすると、

$$m=\frac{M}{H}=\frac{C+D}{C+R}$$

となる。この式の分母と分子をDで割ると、

$$m=\frac{\frac{C}{D}+\frac{D}{D}}{\frac{C}{D}+\frac{R}{D}}$$

より、貨幣乗数mは、

$$m=\frac{\frac{C}{D}+1}{\frac{C}{D}+\frac{R}{D}}$$

と示される。ここで、$\frac{C}{D}$は現金預金比率を、$\frac{R}{D}$は（法定）預金準備率をあらわしている。

例題5

預金準備率を10%と仮定し、現金預金比率を20%とする。ハイパワードマネーを1兆円増加させるときに、マネーストックの増大はいくらですか。

A　1兆円

B　2兆円

C　3兆円

D　4兆円

解　答　D

解　説

現金預金比率が$\frac{C}{D}=0.2$、預金準備率が$\frac{R}{D}=0.1$のとき、貨幣乗数mの値は、

$$m=\frac{\frac{C}{D}+1}{\frac{C}{D}+\frac{R}{D}}=\frac{0.2+1}{0.2+0.1}=4$$

と求められる。このとき、ハイパワードマネーを1兆円増加させると、マネーストックは、その貨幣乗数倍（4倍）の4兆円増大する。

Point ⑨ 貨幣市場の均衡

(1) 貨幣供給と貨幣需要

実質貨幣供給（＝実質的な貨幣ストックの存在量）は、マネーストック（名目貨幣供給）Mを物価Pで割って、$\left(\frac{M}{P}\right)$と示される。このため、マネーストックMが増加するか、または、物価Pが低下するとき、実質貨幣供給は増加する。

一方、実質貨幣需要（＝貨幣ストックへの実質的な需要量）は、3つの貨幣保有の動機、①取引動機（取引のために貨幣を保有する動機のこと。）、②予備的動機（将来の不測の事態に備えて貨幣を保有する動機のこと。）、③投機的動機（資産として貨幣を保有する動機のこと。）、にもとづいて決定される。

取引動機と予備的動機にもとづく貨幣需要を「貨幣の取引需要」というが、この貨幣の取引需要は、取引量の増大により増加するので、マクロ的な取引量をGDPでとらえると、貨幣の取引需要は、GDPが増大するとき増加する。

投機的動機にもとづく貨幣需要を「貨幣の投機需要」といい、この貨幣の投機需要は、貨幣が資産として保有されるほど増加する。ここで、単純化のため、資産が貨幣と債券だけから構成されると想定する。このとき、金利が上昇し、現在の債券価格が低下するほど、将来的には債券価格が上昇すると予想される。このような状況では、資産として、債券を購入し、貨幣の保有を減少させたほうが有利となる。このため、金利の上昇は、貨幣の投機需要を減少させる。

(2) 貨幣市場の均衡と金利の変化

貨幣市場の均衡とは、実質貨幣供給$\left(\frac{M}{P}\right)$と実質貨幣需要Lが等しい状況のことである。実質貨幣供給と実質貨幣需要が等しくないとき、金利が変化して、実質貨幣需要の大きさが調整されることで、貨幣市場の均衡が達成される。

マネーストックMの増加などにより、実質貨幣供給$\left(\frac{M}{P}\right)$が実質貨幣需要Lを上回るとき、貨幣市場が均衡するように金利が低下する。

一方、物価Pの上昇やGDPの増大などにより、実質貨幣供給$\left(\frac{M}{P}\right)$が実質貨幣需要Lを下回るとき、貨幣市場が均衡するように金利が上昇する。

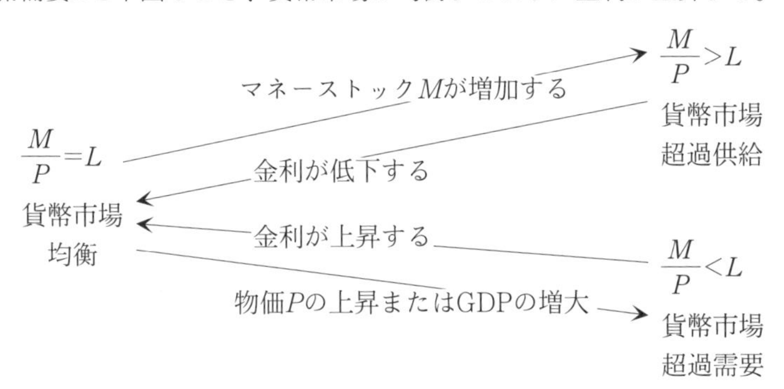

3　IS－LM分析

Point ①　IS曲線

⑴　財市場の均衡とIS曲線

財市場の均衡におけるGDPと金利の組合せを示す曲線を「IS曲線」という。当初図表２－３のA点で財市場が均衡しているとき、金利が低下すると、設備投資量が増加し、総需要も増大し、財市場は超過需要の状態となる（B点)。このとき、有効需要の原理のもとで、総供給（GDP）が増大することにより、ふたたび財市場の均衡が達成される（C点)。

金利が低下するとき、GDPが増大することで財市場の均衡が達成されるという関係を示すIS曲線は、縦軸に金利、横軸にGDPをとった平面上において、右下がりの曲線となる。IS曲線上のA点とC点において財市場は均衡（総供給＝総需要）となる。一方、IS曲線の下側の領域のB点において、財市場は超過需要（総供給＜総需要）となる。

図表２－３　IS曲線

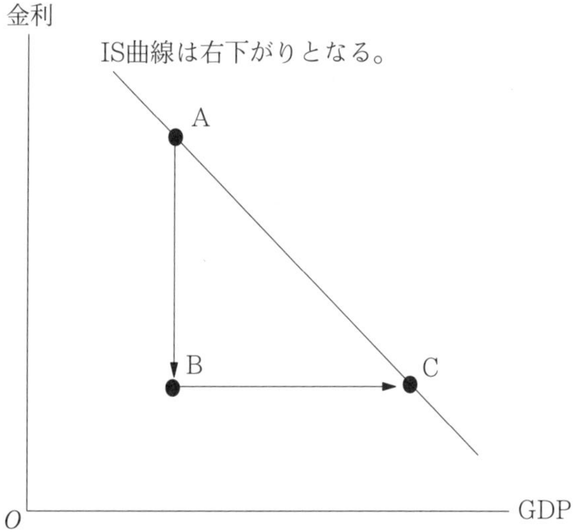

金利
IS曲線は右下がりとなる。
A
B
C
O
GDP

(2) IS曲線のシフト

金利以外の要因（＝政府支出の増加、減税、輸出の増加など）により総需要が増大したとき、IS曲線がIS_0からIS_1に右上方へシフトする。

図表２－４　IS曲線のシフト

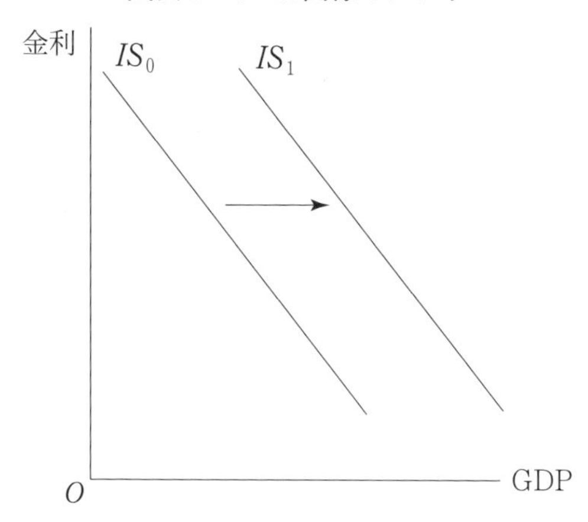

⑶　投資需要の金利感応度とIS曲線の傾き

「投資需要の金利感応度」とは、金利が１％変化するとき、設備投資が何％変化するかを示す指標のこと。投資需要の金利感応度がゼロのとき、金利が低下しても設備投資は増加せず、GDPも変化しないので、IS曲線は垂直となる。

このような金利が低くなっても設備投資（＝生産設備の購入）が増加しない状況は、将来の売上増加の見通しができない「不況期」に該当すると考えられる。

投資需要の金利感応度がゼロのとき、IS曲線は垂直となるので、投資需要の金利感応度が小さくなるほど（＝ゼロに近づくほど）、IS曲線の傾きは急になる（＝垂直に近づく）といえる。

図表２－５　IS曲線の傾き

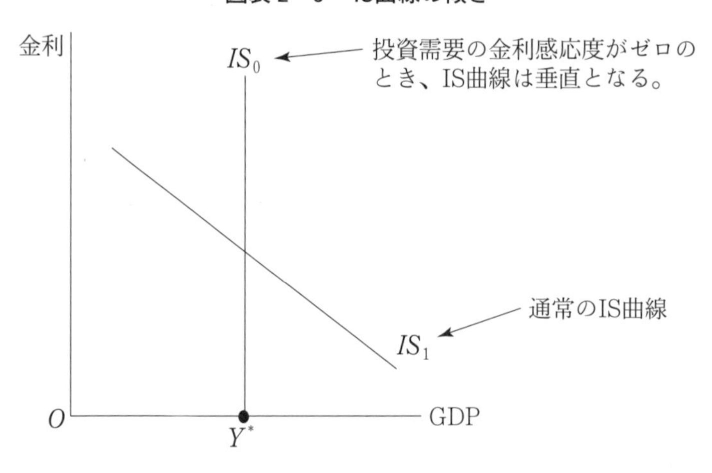

Point ② LM曲線

(1) 貨幣市場の均衡とLM曲線

貨幣市場の均衡におけるGDPと金利の組合せを示す曲線を「LM曲線」という。当初図表2-6のA点で貨幣市場が均衡しているとき、GDPが増大すると、貨幣の取引需要が増加し、貨幣需要が貨幣供給を上回り、貨幣市場は超過需要の状態となる（B点）。このとき、金利が上昇して、貨幣需要を減少させることにより、ふたたび貨幣市場の均衡が達成される（C点）。

GDPが増大するとき、金利が上昇することで貨幣市場の均衡が達成されるという関係を示すLM曲線は、縦軸に金利、横軸にGDPをとった平面上において、右上がりの曲線となる。LM曲線上のA点とC点において貨幣市場は均衡（貨幣供給＝貨幣需要）となる。一方、LM曲線の下側の領域のB点において、貨幣市場は超過需要（貨幣供給＜貨幣需要）となる。

図表2-6　LM曲線

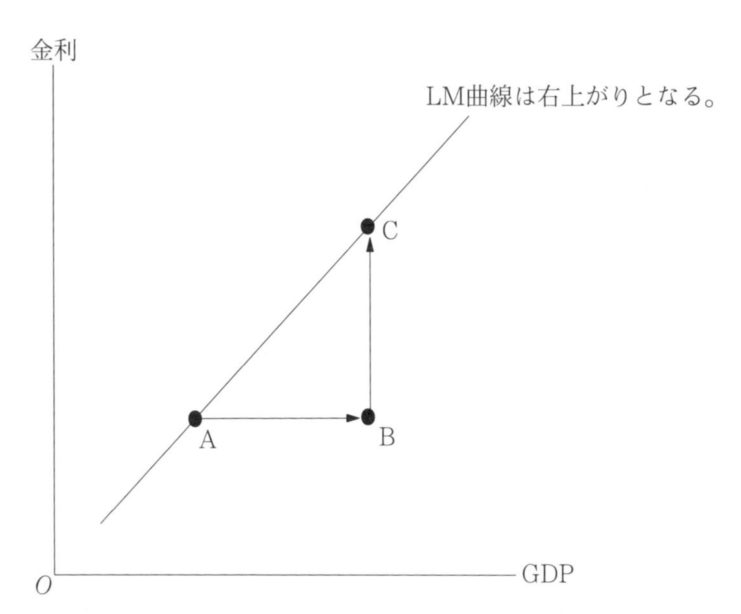

⑵　LM曲線のシフト

GDP以外の要因によって、金利が変化したとき、その金利の変化の方向と同じ方向にLM曲線はシフトする。マネーストックの増加は、金利を低下させるため、LM曲線をLM_0からLM_1に右下方へシフトさせる。一方、物価の上昇は、金利を上昇させるため、LM曲線をLM_0からLM_2に左上方へシフトさせる。

図表２－７　LM曲線のシフト

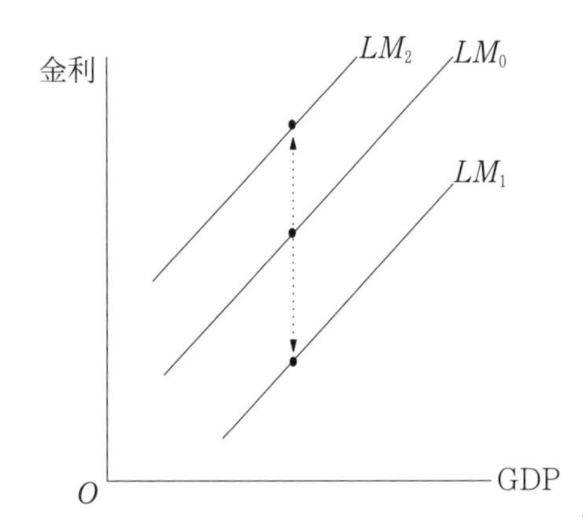

(3) 貨幣需要の金利感応度とLM曲線の傾き

「貨幣需要の金利感応度」とは、金利が1%変化するとき、貨幣需要が何%変化するかを示す指標のこと。とくに、貨幣需要の金利感応度が無限大となる状況を「流動性の罠」という。

流動性の罠の状況では、金利が十分に低く、資産選択において債券から貨幣へのシフトがおこり、マネーストックや物価やGDPが変化しても、金利は最低水準で一定のままとなり変化しなくなる。金利は、景気の悪化とともに低下するため、流動性の罠の状況は「不況期」に該当すると考えられる。

財市場においてGDPが増大しても、貨幣市場が流動性の罠（＝貨幣需要の金利感応度が無限大）の状況であれば、金利は最低水準のまま変化しないため、LM曲線は水平となる。このことより、貨幣需要の金利感応度が大きくなるほど（＝無限大に近づくほど）、LM曲線の傾きは緩やかになる（＝水平に近づく）といえる。

なお、LM曲線が水平となる流動性の罠の状況において、マネーストックが増加しても、LM曲線はシフトしない。

図表2-8　LM曲線の傾き

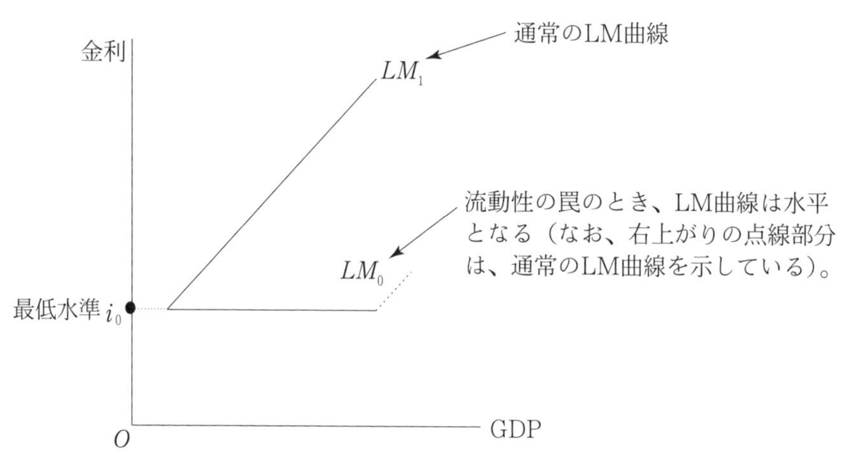

例題 6　いまIS－LM曲線が実線で示すような状況にあったとすると、点Xにおける財市場および貨幣市場の需給として、正しいものはどれですか。

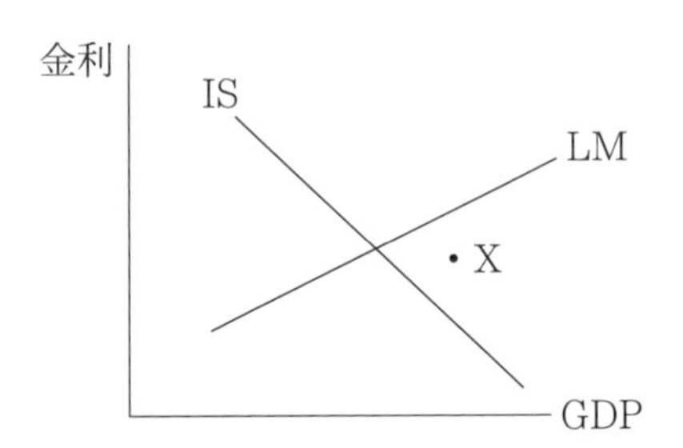

A　財市場は供給超過、貨幣市場は供給超過

B　財市場は供給超過、貨幣市場は需要超過

C　財市場は需要超過、貨幣市場は供給超過

D　財市場は需要超過、貨幣市場は需要超過

解　答　B

解　説

IS曲線の上側では財市場が供給超過の状況にあり、LM曲線の下側では貨幣市場が需要超過の状況にある。

Point ③ GDPと金利の決定

IS曲線は、財市場を均衡させるGDPと金利の組合せをあらわし、LM曲線は、貨幣市場を均衡させるGDPと金利の組合せをあらわす。財市場の均衡と貨幣市場の均衡は、どちらも安定的であると考えられるので、財市場と貨幣市場が同時に均衡するIS曲線とLM曲線の交点（均衡点）E点において、GDPがY^*に、金利がi^*にそれぞれ決定される。

このことより、GDPと金利は、IS曲線かLM曲線のどちらかがシフトして、IS曲線とLM曲線の交点が移動するときに変化することとなる。たとえば、財政・金融政策は、IS曲線やLM曲線をシフトさせ、GDPや金利を変化させる。

なお、資産市場が貨幣市場と債券市場だけから構成されると想定する場合、貨幣市場が均衡するとき、債券市場も均衡する。このため、IS曲線とLM曲線の交点では、財市場と貨幣市場とともに債券市場も同時に均衡している。

図表2－9　GDPと金利の決定

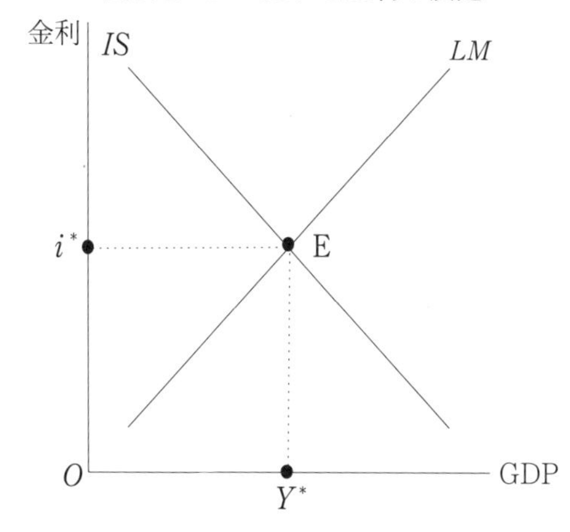

Point ④ 財政政策の効果

(1) 財政拡張政策

政府支出の増加、または、減税といった財政拡張政策は、IS曲線をIS_0からIS_1に右上方にシフトさせるため、IS曲線とLM曲線の交点（均衡点）をA点からB点に右方に移動させ、GDPを$Y_0 \to Y_1$だけ増加させ、金利を$i_0 \to i_1$に上昇させる。

図表 2 -10　財政拡張政策

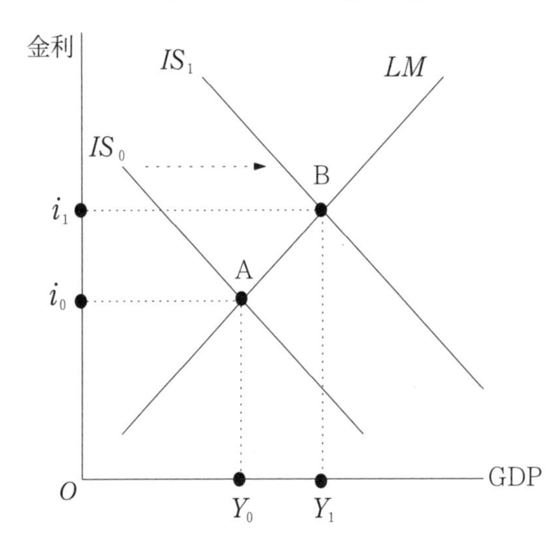

(2) 乗数効果と財政拡張政策の効果

限界消費性向が大きいほど、乗数効果は大きくなる。乗数効果が大きいほど、財政拡張政策によるGDPの増大幅が拡大するので、財政拡張政策の景気刺激効果は大きくなる。

(3) クラウディング・アウト効果と財政拡張政策の効果

財政拡張政策は、金利を上昇させ、それによって設備投資が押しのけられ、GDPの増大を部分的に打ち消してしまう。このような現象を「クラウディング・アウト効果」と呼ぶ。クラウディング・アウト効果が小さいほど、財政拡張政策の景気刺激効果は大きくなる。①貨幣需要関数における貨幣需要の金利感応度が大きいほど、②投資関数における投資需要の金利感応度が小さいほど、政府支出の増加によるクラウディング・アウト効果が小さくなる。

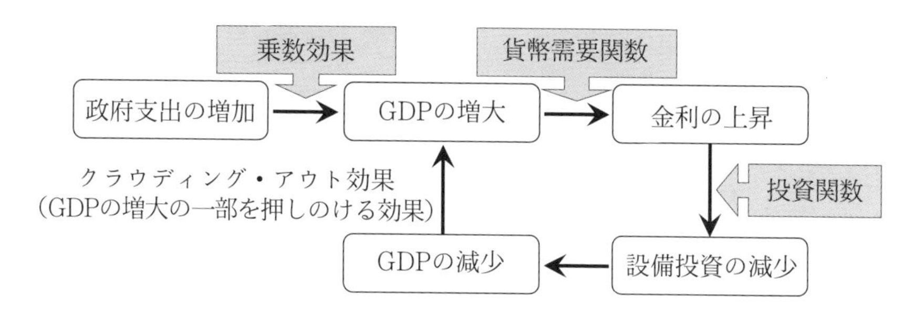

⑷　クラウディング・アウト効果が発生しないケース

クラウディング・アウト効果が発生しないケースでは、財政拡張政策の効果がとても大きくなる。

- 流動性の罠：流動性の罠（＝貨幣需要の金利感応度が無限大）の状況のもとでは、政府支出（公共投資など）が増加しても金利は最低水準で一定のままであるので、設備投資は変化せず、政府支出の増加によるGDPの増大は押しのけられず、クラウディング・アウト効果は発生しない。

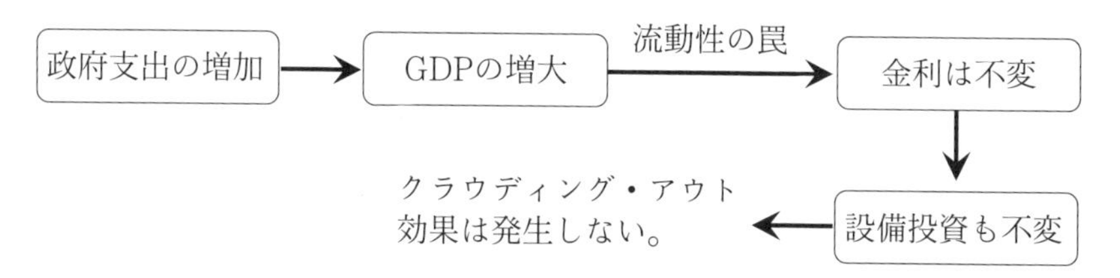

このことより、貨幣需要の金利感応度が大きいほど、クラウディング・アウト効果は発生せず、財政拡張政策の効果は大きくなる。

- 投資需要の金利感応度がゼロ：投資需要の金利感応度がゼロであれば、たとえ政府支出（公共投資）の増加によって金利が上昇しても、設備投資は変化せず、政府支出の増加によるGDPの増大は押しのけられず、クラウディング・アウト効果は発生しない。

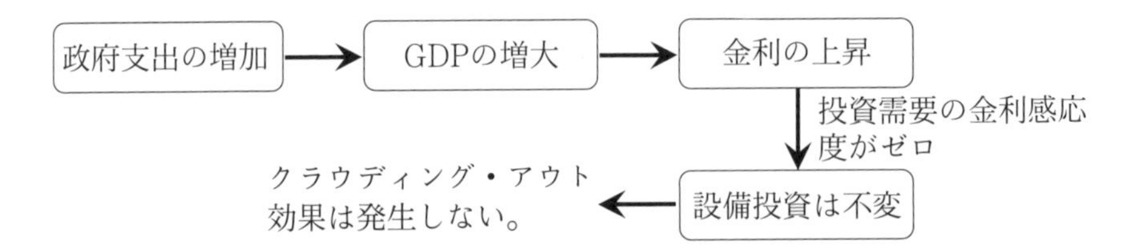

このことより、投資需要の金利感応度が小さいほど、クラウディング・アウト効果は発生せず、財政拡張政策の効果は大きくなる。

Point ⑤ 金融政策の効果

(1) 金融緩和政策

マネーストックを増加させる金融緩和政策は、LM曲線をLM_0からLM_1に右下方にシフトさせるため、IS曲線とLM曲線の交点（均衡点）をA点からB点に右下に移動させ、金利をi_0→i_1に低下させ、GDPをY_0→Y_1だけ増加させる。

図表2-11　金融緩和政策

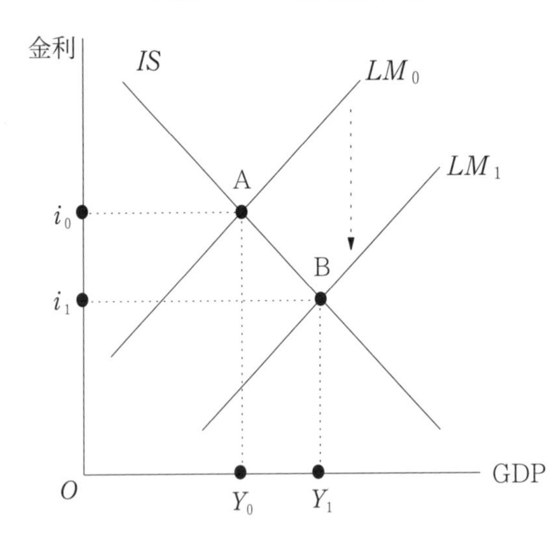

⑵　金融緩和政策の効果

マネーストックの増加がもたらす設備投資の増加幅が小さく、GDPが増大しないほど、金融緩和政策の景気刺激効果は小さい。①貨幣需要関数における貨幣需要の金利感応度が大きいほど、②投資関数における投資需要の金利感応度が小さいほど、③限界消費性向が小さく乗数効果が小さいほど、マネーストックの増加による金融緩和政策の効果が小さくなる。

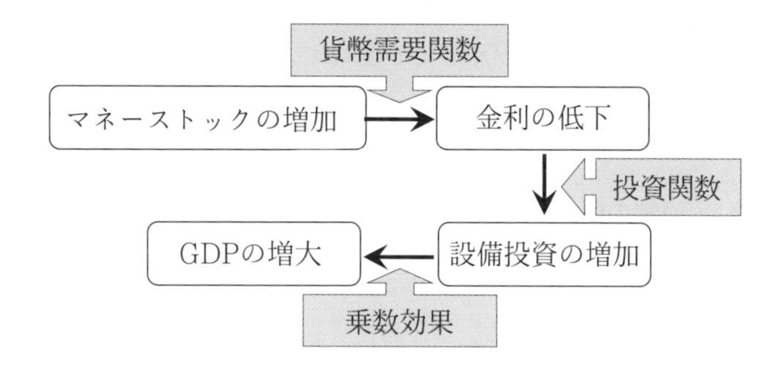

⑶　金融緩和政策が無効となるケース

- 流動性の罠：流動性の罠（＝貨幣需要の金利感応度が無限大）の状況のもとでは、マネーストックが増加しても金利は最低水準で一定のままであるので、設備投資は変化せず、GDPも変化しないため、金融緩和政策は無効となる。

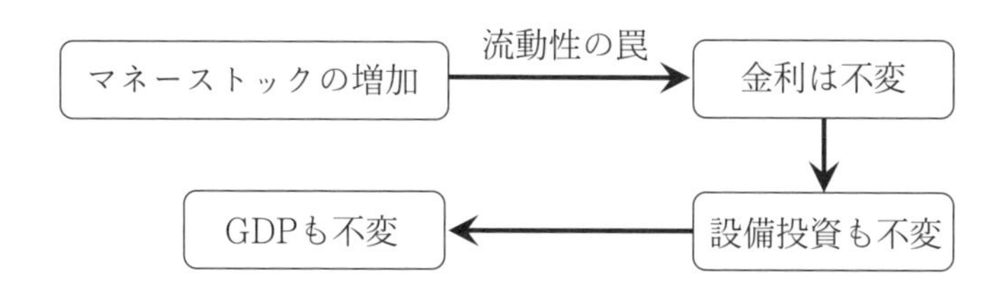

このことより、貨幣需要の金利感応度が大きいほど、マネーストックの増加によるGDPの変化が小さくなるので、金融緩和政策の効果は小さくなる。

- 投資需要の金利感応度がゼロ：投資需要の金利感応度がゼロであれば、マネーストックの増加によって金利が低下しても、設備投資は変化せず、

GDPも変化しないため、金融緩和政策は無効となる。

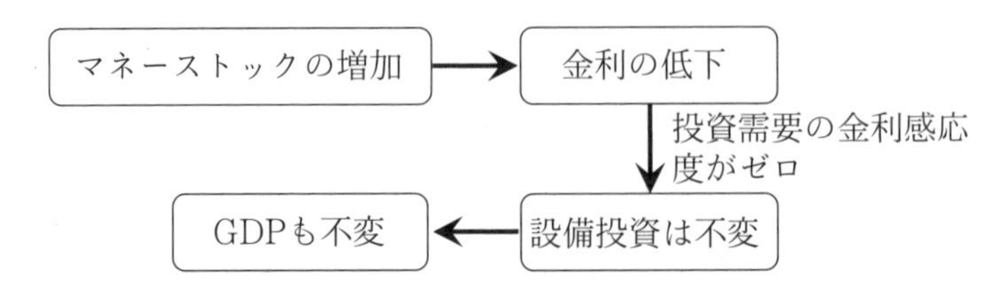

このことより、投資需要の金利感応度が小さいほど、マネーストックの増加によるGDPの変化が小さくなるので、金融緩和政策の効果は小さくなる。

例題7 **通常のIS－LMモデルの枠組みにおける財政政策と金融政策の効果に関する次の記述のうち、正しいものはどれですか。**

A　政府支出の拡大はGDPを増やし、金利を上昇させる。
B　金融緩和はGDPを増やし、金利を上昇させる。
C　政府支出の拡大はGDPを減らし、金利を下落させる。
D　金融緩和はGDPを減らし、金利を下落させる。

解　答 A

解　説

A・C　政府支出の拡大は、IS曲線を右上方にシフトさせるので、GDPを増加させ、金利を上昇させる。

B・D　金融緩和（マネーストックの増加）は、LM曲線を右下方にシフトさせるので、GDPを増加させ、金利を低下させる。

例題8

財政政策のクラウディング・アウト効果に関する次の記述のうち、正しいものはどれですか。

A　LM曲線が水平に近い形状の場合、クラウディング・アウト効果が小さい。
B　IS曲線が垂直に近い形状の場合、クラウディング・アウト効果が大きい。
C　貨幣需要の金利感応度が高い場合、クラウディング・アウト効果が大きい。
D　貨幣需要の金利感応度がゼロの場合、財政政策は最大の効果を発揮する。

解　答　A

解　説

A　貨幣需要の金利感応度が大きくなり、LM曲線が水平に近い形状となるほど、クラウディング・アウト効果が小さくなり、財政政策の有効性は高くなる。とくに、LM曲線が水平となる貨幣需要の金利感応度が無限大（＝流動性の罠）の場合には、クラウディング・アウトは発生しない。

B　投資需要の金利感応度が小さくなり、IS曲線が垂直に近い形状となるほど、クラウディング・アウト効果が小さくなり、財政政策の有効性は高くなる。とくに、IS曲線が垂直となる投資需要の金利感応度がゼロの場合には、クラウディング・アウトは発生しない。

C　貨幣需要の金利感応度が高い場合、クラウディング・アウト効果が小さくなる。

D　貨幣需要の金利感応度がゼロの場合（＝LM曲線が垂直の場合）、財政政策は、まったく効果がなくなる。

4 総需要・総供給分析

Point ① 総需要曲線（AD曲線）

(1) IS－LM分析とAD曲線

「総需要曲線（AD曲線）」は、IS－LM分析の枠組みにおいて、物価の変動が、総需要の変化をとおして、GDPをどう変化させるかにより導出される。IS－LM分析をもとにすると、物価の上昇は、金利を上昇させるので、設備投資を減少させ、総需要を減少させて、GDPを減少させる。

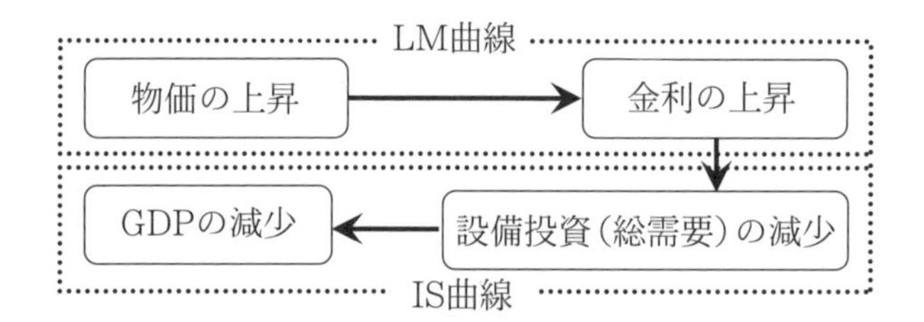

このため、縦軸に物価、横軸にGDPをとった平面上で、総需要曲線（AD曲線）は、右下がりとなる。

図表2-12　総需要曲線（AD曲線）

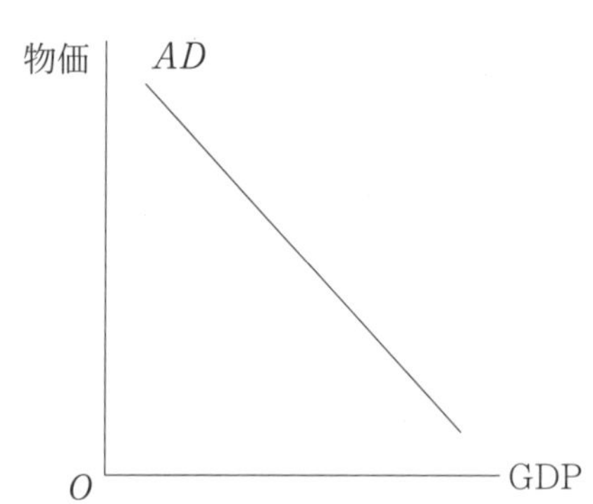

(2) AD曲線のシフト

政府支出の増加、減税、マネーストックの増加（＝金利が低下して投資が増大する。)、輸出の増加などによって、総需要が増大したとき、総需要曲線は、AD_0からAD_1に右上方にシフトする。

図表２-13　AD曲線のシフト

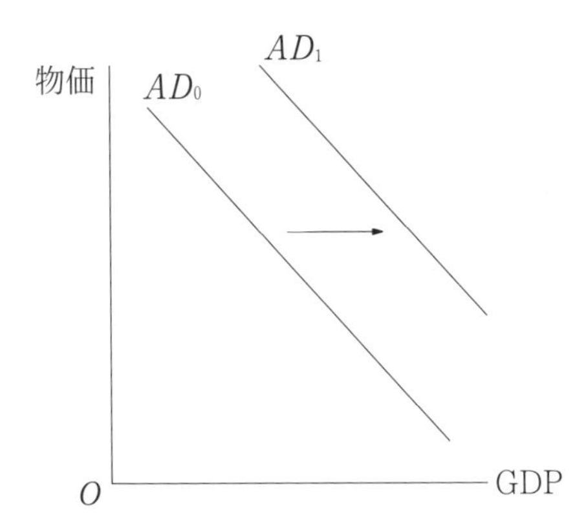

Point ② 総供給曲線（AS曲線）

(1) 短期の総供給曲線

物価の調整には時間がかかるため、短期においては、物価水準を一定と想定する。このため、縦軸に物価、横軸にGDPをとった平面上で、短期の総供給曲線（AS曲線）は水平となる。このとき、生産性が上昇しても財市場では何も起きず、GDPは、総需要の変動により変化する。

図表2-14　短期の総供給曲線（AS曲線）

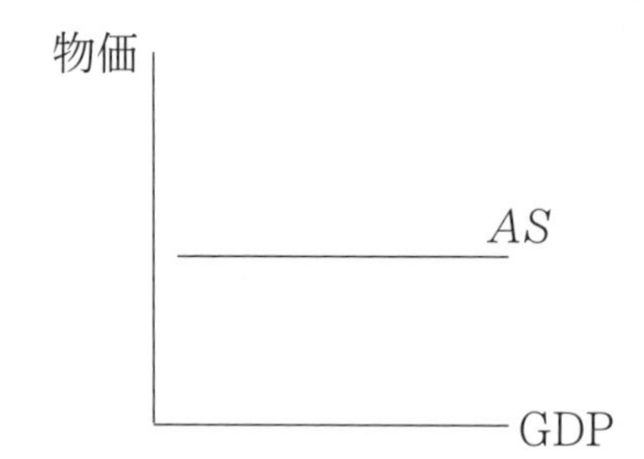

⑵　中期の総供給曲線

中期の総供給曲線（AS曲線）は、物価の変動が、労働量（生産要素の投入量）の変化をとおして、GDPをどう変化させるかにより導出される。

名目賃金が下方硬直的であるため、労働市場の均衡が不安定であり、非自発的失業（＝働きたいと思っているが求人不足により就職できない状態）の存在を想定する場合、物価が上昇すると、実質賃金（＝名目賃金÷物価）が低下する。このとき、企業は労働需要（求人数）を増加させるため、労働量（＝実際に働いている人数）が増加し、GDPも増大する。このため、縦軸に物価、横軸にGDPをとった平面上で、中期の総供給曲線（AS曲線）は右上がりとなる。

⑶　長期の総供給曲線

長期においては、じゅうぶんに物価が上昇し、労働市場において、完全雇用（＝生産に利用可能な労働を100％もちいている状態）が達成され、財市場における生産量は完全雇用GDPとなると考える。このため、縦軸に物価、横軸にGDPをとった平面上で、長期の総供給曲線（AS曲線）は、完全雇用GDPの水準で垂直となる。

図表２-15　中長期の総供給曲線（AS曲線）

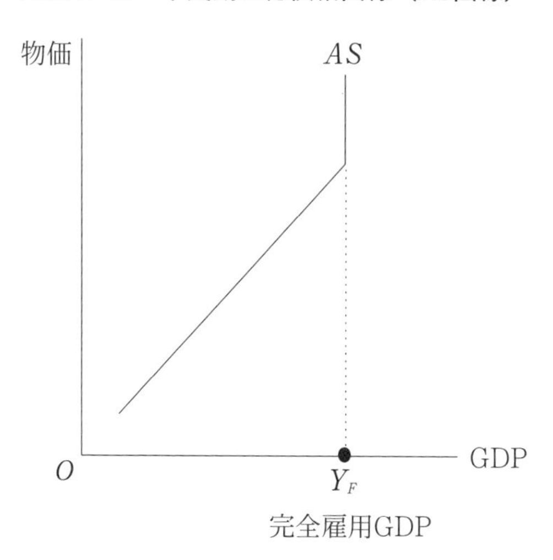

(4) 中長期の総供給曲線のシフト

右上がりとなっている中期の総供給曲線（AS曲線）は、名目賃金や原材料価格の上昇などにより生産コストが増加するとき左上方にシフトし、技術革新などにより生産コストが減少するとき右下方にシフトする。

一方、垂直となっている長期の総供給曲線（AS曲線）は、生産性の上昇や労働供給の増加などにより、完全雇用 GDP が Y_F から Y^*_F に増加するとき、垂直部分が右方にシフトする。

図表 2-16　中長期の総供給曲線のシフト

物価

AS_2

名目賃金や原材料価格の上昇、生産性の低下などにより、生産コストが上昇すると、中期の総供給曲線が AS_0 から AS_1 に左上方にシフトする。

長期的に、生産性の上昇や労働供給の増加などにより、完全雇用GDPが Y_F から Y^*_F に増加するとき、長期の総供給曲線は AS_0 から AS_2 に右方にシフトする。

AS_1　AS_0

O　Y_F　Y^*_F　GDP

参考③　インフレーションとデフレーション

(1) インフレーション（インフレ）

物価の継続的な上昇のことを「インフレーション（略して、インフレ）」という。インフレにおいては、物価上昇率（インフレ率）が、ある程度の期間、プラスで推移する。

(2) デフレーション（デフレ）

物価の継続的な下落のことを「デフレーション（略して、デフレ）」という。デフレにおいては、物価上昇率（インフレ率）が、ある程度の期間、マイナスで推移する。

(3)　スタグフレーション

インフレと同時に実質GDPが減少し景気が後退する状況を「スタグフレーション」という。日本においては、1970年代に、石油ショックによるスタグフレーションが発生している。

物価上昇率と実質GDP成長率の推移：1970年～2016年

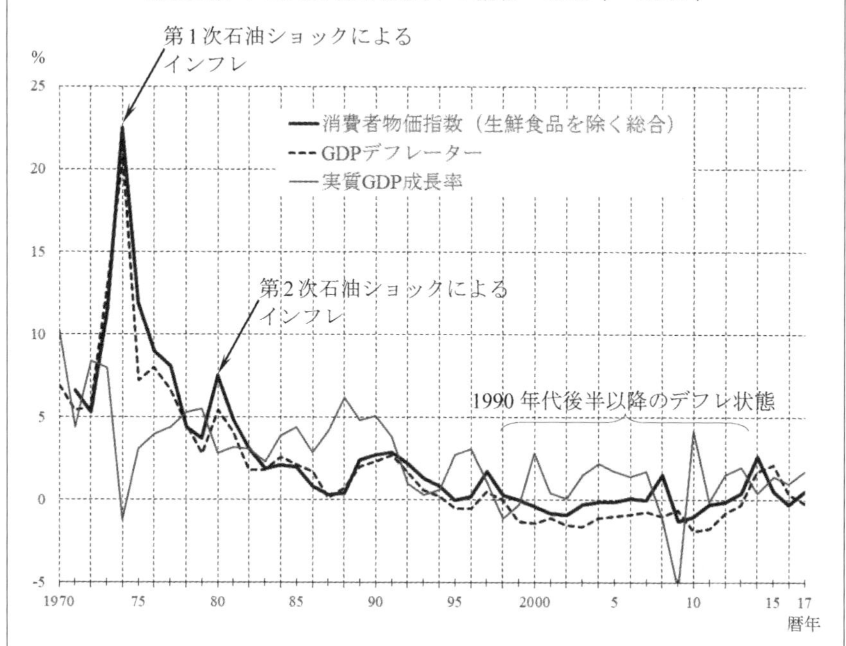

（注）GDPデフレーター、および、実質GDPの変化率の計算にあたっては、1970年～1994年については90年基準（68SNA）、1995年以降については2011年基準（93SNA）の数値をもちいている。

（資料）内閣府経済社会総合研究所ホームページ
総務省統計局ホームページ

Point ③ ディマンド・プル・インフレ

総需要の増大（AD曲線の右上方シフト）によりおこるインフレを「ディマンド・プル・インフレ」という。

右上がりの中期の総供給曲線（AS曲線）では、非自発的失業が存在している。このとき、政府支出の増加などにより総需要が増大すると、AD曲線がAD_0からAD_1に右上方にシフトし、GDPは$Y_0 \to Y_1$だけ増大し、物価は$P_0 \to P_1$だけ上昇する。

一方、垂直な長期の総供給曲線（AS曲線）では、完全雇用が成立しているので、総需要が増大しても、GDPは変化せず、インフレだけがおこる。

図表2-17　ディマンド・プル・インフレ

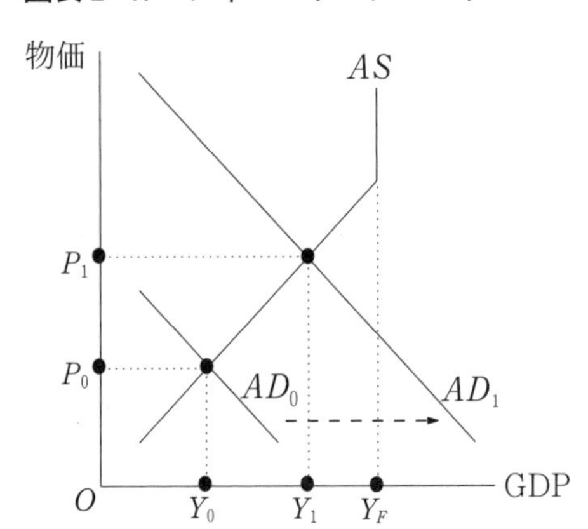

Point ④ コスト・プッシュ・インフレ

生産コストの増加（AS曲線の左上方シフト）によりおこるインフレを「コスト・プッシュ・インフレ」という。

名目賃金・原材料価格などの上昇や生産性の低下などにより生産コストが増加するとき、中期の総供給曲線（AS曲線）の右上がり部分がAS_0からAS_1に左上方にシフトする。このとき、物価はP_0→P_1だけ上昇し、GDPはY_0→Y_1だけ減少する。このように、コスト・プッシュ・インフレは、物価の上昇（インフレ）とGDP減少（景気後退）が同時に発生する「スタグフレーション」をもたらす。

図表2-18　コスト・プッシュ・インフレ

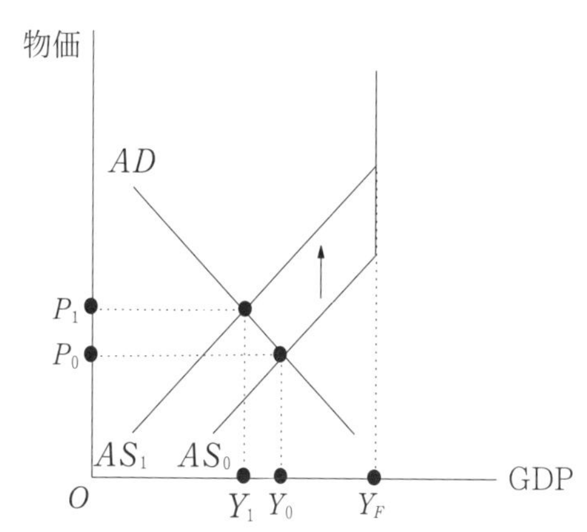

例題 9　中期における AD－ASモデルに基づくと、財政政策と金融政策に関する次の記述のうち、正しいものはどれですか。

A　拡張的な財政政策も金融政策も、総需要曲線を左にシフトさせる点では同じである。

B　拡張的な財政政策も金融政策も、総供給曲線をシフトさせない点では同じである。

C　総需要曲線は拡張的な財政政策によって左にシフトするが、拡張的な金融政策によると右にシフトする。

D　総供給曲線は拡張的な財政政策によって左にシフトするが、拡張的な金融政策によると右にシフトする。

解　答　B

解　説

A　拡張的な財政政策や金融政策は、総需要曲線だけを右にシフトさせる。

5　物価動向と失業

Point ①　貨幣数量説

(1)　貨幣数量説と貨幣の中立性

貨幣市場の長期的均衡では、貨幣数量（マネーストック）Mの増加（減少）は、それに比例して物価水準Pを上昇（下落）させると考える。このような考え方を「貨幣数量説」という。

長期的には、貨幣需要は、貨幣の取引需要によりとらえられ、さらに、貨幣の取引需要を決定するGDPは完全雇用水準で一定になると考える。このため、貨幣需要は一定（$\overline{L}$）となり、貨幣市場での長期的均衡は、次のように示される。

$$\frac{M}{P}=\overline{L} \quad \Leftrightarrow \quad M=\overline{L}\times P$$

貨幣数量説において、マネーストックMの増加は、物価Pを上昇させるが、実質GDPを変化させないと考える。マネーストックの変化が実質変数（実質GDPや相対価格など）を変化させないという性質を「貨幣の中立性」という。

(2)　フィッシャーの交換方程式

貨幣数量説を定式化した代表的なものに、「フィッシャーの交換方程式」がある。フィッシャーの交換方程式では、すべての取引に支払われる貨幣量は、その取引の価額に等しいという恒等関係を考えており、

$$\underbrace{M\times V}_{\text{取引のために必要な貨幣額}} = \underbrace{P\times Y}_{\text{取引高（生産額）}} \quad \Leftrightarrow \quad \frac{M}{P}=\frac{1}{V}\times Y$$

と示される。なお、Vは「貨幣の流通速度」を示す。貨幣の流通速度は、貨幣がある一期間中に何回人の手に渡ったか（誰かへの支払いに使われたか）を示しており、貨幣の回転数を意味する。たとえば、貨幣数量Mが100兆円

のとき、貨幣の流通速度Vが3回転であれば、$M \times V$は300兆円となり、300兆円の取引に必要な貨幣量をあらわすこととなる。

(3) ケンブリッジ方程式

「ケンブリッジ方程式」は、名目GDPとマネーストックとの関係を示している。

$$M = k \times P \times Y \quad \Leftrightarrow \quad \frac{M}{P} = k \times Y$$

この関係式におけるkを「マーシャルのk」といい、人々が、名目GDP（$P \times Y$）に対して、どれくらいの割合を貨幣で保有しようとするか、その「比率」を示している。

なお、貨幣の流通速度Vとの間には、$k = \frac{1}{V}$という関係がある。

例題10

貨幣数量説が成立しており、貨幣の流通速度は常に一定と仮定する。マネーストックの年率成長率は2.0%、実質生産の年率成長率は4.0%とすると、物価水準の上昇率（インフレ率）はいくらですか。

A　−6.0%
B　−2.0%
C　2.0%
D　6.0%

解答　B

解説

貨幣の流通速度Vは、

$$V = \frac{PY}{M} \qquad 〔P：物価水準、Y：実質総生産、M：マネーストック〕$$

と定義される。この定義式を、貨幣の流通速度の変化率$\frac{\Delta V}{V}$に関する式に変換すると、

$$\frac{\Delta V}{V}=\frac{\Delta P}{P}+\frac{\Delta Y}{Y}-\frac{\Delta M}{M}$$

$\left(\frac{\Delta P}{P}\right.$：インフレ率、$\frac{\Delta Y}{Y}$：実質生産の成長率、$\frac{\Delta M}{M}$：マネーストック増加率$\left.\right)$

と示される。この関係式より、物価水準の上昇率（インフレ率）は、

$$\frac{\Delta P}{P}=\frac{\Delta V}{V}-\frac{\Delta Y}{Y}+\frac{\Delta M}{M}$$

と示される。貨幣数量説が成立しており、貨幣の流通速度がつねに一定と仮定されるとき、$\frac{\Delta V}{V}=0\%$となる。さらに、問題文に、$\frac{\Delta M}{M}=2.0\%$、$\frac{\Delta Y}{Y}=4.0\%$とあたえられているので、これらの数値をインフレ率に関する式に代入すると、物価水準の上昇率（インフレ率）は、

$$\frac{\Delta P}{P}=0\%-4.0\%+2.0\%=-2.0\%$$

と求められる。

Point ② 名目と実質

(1) 名目値と実質値

名目値（＝金額ベースの値）と実質値（＝数量ベースの値）との関係は、

名目値＝実質値×物価

と示される。これより、実質値を所与とすると、インフレ（＝物価の持続的上昇）は名目値を増加させ、デフレ（＝物価の持続的下落）は名目値を減少させる。一方、名目値を所与とすると、インフレは実質値を減少させ、デフレは実質値を増加させる。

この関係を変化率でみると、近似的に、

名目値の成長率＝実質値の成長率＋インフレ率（物価上昇率）

と示される。

(2) フィッシャー方程式

名目金利と実質金利との関係は、

名目金利＝実質金利＋期待インフレ率

と示される。この関係は、実質金利に関して、

実質金利＝名目金利－期待インフレ率

と示すこともできる。

例題11

フィッシャー方程式に関する次の記述のうち、正しくないものはどれですか。

A　名目金利は、実質金利に期待インフレ率が加わったものである。

B　期待インフレ率が上昇しても、名目金利が上がらないことがある。

C　実質金利が名目金利を上回ることがある。

D　実質金利はマイナスにならない。

解　答　D

解　説

A　フィッシャー方程式において、名目金利は、実質金利と期待インフレ率の合計として示される。

B　期待インフレ率が上昇するとき、それ以上に実質金利が低下すれば、名目金利（＝実質金利＋期待インフレ率）は上昇しない。

C　たとえば、名目金利が０％で、期待インフレ率がマイナス２％であれば、実質金利はプラス２％となる。このように、実質金利が名目金利を上回ることがある。

D　実質金利（＝名目金利－期待インフレ率）は、名目金利よりも期待インフレ率が高くなれば、マイナスになる。

Point ③ 物価指数

「物価指数」とは、数多くの種類の財から構成されるバスケットをもとにして、各種類の財の価格の変化を、各種類の財への支出割合でウェイトづけした加重平均のことである。通常、基準時の物価指数を100として計算される。

代表的な物価指数の計算方法には、「ラスパイレス型」と「パーシェ型」とがある。「ラスパイレス型」では、各種類の財の数量を、基準時で固定して計算する。一方、「パーシェ型」では、各種類の財の数量を、比較時で固定して計算する。

単純化のため2種類の財、A財とB財とから構成されるバスケットについて、基準時と比較時の価格と数量が、下の表のようにあたえられたとき、ラスパイレス型物価指数とパーシェ型物価指数は、次のように示される。

	基準時（0）		比較時（1）	
	価格	数量	価格	数量
A財	P_0^A	Q_0^A	P_1^A	Q_1^A
B財	P_0^B	Q_0^B	P_1^B	Q_1^B

$$\text{ラスパイレス型物価指数} = \frac{P_1^A \times Q_0^A + P_1^B \times Q_0^B}{P_0^A \times Q_0^A + P_0^B \times Q_0^B} \times 100$$

$$\text{パーシェ型物価指数} = \frac{P_1^A \times Q_1^A + P_1^B \times Q_1^B}{P_0^A \times Q_1^A + P_0^B \times Q_1^B} \times 100$$

なお、「消費者物価指数」や「企業物価指数」など、ほとんどの物価指数はラスパイレス型物価指数であるが、「GDPデフレーター」は、例外的に、パーシェ型物価指数に相当している。

例題12　基準年である2015年と当該年である2017年について、「りんご」と「なし」の数量と価格は、以下のようであるとする。ラスパイレス型である消費者物価指数で、「りんご」と「なし」の価格を反映した物価の2015年から2017年にかけての上昇率はいくらですか。

	2015年	2017年
りんご	1個当たり200円で1,000個	1個当たり100円で2,000個
な　し	1個当たり100円で2,000個	1個当たり200円で1,000個

A　−20.0%

B　+12.5%

C　+20.0%

D　+25.0%

解　答　D

解　説

ラスパイレス型物価指数は、「りんご」と「なし」の数量を、基準年で固定して計算する。基準年である2015年の物価指数を100とすると、2017年におけるラスパイレス型物価指数は、

$$\text{ラスパイレス型物価指数}=\frac{100\times1000+200\times2000}{200\times1000+100\times2000}\times100=125$$

と求められる。これより、「りんご」と「なし」の価格を反映した物価の2015年から2017年にかけての上昇率は+25%となる。

Point ④ フィリップス曲線

(1) フィリップス曲線とは

1950年代にA.W.H.フィリップス（1914－75）は、1861年から1957年までのイギリスにおけるデータをもちいて、名目賃金上昇率と失業率との間に安定的なトレードオフ関係があることを実証的に発見した。縦軸に名目賃金上昇率を、横軸に失業率をとる平面上に描かれる右下がりの曲線を「フィリップス曲線」という。

ところで、名目賃金が上昇すると、人件費（生産コスト）が上昇する分、マクロ的に物価も上昇する。この関係より、縦軸の名目賃金上昇率を、インフレ率に置き換えたフィリップス曲線を「物価版フィリップス曲線」という。近年では、「物価版フィリップス曲線」をたんに「フィリップス曲線」ということが多い。物価版フィリップス曲線は、インフレ率と失業率との間のトレードオフ関係を示す。

図表2-19　フィリップス曲線

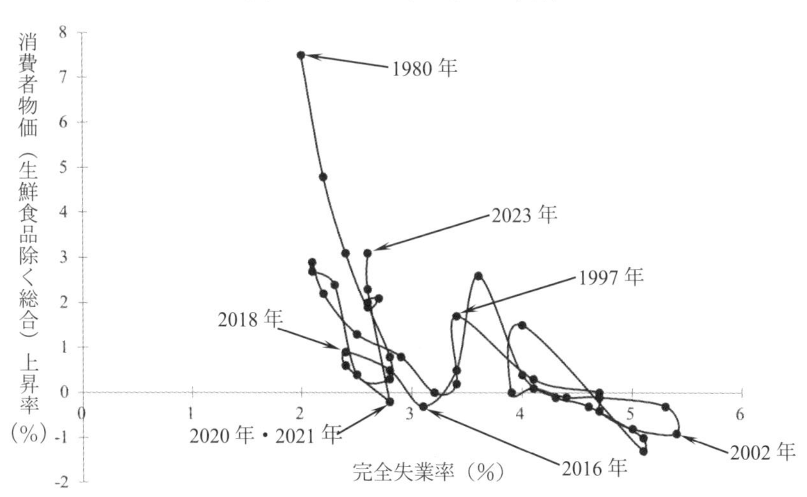

消費者物価上昇率と完全失業率（フィリップス曲線）：1980年～2023年

（資料）総務省ホームページ

⑵ 失業の分類

失業は、完全雇用（＝労働市場の均衡）のもとでも存在する失業と、完全雇用のもとではゼロになる失業に分類される。

① 完全雇用のもとでも存在する失業

完全雇用のもとでも失業は存在する。完全雇用のもとでの失業率を「自然失業率」という。

- 自発的失業：現行の賃金に不満であり、自らの意思で職探しを行っている状況のことを「自発的失業」という。
- 摩擦的失業：求人・求職に関する情報の不完全性のためにおこる失業のことを「摩擦的失業」という。この「摩擦的失業」は、転職者が就労可能な求人を見つけるまでの期間における失業のことである。
- 構造的失業：労働市場のミスマッチによって生じる失業のことを「構造的失業」という。求人側が求める技能や労働者のタイプと、求職者側が求めているものに違いがある場合におこる失業が該当する。

② 非自発的失業

完全雇用のもとでゼロとなる失業は「非自発的失業」である。「非自発的失業」とは、現行の賃金で働きたいが、労働需要不足（総需要不足）により仕事につけず、しかたなく職探しをしている状況のことである。ケインジアン（＝ケインズ経済学の立場をとる人々）は、この失業の存在を想定する。

Point ⑤ 労働力人口と完全失業率

15歳以上人口は、労働力人口と非労働力人口に区分される。また、労働力人口とは、就業者と失業者を合わせた人口のことである。ここで、失業者とは、仕事を探しているのに仕事がない人のことである。さらに、失業率とは、労働力人口に占める失業者の比率のことである。

例題13

失業に関する次の記述のうち、正しいものはどれですか。

A　失業者数が一定のとき、就業者数が減少すると、失業率は低下する。

B　就業者数が一定のとき、失業者数が減少すると、失業率は低下する。

C　自然失業率は、非自発的失業と摩擦的失業によって決まる。

D　フィリップス曲線は、インフレ率が上昇するときに、失業率が上昇することを示している。

解　答 ▶ B

解　説

A　失業者数が一定のとき、就業者数が減少すると、失業率は上昇する。

C　自然失業率は、自発的失業、摩擦的失業、構造的失業によって決まる。

D　フィリップス曲線は、インフレ率が上昇するときに、失業率が低下することを示している。

参考④　変化率の公式

3つの変数x、y、zの間に、

$$z=x\times y$$

という「かけ算」の関係があるとき、この関係を変化率になおすと、

$$\frac{\Delta z}{z}=\frac{\Delta x}{x}+\frac{\Delta y}{y}$$

と示すことができる。ここで、$\frac{\Delta z}{z}$は変数zの変化率、$\frac{\Delta x}{x}$は変数xの変化率、$\frac{\Delta y}{y}$は変数yの変化率を、それぞれあらわす。

3つの変数x、y、zの間に、

$$z=x\div y=\frac{x}{y}$$

という「わり算」の関係があるとき、この関係を変化率になおすと、

$$\frac{\Delta z}{z}=\frac{\Delta x}{x}-\frac{\Delta y}{y}$$

と示すことができる。

第3章

金融経済

1. 傾向と対策

金融経済では、金融の基本的な機能とともに、日本の金融市場、金融政策の主体である中央銀行の機能・組織、金融政策の運営、などが取り上げられる。

金融の基本的事項では、金融取引の機能、金融システムの仕組みなど金融の制度的な側面が出題される。また、経済主体間の資金の流れを記載した資金循環統計の見方、貯蓄投資バランスと経常収支の関係もチェックしておく必要がある。

金融市場では、金融市場の機能、短期金融市場、長期金融市場（資本市場）などから出題される。それぞれの市場の特徴を理解しておくことが必要である。

金融政策では、日本銀行に関する制度、金融政策の目標やそれを実現するために中央銀行が行う金融政策の手段について問われることが多い。

財政に関しては、財政の仕組みと機能、公債発行の問題点などが出題されている。

近年の傾向をみると、金融取引、金融システム、日本銀行による金融政策、日本の財政などの基本的事項に関する正誤問題が多い。まずは、これらの基本となる知識をしっかりと習得しておくことが重要である。

「総まとめテキスト」の項目と過去の出題例

「総まとめ」の項目	過去の出題例	重要度
第３章　金融経済		
1　金融取引と金融市場	2023年秋・第５問Ⅰ・問３，問４	C
2　資金循環と金融システム	2023年春・第５問Ⅰ・問３ 2024年春・第５問Ⅰ・問２	B
3　中央銀行と金融政策	2022年秋・第５問Ⅰ・問２，問３，問４ 2023年春・第５問Ⅰ・問４，問５ 2023年秋・第５問Ⅰ・問５ 2024年春・第５問Ⅰ・問３，問４，問５	B
4　財政の機能とその問題点	2022年秋・第５問Ⅰ・問５ 2023年春・第５問Ⅰ・問６ 2023年秋・第５問Ⅰ・問６ 2024年春・第５問Ⅰ・問６	B

2. ポイント整理

1　金融取引と金融市場

Point ① 金融取引とは

「金融」あるいは「金融取引」とは、貨幣を融通すること。黒字主体（＝資金の最終的貸し手）の手許で遊休化している貨幣を赤字主体（＝資金の最終的借り手）に融通すれば、経済全体での支出水準や資源配分上の効率性が高まる。金融取引により、黒字主体（貸し手）は、利息・配当を受けとることにより、将来所得を増加させるのに対して、赤字主体（借り手）は、将来所得を現在の所得あるいは購買力に変換させることができる。

Point ② 直接金融と間接金融

(1) 直接金融

直接金融とは、最終的な貸し手から、最終的な借り手へと資金が直接的に融通され、最終的な貸し手が、**本源的証券**を取得する取引のこと。おもに、証券会社が最終的な貸し手と最終的な借り手の間に立って本源的証券の売買を媒介する。証券会社の役割として、金融取引の円滑化のために「**情報生産**（＝金融機関が資金の借り手の返済能力などの信用情報を調査・審査する機能のこと)」することが挙げられる。

(2) 間接金融

間接金融とは、最終的な貸し手と最終的な借り手の間に**金融仲介機関**（銀行等）が介在する金融取引のこと。金融仲介機関が最終的な借り手の発行する本源的証券を取得する一方で、最終的な貸し手は金融仲介機関の発行する**間接証券**を取得する。金融仲介機関の役割として、金融取引の円滑化のために「情報生産」するとともに、最終的な貸し手と最終的な借り手の間での「**資産変換**」を行うことが挙げられる。

図表3－1　直接金融と間接金融

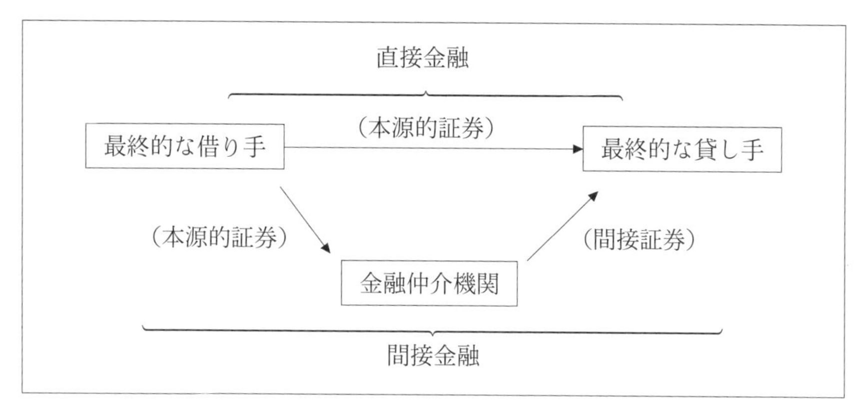

Point ③ 借り手による将来所得の支払約束の形態

(1) 負債取引

元本金額が変動しないところに特色があり、代表的取引に、貸出、債券（＝両者とも、あらかじめ定められた条件により元利金が支払われる）がある。負債取引により調達した資本・資金は、他人資本となるため、将来返済する必要がある。

(2) 株式取引

会社経営への参加権が保障されている反面、市場価値および毎期の配当は企業業績に応じて変動するところに特徴がある。株式取引により調達した資本・資金は、自己資本となるため、将来返済する必要はない。

Point ④ 相対型取引と市場型取引

(1) 相対型取引

相対型取引とは、企業や家計などの経済主体が、特定の金融機関や証券会社との間で個別に取引内容を決定する取引のこと。典型的な例として**貸出取引**がある。また、譲渡性預金（CD）のような市場を除けば、預金市場も相対型取引の市場に位置づけられる。貸出市場および預金市場は、日本の金融市場のなかで最大の規模を誇る。

(2) **市場型取引**

市場型取引とは、不特定多数の取引者による競り合いを通じて、価格（金利）、取引量が決定される取引のこと。市場型取引の場合、個々の商品に対する需給は市場において成立する価格により調整される。

例題1

金融取引の基本類型に関する次の記述のうち、正しくないものはどれですか。

A　直接金融とは、最終的借り手が発行する本源的証券を最終的貸し手が直接取得する取引である。

B　預金証書、信託受益証券、保険証書は、すべて間接証券である。

C　生命保険会社は預金を受け入れないので、金融仲介機関とはみなせない。

D　証券会社のディーリング機能やアンダーライター機能は、証券会社が情報生産機能を持つことを示しており、この点で金融仲介機関と共通する面を持つ。

解　答　C

解　説

生命保険会社は、間接証券である保険証書を発行し、資金を集めて運用しているので、金融仲介機関とみなされる。

例題2

金融取引の経済的な意味に関する次の記述のうち、正しくないものはどれですか。

A　借り手の将来所得を現時点の購買力に変換させる効果がある。

B　貸し手には借り手から約束どおりの支払いを受け取ることができなくなる可

能性があるという信用リスクが必ずある。

C　仲介する金融機関が必ず信用リスクを負うことになる。

D　経済全体の効率を高めるため経済の潤滑油と呼ばれることがある。

解　答　C

解　説

赤字主体（最終的な借り手）が発行する本源的証券の信用リスクを負担するのは、直接金融において、金融機関ではなく黒字主体（最終的な貸し手）である。一方、間接金融では、本源的証券の信用リスクを金融仲介機関が負担する。

Point ⑤ 金融市場

金融市場には、①経済主体の資金の運用・調達等をどのように行ったかの取引を記録する「取引記録機能」、②市場で取引される商品の価値をその時々の経済環境の下で評価する「価値評価機能」、③各種証券の発行・転売状況やそれにともなう資金フローなどに関する情報を市場参加者に伝達・提供するという「情報提供機能」、という3つの機能がある。

金融市場は、取引形態を基準とすると、「相対型取引の市場」と「市場型取引の市場」に大別される。「相対型取引の市場」とは、企業や家計などの経済主体が特定の金融機関との間で個別に取引内容を決定する市場であり、典型的な例として「貸出」や譲渡性預金以外の「預金」がある。一方、「市場型取引の市場」とは、不特定多数の取引者による競り合いを通じて金利（価格）や取引量が決定される市場である。市場型取引においては、取引参加者間では互いに固定的な結びつきはなく、市場で成立する金利（価格）により個々の金融商品に対する需給が調整される。さらにこの「市場型取引の市場」は、図表3－2のように分類される。

「伝統的金融市場」とは、資金の調達・運用に関連した金融商品が取引される市場であり、原満期期間あるいは条件つき売買の期間を基準として、満期期間が１年以内の金融商品が取引される「短期金融市場」と満期期間が１年超の「長期金融市場」に区分される。

図表３-２　日本の金融市場

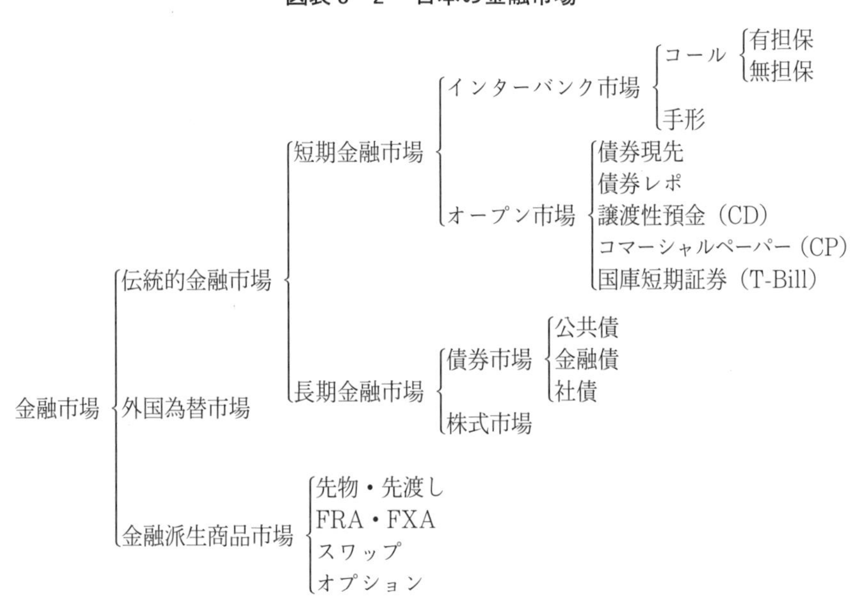

(1)　短期金融市場

短期金融市場（マネーマーケット）は、市場参加者が金融機関のみに限定された「インターバンク市場」(図表３-３）と、金融機関のほか一般事業法人や国・地方公共団体など非金融部門も取引参加者として含む「オープン市場」(図表３-４）に区分される。

インターバンク市場では、金融機関が日々の取引のなかで発生する一時的な資金の過不足を調整している。また、ベース・マネー（＝現金通貨＋日銀当座預金）の唯一の供給者である日本銀行（中央銀行）は、短期金融市場において、資金を供給・吸収する金融調節を通じて、マクロ的な資金過不足を調整するとともに、短期金融市場金利の形成に強い影響を及ぼしている。

図表3-3　インターバンク市場

コール市場	・民間金融機関が支払準備の短期的な過不足を相互に調整する市場であり、①日中物（借りた当日のうちに資金を返済するもの）、②オーバーナイト物（借りた翌日に資金を返済するもの）、③期日物（貸借期間が2日間以上1年以内のもの）に分類されるが、オーバーナイト物が中心となっている。 ・コール市場での取引残高は、近年の日本銀行による超緩和的な金融政策運営を背景として低調裡に推移している。 ・リーマン・ショック後の2008年12月からは、有担保コール市場の取引（借り手が貸し手に対して担保を預けるコール取引）が無担保コール市場の取引（担保を預けないコール取引）を上回るようになった。
手形市場	・手形売買を通じて金融機関が相互に資金を融通する市場である。 ・日本銀行による公開市場操作の手段として、2006年6月に手形買入オペが廃止され、これに代えて、共通担保資金供給オペが導入された。 ・手形市場は、近年、手形割引・手形貸付形態での銀行借入の伸び悩みにより、手形オペ以外の取引残高が大きく縮小していたが、手形買入オペの廃止を契機として自然消滅した。しかし、売りオペは金融調節手段として残っており、制度としての手形市場は廃止されていない。

図表3-4　オープン市場

債券現先市場	・債券の条件付売買が行われる市場。 ・1950年代に証券会社が保有する債券在庫のファイナンス手段として利用されたのが始まり。わが国で最初のオープン市場。
譲渡性預金（CD）市場	・CDとは、誰にでも譲渡可能な自由金利の大口定期預金。 ・1979年に発行が開始され、特に1985年以降は金融機関相互間での活発なディーリング商品としての性格を強めている。
コマーシャルペーパー（CP）市場	・CPとは、企業が短期資金調達手段として発行する無担保の約束手形。 ・1987年に市場が創設。 ・日銀は、1989年よりCP市場での買いオペを導入し、1997年秋には金融システム不安に対応して、CP買いオペの対象を期間1年以内にまで拡大した。
国庫短期証券（T-Bill）市場	・国庫短期証券（T-Bill）とは、割引短期国債（TB）と政府短期証券（FB）とを、市場での発行・流通段階で統合したものである。 ・割引短期国債（TB）とは、国債の償還・借換えを円滑化する目的で1986年から発行が開始された、期間1年以内の短期国債のことである。 ・政府短期証券（FB）とは、国庫の一時的な不足を補うために発行される短期の融通証券のことである。 ・TBとFBは、どちらも日本国政府が発行する短期割引債券であり、多くの共通面をもつため、2009年2月以降、統一名称「国庫短期証券（T-Bill）」のもとで発行・流通するようになった。
ユーロ円市場	・海外で発達した自由市場。日本以外の地域で円が保有され、円建ての預金、貸出、債券等の取引が行われる。 ・国内市場と比較して、規制が少ない、税制面で有利、金融新商品の開発が自由、などのメリットがある。

債券レポ市場	・現金担保付の債券貸借が行われる市場。 ・1996年に発足後、現在に至るまで急速に規模を拡大させている。 日銀は1997年からレポ市場での買いオペを導入した。

(2) 長期金融市場

長期金融市場（証券市場）とは、満期１年超の長期資金の調達・運用が行われる市場のことであり、「資本市場」とも呼ばれる。証券市場の特徴として、資金提供者は、いつでも債券や株式を市場で転売して資金を回収するとともにリスクを第三者に転嫁できる点がある。

証券市場には、企業の設備投資資金などの調達を目的に債券や株式が新たに発行される「発行市場」と、既発の債券や株式が売買される「流通市場」がある。また、流通市場での取引には、証券取引所で行われる「取引所取引」と、主に証券会社の店頭で行われる「店頭取引」とがあるが、一般に、株式は取引所取引が中心となっているのに対し、債券の売買はほとんど店頭取引となっている。

図表3－5　長期金融市場

債券市場	・公社債のうち発行量が最も多いものは国債である。 ・国債のうち、短期国債は割引債として、それ以外は利付債として発行されている。 ・国債は国債市場特別参加者制度のもと公募入札により発行されており、国債募集引受団引受（シ団引受）は、2005年度末をもって廃止された。 ・短期国債は、中期・長期国債と異なり窓口販売が行われていない。 ・社債発行について、適債基準や財務条項制限が緩和されてきている。
株式市場	・株式市場では、単元株制度のもとで取引が行われている。2001年10月の改正商法の施行により、「額面株式」という概念そのものが廃止された。それにともない、「単位株制度」も廃止され、新たに「単元株制度」が導入された。 ・株式の額面が廃止され、増資形態としては時価発行しか存在しないといえる。 ・各証券会社は株式委託売買手数料を自由に決定することができる。 ・株式売買取引の取引所集中義務は、撤廃されている。 ・日本には、東京、名古屋、福岡、札幌の4か所に証券取引所が開設されているが、そのうち、株式上場企業数および売買高では東京証券取引所が9割強と圧倒的なシェアをもつ。

例題3

日本の短期金融市場に関する次の記述のうち、正しくないものはどれですか。

A　譲渡性預金（CD）市場はインターバンク市場である。

B　コマーシャルペーパー市場はオープン市場である。

C　債券レポ市場はオープン市場である。

D　債券現先市場はオープン市場である。

解　答　A

解　説

金融市場は市場参加者の範囲を基準としてインターバンク市場とオープン市場に分けられる。

インターバンク市場とは市場参加者が金融機関のみに限定された市場のことをいう。これに対しオープン市場とは、一般事業法人、地方公共団体などの非金融部門も取引参加者として含む市場のことをいう。

譲渡性預金（CD）市場はオープン市場である（Aは正しくない）。B、C、Dの市場はすべてオープン市場である。

例題 4

債券市場に関する次の記述のうち、正しくないものはどれですか。

A　国債の公募入札とは多数の応募者による競り合いを通じて、発行条件と発行額を決定する方法である。

B　国債のシ団引受けは、1975年以来今日にいたるまで長年にわたって利用されてきている。

C　社債の発行は均一価格販売方式が採用されている。

D　債券売買の中心は店頭取引である。

解　答　B

解　説

シ団引受とは、金融機関により構成される国債募集引受団（シ団）と国が国債の募集の取扱いおよび残額引受契約を締結のうえ、企業や家計からの応募を募り、販売する方式のことをいう。シ団引受は2005年度末をもって廃止された（Bは正しくない）。

社債の発行においては、最も有利な条件を提示した証券会社を幹事会社とする引受シ団が組成されたのち、市場実勢にもとづき決定された発行価格によって投資家に売りさばくという均一価格販売方式が採用されている（Cは正しい）。

2　資金循環と金融システム

Point ①　資金循環勘定

資金循環勘定（資金循環表）とは、経済全体の資金の流れについて、各経済主体の金融資産や負債がどのようにして形成されるかを明らかにするものであり、日本銀行によって作成される。資金循環勘定には、フローを記録する**金融取引表**と、ストックを記録する**金融資産負債残高表**がある。これらの表の合計欄は、資産、負債ともに同額となる[1]。また、1999年に改訂された新統計では、新たに**調整表**が作成されることになった。新統計では、金融商品の評価方法として時価評価を導入したため、金融商品の価格に変化がある場合、金融取引表の取引額と金融資産負債残高表の当該期末と前期末の差額が一致しなくなるようになったが、調整表ではこうした不一致を調整額として表示する。

金融取引表の資金過不足欄における資金不足（金融負債純増）は非金融取引面における投資超過に、資金余剰（金融資産純増）は貯蓄超過にそれぞれ対応する。

Point ②　日本銀行「資金循環」新統計におけるわが国の金融機関の分類

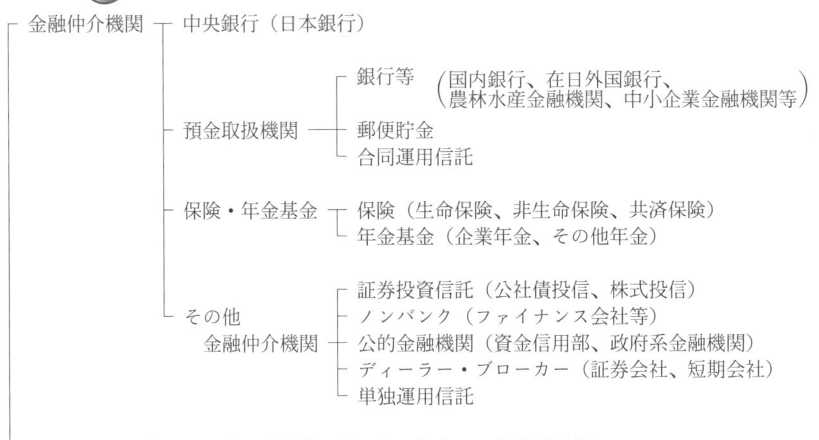

1　実際には、計算上の技術的問題により一定の差額が出ている。

Point ③ 国際収支表と資金循環勘定との対応

国際収支表と資金循環勘定の海外部門の資金過不足との関係は次のように表される。

まず、国際収支表においては次のような関係がある。

経常収支＝輸出等－輸入等 ＝対外金融資産増(減)－対外金融負債増(減) ＝海外部門の資金不足（余剰）	（3－1）

この関係から、資金循環勘定のうち、金融取引表の海外部門の資金不足（余剰）は、日本の経常収支黒字（赤字）に一致することがわかる。ところで、国民経済計算から、

国内総生産＝消費＋投資＋輸出等－輸入等
＝消費＋貯蓄

であり、これらをまとめると次のように示すことができる。

経常収支＝輸出等－輸入等 ＝海外部門の資金不足(余剰) ＝貯蓄－投資	（3－2）

これらの関係より、日本の経常収支黒字（赤字）は、金融取引表の海外部門の資金不足（余剰）と一致し、さらにそれは、国民経済計算における国内経済部門の貯蓄超過（投資超過）に対応することがわかる。

図表３－６　金融資産負債残高表（主要部門・取引項目、2023年度）

（単位：千億円）

	金融機関		非金融法人企業		一般政府		家計		対家計民間非営利団体		海外	
	資産	負債	資産	負債	資産	負債	資産	負債	資産	負債	資産	負債
現金・預金	8034	24314	3743		1137		11185		438		117	340
現金・流動性預金	6131	17369	2685		674		7563		289		27	
定期性預金・CD・外貨預金	1903	6945	1057		464		3622		149		90	340
財政融資資金預託金	105	379	1		273							
貸出	18205	8609	805	5959	196	1546	2	3730	37	163	3081	2320
日銀貸出・コール・手形	1553	1557	1		3							0
民間金融機関貸出	10837	1303		4324		653		3234		111		1212
公的金融機関貸出金	2794	547		686		852		366		48		295
非金融部門貸出金		1808	692	412	191	12	2	56	37	4	1806	436
現先・債券貸借取引・割賦債権	3022	3394	112	537	2	28		74	0	0	1275	377
債務証券	12103	3093	401	1032	935	12036	295		91		2337	
株式等・投資信託受益証券	5790	6197	5274	14841	2216	218	4190		93	132	3825	
保険・年金・定型保証	30	5432	42	60	0		5420		0		0	
金融派生商品など	1290	1354	53	60			20	19			598	530
その他	6966	2073	5891	3156	4076	634	747	162	47	13	1044	12642
金融資産負債差額		1073		△8898		△5600		17949		398		△4831
合計	52523	52523	16209	16209	8833	8834	21859	21859	707	707	11002	11002

（注）△はマイナスを示す。また、０とは、数値が１千億円未満であることを示す。
　　各項目の数値とも百億円の位で四捨五入しているため、合計と一致しないことがある。

（資料）日本銀行

図表３－７　資金過不足（対名目ＧＤＰ比）の推移

1980～2023年度

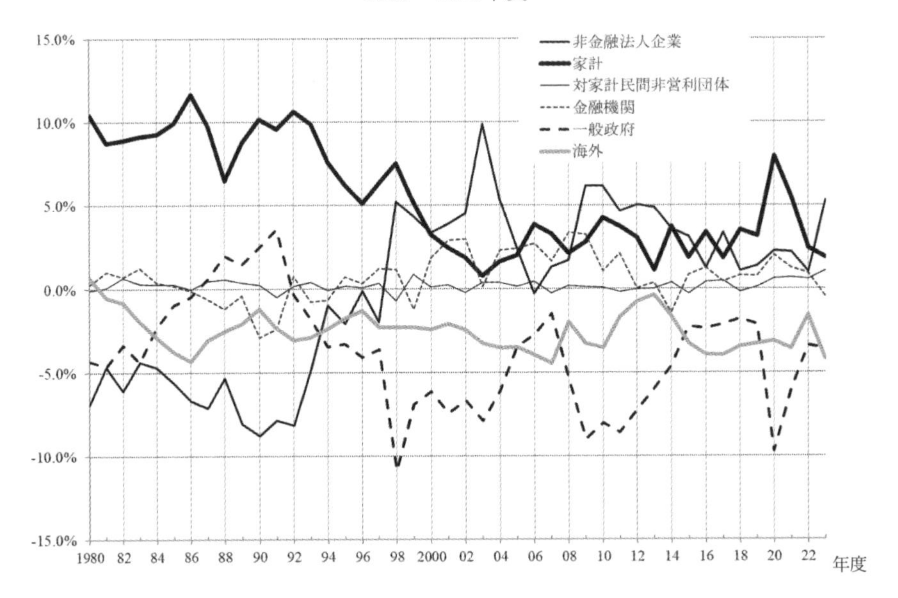

（資料）日本銀行ホームページ

例題5

資金循環表に関する次の記述のうち、正しいものはどれですか。

A　わが国の経常収支が黒字であるとき、資金循環表の部門別勘定における海外部門は資金余剰（黒字）である。

B　資金循環表は、経済各部門の毎年の資金の流れを知るうえで有用であるが、それら各部門の資産や負債の残高は、ここには表れないので、国民資産・負債残高表統計で見る必要がある。

C　日本企業は設備投資を継続的に行ってきているため、わが国の法人企業部門は高度経済成長期以降現在まで恒常的に資金不足（投資超過）の状態にある。

D　わが国の家計部門の金融資産残高のうち、預金が最も大きな比率を占めているのは、日本において間接金融が直接金融よりも優位にあったことを示している。

解答 ▶ D

解説

経常収支の黒字は、海外部門の資金不足（赤字）と対応するので、Aは誤り。資金循環表（フロー）に対応するストック統計は、金融資産・負債残高表である（Bは誤り）。1990年代後半より、設備投資の抑制や負債の圧縮によって、企業部門は資金不足から資金余剰（貯蓄超過）に転じている（Cは誤り）。Dは正しい。

3　中央銀行と金融政策

Point ① 日本銀行の組織と役割

日本銀行は、日本銀行法にもとづく認可法人であり、資本金は1億円（出資の内訳：政府＝55百万円、民間＝45百万円）である。また、日銀の内部の機関である政策委員会（＝総裁、副総裁2名、審議委員6名から構成される。）が最高意思決定機関である。なお、政策委員会を構成する9名は、国会の同意を得て内閣により任命され、日銀役員としての身分が保障されている。政策委員会の議長は、委員の間で互選されるが、これまでのところ総裁が選出されている。委員会での議事については多数決により決定される。

日銀には、①発券銀行、②銀行の銀行、③政府の銀行、という3つの役割がある。①の発券銀行とは、日本の中央銀行である日銀が、法貨である日本銀行券を独占的に発行し、金融政策を実施していることをいう。また、②の銀行の銀行とは、日銀が、金融機関の預金を受け入れるほか、貸出取引を行っていることをいう。ただし、一般の企業や個人を対象とした取引は行っていない。さらに、③の政府の銀行とは、政府（国）が、その所有する円貨に関する預金勘定を唯一、日銀に開設しており、税金の受取や公共事業の支払など、個人や企業などとの資金決済すべてを、日銀に開設した政府預金を通じて行っていることをいう。

Point ② 金融政策の目標

図表3－8

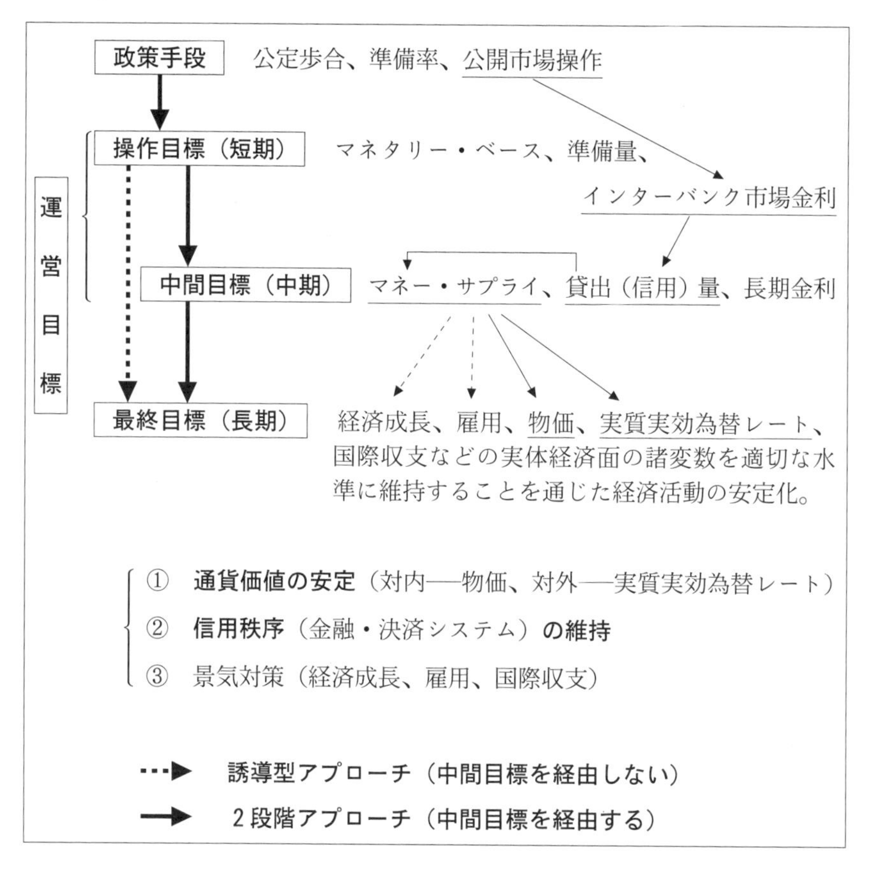

日本銀行は物価の安定（通貨価値の維持）や信用秩序の維持を中心とする**最終目標（政策目標）**を掲げて金融政策を運営している。このような最終目標を実現するために公定歩合操作や公開市場操作、準備率操作という政策手段を用いて、インターバンク市場金利、ハイパワード・マネー、預金準備などに働きかけている。金融政策の直接の対象となるこれらの変数を**操作目標**という。また、操作目標と最終目標の間に長期金利、マネー・サプライ（マネー・ストック）、銀行信用残高などの**中間目標**を置き、中間目標の達成を通して最終目標の達成を図るこ

とがある。

図表3－8のような、金融政策の波及経路のなかでも日本銀行が重点を置く経路は、**インターバンク市場金利**を基点としてオープン市場金利、長期金利、マネーサプライへと波及する経路である。

Point ③ 金融政策の手段

金融政策の運営手段として、通常は、①**公定歩合操作**、②**準備率操作**、③**公開市場操作**の3つが挙げられる。ただし、現在においては③公開市場操作（金融市場調節）が主たる手段となっている。

⑴ 公定歩合操作

公定歩合とは日銀の民間銀行に対する信用供与である日銀貸出にかかる金利のことであり、日銀はその水準を操作することによって銀行の与信態度に影響を与えることができる。

公定歩合操作は、かつては金融政策の基本的手段として位置づけられていたが、1996年に日銀が日銀貸出を金融調節の手段として用いないという方針を明らかにし、**インターバンク市場金利**（**無担保コールレート・オーバーナイト物**等）の水準を調整することに政策のウエイトがシフトしている。

⑵ 準備率操作

預金準備制度に基づき、民間銀行は預金残高の一定割合を準備預金として日銀の口座に積み立てることが義務づけられているが、日銀はその割合を変更することによって民間銀行の与信態度に影響を与えることができる。

⑶ 公開市場操作

日銀が債券や手形を売買し、市中における資金需給を操作することによって、インターバンク市場金利を政策的に望ましい水準に誘導したり、金融機関の与信態度に影響を与えることができる。

日銀が債券や手形を購入すれば、円資金が市中に供給され（**買いオペ**）、債券や手形を売却すれば、円資金が市中から吸収されることになる（**売りオペ**）。この公開市場操作は、ほぼ毎日実施され、現在の金融政策の中心的手段となっている。現在、日銀が実施している、おもな公開市場操作（オペレーション）の手段は、図表3-9のとおりである。

図表3-9　おもな公開市場操作の手段

資金供給のためのオペレーション	
名称	オペレーションの内容
国債買現先オペ	日銀が、国債を、売戻し条件を付して入札によって買入れる資金供給オペレーションのこと。
国庫短期証券買入オペ	日銀が、国庫短期証券を入札によって買入れる資金供給オペレーションのこと。
CP買現先オペ	日銀が、担保として適格としているCPを、売戻し条件を付して買入れる資金供給オペレーションのこと。
共通担保オペ	金融機関が日銀に差入れた担保を裏付けとして、日銀が資金を貸付ける資金供給オペレーションのこと。共通担保オペの担保としては、国債や適格手形など有価証券が対象となる。
国債買入れオペ	日銀が、利付国債を、入札によって買入れる資金供給オペレーションのこと。
資金吸収のためのオペレーション	
名称	オペレーションの内容
国債売現先オペ	日銀が、国債を、買戻し条件を付して入札によって売却する資金吸収オペレーションのこと。
国庫短期証券売却オペ	日銀が、国庫短期証券を入札によって売却する資金吸収オペレーションのこと。
手形売出オペ	日銀が振り出す手形を、日銀が入札によって売却する資金吸収オペレーションのこと。

例題 6　日本銀行が行う金融政策に関する次の記述のうち、正しいものはどれですか。

A　金融政策決定会合は通常2ヵ月に1回開催され、今後2ヵ月間の金融政策運営方針が決定される。

B　日銀の金融政策手段のうち共通担保オペは、資金吸収のためのオペレーションである。

C　2001年3月から実施された「量的緩和政策」においては、日銀当座預金残高を操作目標としていた。

D　2013年4月に導入された「量的・質的金融緩和」においては、消費者物価指数（生鮮食品を除く総合）の前年比上昇率を操作目標としている。

解　答　C

解　説

金融政策決定会合は、2004年7月以降、月1回（ただし、4月および10月は2回）開催されるようになったが、その後、2016年からは、アメリカの連邦公開市場委員会（FOMC）や欧州中央銀行（ECB）理事会と同じように年8回開催となっている。さらに、金融政策決定会合において議決されるのは、次回の開催日までの金融政策運営方針である（Aは誤り）。また、共通担保オペは、資金供給のためのオペレーションである（Bは誤り）。

2001年3月から実施された「量的緩和政策」においては、日銀当座預金残高を操作目標としていた（Cは正しい）。一方、消費者物価指数の前年比上昇率は、日銀が直接コントロールすることができないので、操作目標とはならない。2013年4月に導入された「量的・質的金融緩和」においては、マネタリーベースを操作目標としている（Dは誤り）。

例題 7

金融政策に関する次の記述のうち、正しいものはどれですか。

A　金融政策の最終目標としては、マネーサプライや市場金利が挙げられる。

B　中央銀行が債券・手形の買いオペレーションを行うと、それに見合う額だけハイパワードマネー供給量が増加することになる。

C　中央銀行の運営目標のうち、中央銀行がより直接的に制御可能なものを中間目標と呼ぶ。

D　中間目標を重視した金融政策運営の仕方を、4 段階アプローチと呼ぶ。

解　答　B

解　説

中央銀行による債券・手形の買いオペレーション、いわゆる「買いオペ」は民間銀行の準備預金を増大させる「資金供給」の手段である。それに対して「売りオペ」は「資金吸収」の手段である。

金融政策の最終目標は、物価や為替レートが代表的である（A は誤り）。

中央銀行がより直接的に制御可能な運営目標は、操作目標と呼ばれる（C は誤り）。

中間目標を重視した金融政策運営の仕方は、2 段階アプローチと呼ばれる（D は誤り）。

Point ④ 金融政策と政策ラグ

経済政策の運営に際しては、一般的に、①認知ラグ（経済情勢の判断の遅れ）、②政策発動ラグ（経済政策の決定や実施の遅れ）、③効果顕現ラグ（経済政策実施後に効果が出現するまでの遅れ）といった政策ラグ（遅れ）が避けられない。とくに、金融政策においては、効果顕現にかかわるラグが大きい。

4　財政の機能とその問題点

Point ①　財政の機能

財政の機能には、(1)資源配分、(2)所得再分配、(3)景気調整の3つの機能がある。

(1)　資源配分機能

民間の経済活動において、資源が効率的に配分できない状況（公共財、外部効果、費用逓減産業などによっておこる「**市場の失敗**」）を調整し、市場メカニズムを補完する機能のこと。

(2)　所得再分配機能

市場メカニズムにより効率的な資源配分が実現していたとしても、所得分配に関して不平等となることがある。このような場合、経済的に恵まれ租税負担能力が高い人に多く課税し、経済的に恵まれていない人に生活保護や年金・保険などの社会保障制度により再配分する機能のこと。

(3)　景気調整機能

市場メカニズムが機能していたとしても、短期的には予想外のショックにより景気が悪化することがある。このような場合、ショックに起因する悪影響を緩和し、有効需要不足を解消し、経済を安定化する機能のこと。

Point ②　国の予算制度と会計年度独立の原則

国の予算は、会計年度ごとに作成され（この原則を「**予算の単年度主義**」という）、ある会計年度の歳出は、その年度の歳入で賄わなければならないという「**会計年度独立の原則**」にもとづいて編成されている。国の予算には、(1)一般会計予算、(2)特別会計予算、(3)政府関係機関予算、の3つがある。

(1)　一般会計予算

国の基本となる会計を「一般会計」といい、財政法に根拠をもつ。通常、「国の予算」といえば、この一般会計の予算のことを指す。

⑵ 特別会計予算

国が特定の事業を行う場合、特定の資金を保有してその運用を行う場合、その他特定の歳入を以て特定の歳出に充て一般の歳入歳出と区分して経理する必要がある場合に設置される会計を「特別会計」という。特別会計の数は、近年の特別会計改革により減少し、2024年度では13会計となっている。また、特別会計の設置根拠法は、「特別会計に関する法律」に一本化されている。

⑶ 政府関係機関予算

特別の法律によって設立された法人で、その資本金が全額政府出資であり、予算について国会の議決を必要とする機関を「政府関係機関」という。2024年度においては、沖縄振興開発金融公庫、株式会社日本政策金融公庫、株式会社国際協力銀行、独立行政法人国際協力機構有償資金協力部門の4機関が該当する。

Point ③ 予算の種類

予算は、成立する時限に応じて、⑴本予算（当初予算）、⑵暫定予算、⑶補正予算、に区分することができる。

⑴ 本予算（当初予算）

会計年度全体に関する予算を「本予算」、または、「当初予算」という。通常、本予算（当初予算）は、当該年度の開始前に、国会の議決を経て成立する。

⑵ 暫定予算

国会での審議の遅れなどにより、年度開始までに本予算が成立しない場合、本予算成立までの必要最小限度の出費を計上して編成される予算を「暫定予算」という。「暫定予算」の成立のためには、国会の議決が必要である。

⑶ 補正予算

年度途中において、経済情勢の変化、天災地変などにより、本予算の内容を変更するために編成される予算を「補正予算」という。「補正予算」の成立のためにも、国会の議決が必要である。

Point ④　2024年度一般会計歳入

(1)　公債金

一般会計歳入のうち新規に国債を発行して調達した収入のこと。

(2)　公債依存度

一般会計予算に占める公債金の割合のこと。2024年度一般会計当初予算においては31.5%となっている。

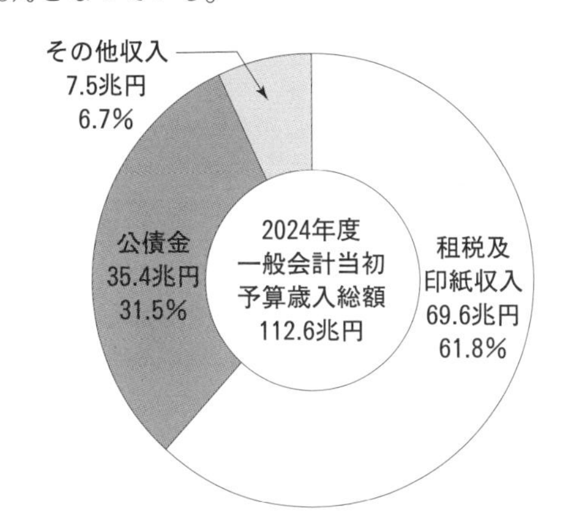

Point ⑤　2024年度一般会計歳出

(1)　国債費

一般会計歳出から国債の償還費（借金の返済）にあてられる経費のこと。2024年度一般会計当初予算において、「国債費」が「一般会計歳出総額」に占める割合は24.0%となっている。

(2)　一般歳出

「一般会計歳出総額」から「国債費」と「地方交付税交付金等」を差し引いた経費のこと。国が政策を実行するための経費を示す。2024年度一般会計当初予算において、「一般歳出」のなかで最大の費目は「社会保障関係費」である。「社会保障関係費」が「一般会計歳出総額」に占める割合は33.5%となっている。なお、「一般会計歳出総額」から「国債費」を差し引いた経費を「基礎的財政収支対象経費」という。

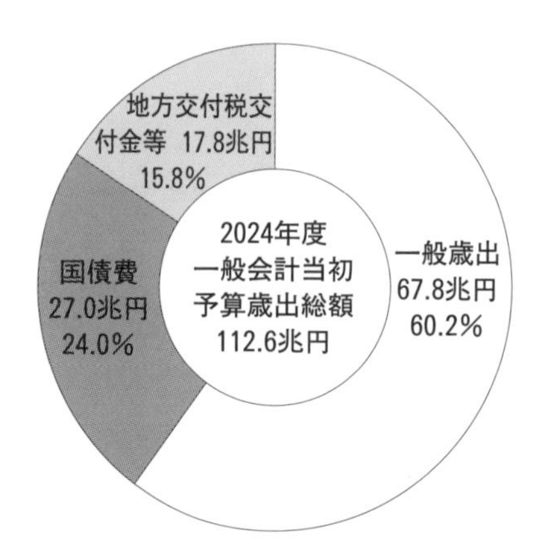

Point 6 公債発行の原則

財政法には、⑴建設国債の原則、⑵市中消化の原則、が規定されている。

⑴ 建設国債の原則

財政法第4条では、公共事業費など財源にあてる「建設国債」の発行だけを規定している。赤字国債（＝事務経費や人件費など経常的な経費を賄うために発行される国債のこと）の発行は原則禁止され、国会の議決を経て特例的に発行される扱いになっている。

⑵ 市中消化の原則

財政法第5条では、日本銀行引受による国債の発行を原則として禁じている。ただし、特別の事由がある場合には、国会の議決の範囲内で日本銀行引受による国債の発行を認めている。

Point ⑦ 公債発行の問題点

公債発行に関する問題点としては、通常、つぎの4点が指摘されている。

(1) 民間資金を圧迫してクラウディング・アウトを生じさせる。

　公債発行により政府が金融市場から資金調達を行うと、その分、金融市場は逼迫し、金利の上昇がおこる。この金利の上昇による資金調達コストの上昇は、民間の設備投資を減少させ、クラウディング・アウト（＝公共投資が民間投資を押しのけること）が発生する。

(2) 通貨の過度な供給を媒介としてインフレをひきおこす。

(3) 公債の増発とともに利払いや償還に追われるなど、財政が硬直化するおそれが生じる。

(4) 公債の発行は比較的容易なため、財政の膨張や放漫化をまねくおそれがある。

Point ⑧ 公債管理政策

公債が国民経済において安定的でかつ安全な資産として保有されるために、発行・償還および流通の各方面において施される方策のこと。公債管理政策の具体的な措置としては、国債の種類の多様化、発行時期・方式の効果的な選定、財政負担の軽減、満期構成の最適化、関連する経済政策との協調などがある。

Point ⑨ 国債費の推移

昭和50年代以降の国債大量発行の継続と債務残高の累増にともない、一般会計歳出に占める国債費の割合は増加しつづけており、政策的な経費である基礎的財政収支対象経費の割合が大幅に低下し、財政の硬直化が進んでいる。

例題 8　財政の仕組みと機能に関する次の記述のうち、正しくないものはどれですか。

A　財政の機能には、資源配分機能、所得再分配機能、景気調整機能がある。

B　財政は、社会資本のように便益が広く拡散していて民間部門の採算がとれないような事業を適正に供給しようとする。

C　日本の予算は会計年度独立の原則にもとづいており、多年度主義ではない。

D　日本の特別会計予算は、予算別の法律にもとづき 3 会計の設置が認められる。

解　答　D

解　説

社会資本のような「公共財」には、非競合性と非排除性があるためフリーライダー問題がおこり、民間部門では効率的な供給ができない（＝市場の失敗）。このため、「公共財」は政府が最適に供給する必要がある。この財政の機能を「資源配分機能」という（Bは正しい）。会計年度独立の原則とは、ある年度における支出は、その年度の収入から行わなければならないという原則のことであり、日本の予算はこの原則にもとづいている（Cは正しい）。国のすべての特別会計の設置根拠法は「特別会計に関する法律」に一本化されている。なお、2024年度当初予算において、特別会計の数は13会計である（Dは正しくない）。

国際金融と国際経済

1. 傾向と対策

「国際金融と国際経済」では、国際収支、為替レート（実質・実効）、為替レート決定理論（購買力平価説、金利平価説）等から出題されている。一部に難易度の高い問題が出題されることもあるが、大半は制度や基礎的な理論モデルの理解を試す問題となっている。また、他の分野と比較して、計算問題の出題がかなり多いことも「国際金融と国際経済」の特徴である。

今後の対策としては、まずは頻出分野を確実に固めておくことが重要である。為替レート（実質・実効）、為替レート決定理論（購買力平価説、金利平価説）は、基本的な見方から計算問題まで、毎回多くの出題がみられる。「国際金融と国際経済」で高得点を狙うためには、為替レート関連の問題を十分学習しておくことが重要であろう。

また、国際収支では、経常収支や資本収支といった統計の見方、ISバランス、弾力性の各アプローチから経常収支の変動を分析する問題が多い。

「総まとめテキスト」の項目と過去の出題例

「総まとめ」の項目	過去の出題例	重要度
第４章　国際金融と国際経済		
１　国際収支統計	2024年春・第５問Ⅱ・問２	B
２　外国為替と為替レート	2022年秋・第５問Ⅱ・問１，問３ 2023年春・第５問Ⅱ・問２ 2023年秋・第５問Ⅲ	A
３　国際資本取引と為替レート	2022年秋・第５問Ⅱ・問２，問４ 2023年春・第５問Ⅱ・問４ 2023年秋・第５問Ⅱ・問４ 2024年春・第５問Ⅱ・問４	A
４　国際経済の基礎理論	2022年秋・第４問Ⅰ・問２ 第５問Ⅲ 2023年春・第４問Ⅰ・問２ 第５問Ⅱ・問１，問３ 第５問Ⅲ 2023年秋・第５問Ⅱ・問１，問２，問３ 2024年春・第５問Ⅱ・問１，問３ 第５問Ⅲ	B

2. ポイント整理

1 国際収支統計

Point ① 国際収支統計とは

日本の居住者と非居住者の間の所有権の移転をともなう取引を、複式簿記の原則にもとづいて包括的に記録したものが「国際収支統計」である。このため、居住者の間の取引や非居住者の間の取引は記録されない。

財務省・日本銀行は、2014（平成26）年1月取引計上（3月10日公表）分から、従来のIMF国際収支マニュアル第5版に準拠した統計から、第6版に準拠した統計に移行し、主要項目の組み替え、表記方法等の変更など大幅な見直しが行われた。

Point ② 国際収支統計の構造

日本から財・サービスを10億円分輸出したり、海外から10億円の利子・配当を受け取れば、対外資産が10億円増加する。逆に、財・サービスを5億円分輸入したり、海外に5億円の利子・配当を支払えば、対外資産が5億円減少する。さらに、輸出代金で対外債務を返済したり、輸入代金を対外借入で賄うこともある。これらのことより、国際収支統計では、居住者と非居住者の間のすべての取引を財・サービスの売買である「経常取引」と、金融資産の売買である「金融取引」に分割して記録している。無償の取引である経常移転や資本移転を捨象すると、国際収支統計の基本的な構造は、

$$\underbrace{\text{輸出}-\text{輸入}+\text{海外からの所得受取}-\text{海外への所得支払}}_{\text{経常収支}}=\underbrace{\text{対外資産純増}-\text{対外債務純増}}_{\text{金融収支}}$$

と示される。このため、「資本移転等収支」と「誤差脱漏」を除けば、次の恒等式が成立する。

経常収支－金融収支＝0

実際の国際収支統計では、この恒等式に「資本移転等収支」と「誤差脱漏」を含めて、「国際収支」は、次のように定義される。

国際収支＝経常収支＋資本移転等収支－金融収支＋誤差脱漏＝0

Point ③ 国際収支統計の収支項目

国際収支統計では、一定期間における居住者と非居住者との間で行われた取引の内容に応じて、①財貨・サービス・所得の取引や経常移転を記録する経常収支、②対外金融資産・負債の増減に関する取引を記録する金融収支、③生産資産（財貨、サービス）・金融資産以外の資産の取引や資本移転を記録する資本移転等収支、に計上される。

(1) 経常収支

「経常収支」には、財貨・サービスの取引や、所得の受払、経常移転が計上される。「貿易・サービス収支」、「第一次所得収支」、「第二次所得収支」により、次のように構成される。

経常収支＝貿易・サービス収支＋第一次所得収支＋第二次所得収支

「貿易・サービス収支」には、生産活動の成果である諸品目の取引が計上され、財貨の輸出入を計上する「貿易収支」と輸送・旅行などサービス取引を計上する「サービス収支」に区分される。

「第一次所得収支」には、生産過程に関連した所得および財産所得が計上され、企業と雇用関係にある個人が労働の対価として得た報酬を計上する「雇用者報酬」、金融資産提供の対価である配当金や利子等を計上する「投資収益」、および、「その他第一次所得」に区分される。国民経済計算での「海外からの所得の純受取（＝海外からの要素所得受取－海外への要素所得支払）」に該当するので、第一次所得収支が黒字のとき、名目GNI（国民総所得）は名目GDP（国内総生産）より大きくなる。

「第二次所得収支」には、経常移転による所得の再配分が計上される。なお、「移転」とは、当事者の一方が経済的価値のあるもの（財貨、サービス、金融資産、非金融非生産資産）を無償で相手方に提供する取引のことであり、国際収支統計では複式簿記の原則を採用しているため、無償で提供されたものと見合う価値がこの項目に計上される。

(2) 金融収支

対外金融資産負債に係る取引が計上される。「直接投資」、「証券投資」、「金融派生商品」、「その他投資」、および、「外貨準備」に区分され、さらに、それぞれ「資産」（非居住者に対する債権）と「負債」（非居住者に対する債務）に区分される（ただし、「外貨準備」は、性質上、「資産」のみとなる）。

(3) 資本移転等収支

対価をともなわない無償取引のうち、資産（現金、在庫を除く）の所有権移転を伴う移転や債務免除などの「資本移転」と、天然資源（鉱業権、土地等）、経済資産として認識される契約・リース・ライセンス（排出権、移籍金等）およびマーケティング資産（商標権等）の取引といった「非金融非生産資産の取得処分」が計上される。たとえば、日本政府が途上国向け円借款を債務免除する場合、債務免除にともなう対外資産の減少が金融収支のマイナスとして計上されると同時に、資本移転等収支が同額のマイナスとして計上される。

図表4-1　日本の国際収支（IMF国際収支マニュアル第6版準拠）の内訳

（単位：兆円）

暦年	2016	2017	2018	2019	2020	2021	2022	2023
経常収支	21.4	22.8	19.5	19.3	16.0	21.5	11.4	21.4
貿易・サービス収支	4.4	4.2	0.1	▲0.9	▲0.9	▲2.5	▲21.1	▲9.4
貿易収支	5.5	4.9	1.1	0.2	2.8	1.8	▲15.5	▲6.5
輸出	69.1	77.3	81.2	75.8	67.3	82.4	98.9	100.4
輸入	63.6	72.3	80.1	75.6	64.5	80.6	114.4	106.9
サービス収支	▲1.1	▲0.7	▲1.0	▲1.1	▲3.7	▲4.2	▲5.6	▲2.9
旅行収支	1.3	1.8	2.4	2.7	0.6	0.2	0.5	3.6
第一次所得収支	19.1	20.7	21.4	21.6	19.4	26.3	35.0	34.9
第二次所得収支	▲2.1	▲2.1	▲2.0	▲1.4	▲2.6	▲2.4	▲2.5	▲4.1
資本移転等収支	▲0.7	▲0.3	▲0.2	▲0.4	▲0.2	▲0.4	▲0.1	▲0.4
金融収支	28.6	18.8	20.1	24.9	14.1	16.8	6.4	23.3
直接投資	14.9	17.4	14.9	23.9	9.4	19.2	16.8	22.8
証券投資	29.6	▲5.7	10.1	9.4	4.4	▲21.9	▲19.2	27.8
金融派生商品	▲1.7	3.5	0.1	0.4	0.8	2.2	5.1	6.5
その他投資	▲13.7	0.9	▲7.6	▲11.5	▲1.7	10.5	10.8	▲38.1
外貨準備	▲0.6	2.7	2.7	2.8	1.2	6.9	▲7.1	4.2
誤差脱漏	8.0	▲3.7	0.8	6.0	▲1.7	▲4.3	▲4.9	2.3

（資料）財務省・日本銀行ホームページ
（注）数字の前の▲は、マイナスをあらわす。

図表4-2　日本の経常収支（IMF国際収支マニュアル第6版準拠）の推移

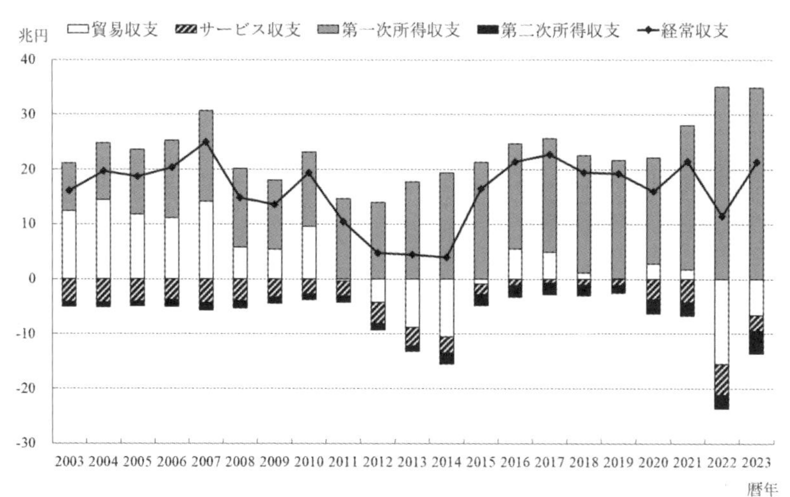

（資料）財務省ホームページ、日本銀行ホームページ

Point ④ 国際収支統計の記録方法

「経常収支」では、輸出など海外から資金を受け取る取引をプラスに、輸入など海外へ資金を支払う取引をマイナスに記録する。「金融収支」では、資産・負債の増加をプラスに、資産・負債の減少をマイナスに記録する。

① 日本の自動車会社が米国に10億円分自動車を輸出して、その代金をニューヨークにもつ銀行預金口座振り込みで受け取った場合

収支項目	計上内容
経常収支（貿易収支）＋10億円	輸出をプラスで計上する。
金融収支（対外資産増加）＋10億円	対外資産の増加をプラスで計上する。

② 日本政府が開発途上国向け債権100億円を放棄する場合

収支項目	計上内容
金融収支(対外資産減少）－100億円	資産の減少をマイナスで計上する。
資本移転等収支　－100億円	見合勘定としてマイナスを計上する。

③ 日本政府が開発途上国に無償で医薬品を50億円贈与する場合

収支項目	計上内容
経常収支（貿易収支）＋50億円	代金の受取はないが輸出に計上する。
経常収支(第二次所得収支)－50億円	見合勘定としてマイナスを計上する。

④ 日本政府が公的介入により日本の銀行がニューヨークにもつドル預金を100億円分買い入れる場合

収支項目	計上内容
金融収支（対外資産減少）－100億円	日本の銀行の対外資産の減少をマイナスで計上する。
金融収支（外貨準備）＋100億円	政府が保有する外貨の増加を金融収支の「外貨準備」にプラスで計上する。

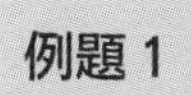

国際収支の内訳が次のようなとき、金融収支はいくらですか。

貿易・サービス収支	−20
第一次所得収支	35
第二次所得収支	−2
資本移転等収支	3
誤差脱漏	−5

A　11の流入超

B　５の流入超

C　収支はゼロ

D　５の流出超

E　11の流出超

解　答　▶　E

解説

① 問題文の数値を、経常収支の定義式に適用すると、次のようになる。

経常収支＝貿易・サービス収支＋第一次所得収支＋第二次所得収支

＝－20＋35＋(－2)＝13

② 国際収支の定義式は、

国際収支＝経常収支＋資本移転等収支－金融収支＋誤差脱漏＝0

と示されるので、これより、金融収支は、

金融収支＝経常収支＋資本移転等収支＋誤差脱漏

とあらわされる。

③ 問題文の数値と①で求めた経常収支の値を、②の金融収支の式に適用すると、次のように金融収支の値が求められる。

金融収支＝経常収支＋資本移転等収支＋誤差脱漏

＝13＋3＋(－5)＝11

④ 金融収支がプラス11ということは、対外純資産が11増加したことを意味する。このとき、資金は流出することになるので、選択肢Eの「11の流出超」が正解となる。

2　外国為替と為替レート

Point ①　名目為替レート

為替レートとは、異なる通貨の間の交換比率である。とくに、テレビや新聞などで、通常目にしている為替レートを「名目為替レート」という。為替レートの表示方法には、自国通貨建て為替レートと外国通貨建て為替レートがある。

- 自国通貨建て（円建て）為替レートの例：1ドル＝100円
- 外国通貨建て（外貨建て）為替レートの例：1円＝$\frac{1}{100}$ドル＝0.01ドル

円の価値が外国通貨の価値よりも相対的に高くなることを「円高」、「円の増価」、「円の切り上げ」などという。逆に、円の価値が外国通貨の価値よりも相対的に低くなることを「円安」、「円の減価」、「円の切り下げ」などという。

- 円の増価（円高）のケース：1ドル＝200円 → 1ドル＝100円
- 円の減価（円安）のケース：1ドル＝100円 → 1ドル＝200円

図表4-3　円ドル・レート（東京市場・17時時点・月中平均）の推移

1973年1月～2024年9月

（資料）日本銀行ホームページ

Point ② 裁定取引と名目為替レート

(1) 裁定取引と一物一価の法則

ある商品や証券などを安く買って高く売り利益を得る取引のことを「裁定取引」という。裁定取引がじゅうぶんに行われた無裁定状態において「一物一価の法則」が成立する。

これに対して、「関税」、「輸送費・手数料」などが存在する場合や、「非貿易財」に関しては、「裁定取引」を行うことができず、「一物一価の法則」が成立しない。

例4－1：裁定取引と一物一価の法則

ペットボトル入りのお茶の価格が、「八重洲」では130円、「丸の内」では180円であったとする。このとき、「八重洲」で130円のお茶を借りて、このお茶を「丸の内」に持って行き180円で売り（これを「**空売り**」という。）、獲得した180円から「八重洲」で130円のお茶を買って貸し手に返せば、元手なしに50円の利益を得ることができる。このような取引を「**裁定取引**」という。裁定取引の結果、「丸の内」では供給が増加するため価格が下落し、一方、「八重洲」では需要が増加するため価格が上昇する。価格差がある限り裁定取引が行われるため、このペットボトル入りのお茶は、結局、「八重洲」と「丸の内」で同じ価格（たとえば、150円）となるように調整される。このようにして、裁定取引により、「**一物一価の法則**」が成立する。

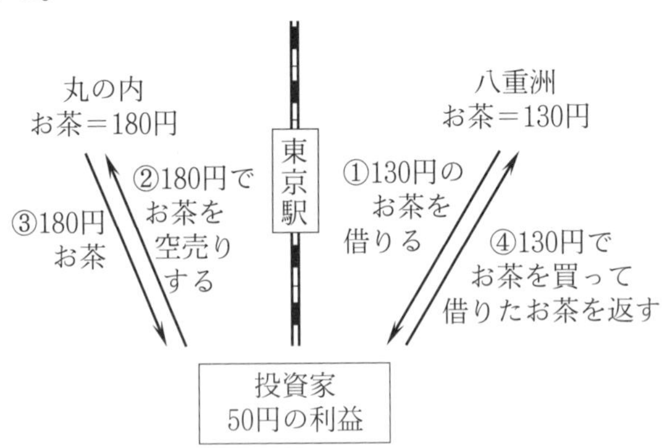

「関税」、「輸送費・手数料」などが存在する場合や、「非貿易財」に関しては、「一物一価の法則」が成立しない。たとえば、「丸の内」にそれ以外の地域から輸入されるお茶に１本あたり50円の関税が賦課されると、「八重洲」で130円のお茶は、「丸の内」では180円で売るしかなくなり、「裁定取引」ができず、「一物一価の法則」は成立しない。また、輸送費や手数料が「八重洲」のお茶にかかると、同じように、「裁定取引」ができず、「一物一価の法則」は成立しない。さらに、「八重洲」のお茶が、「丸の内」で売ることができない「非貿易財」であれば、「裁定取引」ができず、「一物一価の法則」は成立しない。

(2)　一物一価の法則と名目為替レート

日米で同じ効用をもたらす、ある経済財１単位の価格が、日本においてp円、米国においてp^*ドルであるとする。これら日米での価格は、円もしくはドルの同じ経済財１単位に対する購買力を示している。一物一価の法則が成立すると、日米における購買力が等しくなるように名目為替レートが決定されると考えられる。このとき、次の関係が成立する。

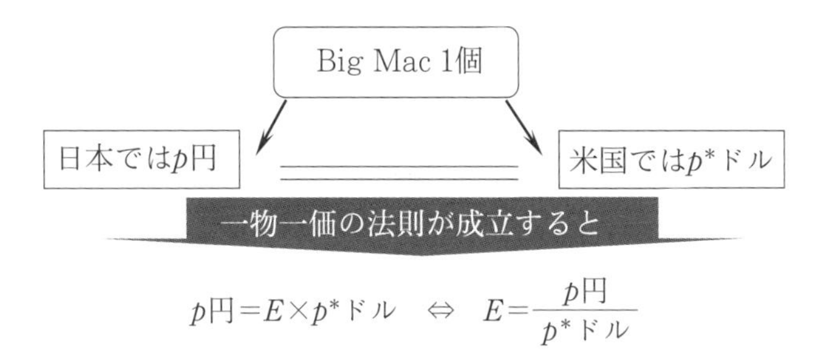

英国の経済誌「Economist」は、マクドナルド社のハンバーガー「Big Mac」の各国での価格を調査して、Big Macに関して一物一価の法則が成立した場合の名目為替レート（この為替レートを「Big Mac指数（The Big Mac index)」という。）を公表している。

この調査によれば、2024年７月現在の日米のBig Macの価格は、日本で480円、米国で5.69＄となっている。このBig Macの価格をもとにすると、円ドルの名目為替レートEは、

$$E=\frac{480円}{5.69ドル}=84.3585\cdots\fallingdotseq 84.36円/ドル$$

と求められる。なお、2024年７月の実際の円ドル・レート（銀行間中心相場・月中平均）は、１ドル＝158.06円であった。

Point ③ 購買力平価説

⑴ 絶対的購買力平価説

為替レートは、長期的には、各国通貨の購買力が同じになるように決定されると考えられる。この考え方を「購買力平価説」といい、一物一価の法則が働くことにより、長期的には物価が世界中で等しくなるように名目為替レートが決定されることとなる。とくに、物価水準に関する購買力平価説を「絶対的購買力平価説」という。

絶対的購買力平価説のもとで、名目為替レート（絶対的購買力平価）は、円ドルの名目為替レートを１ドル＝E円、日本の物価水準をP^J、米国の物価水準をP^{US}とすると、

$$P^J=E\times P^{US} \quad \Leftrightarrow \quad E=\frac{P^J}{P^{US}}$$

と示される。

あらゆる財について、「一物一価の法則」が成立していると考えた場合、「一物一価の法則と名目為替レート」でみた、

$$p円=E\times p^*ドル \quad \Leftrightarrow \quad E=\frac{p円}{p^*ドル}$$

という関係において、日本での価格p円と米国での価格p^*ドルを、それぞれ、日本での物価水準P^Jと米国での物価水準P^{US}に置き換えることができる。このようにして、一物一価の法則が成立するもとで決定される名目為替レートを、各国の物価水準をもちいて示したものが「絶対的購買力平価」となる。

⑵ 相対的購買力平価説

物価水準の変動（インフレ率）に関する購買力平価説を「相対的購買力平価説」という。

絶対的購買力平価$E=\dfrac{P^J}{P^{US}}$を変化率$\dfrac{\Delta E}{E}$にすると、インフレ率に関する「相対的購買力平価」は、

$$\frac{\Delta E}{E}=\frac{\Delta P^J}{P^J}-\frac{\Delta P^{US}}{P^{US}}$$

$$\left(\frac{\Delta P^J}{P^J}：日本のインフレ率、\frac{\Delta P^{US}}{P^{US}}：米国のインフレ率\right)$$

と示される。

図表４－４　円ドル・レートと購買力平価（物価指数別）

1973年末～2023年末

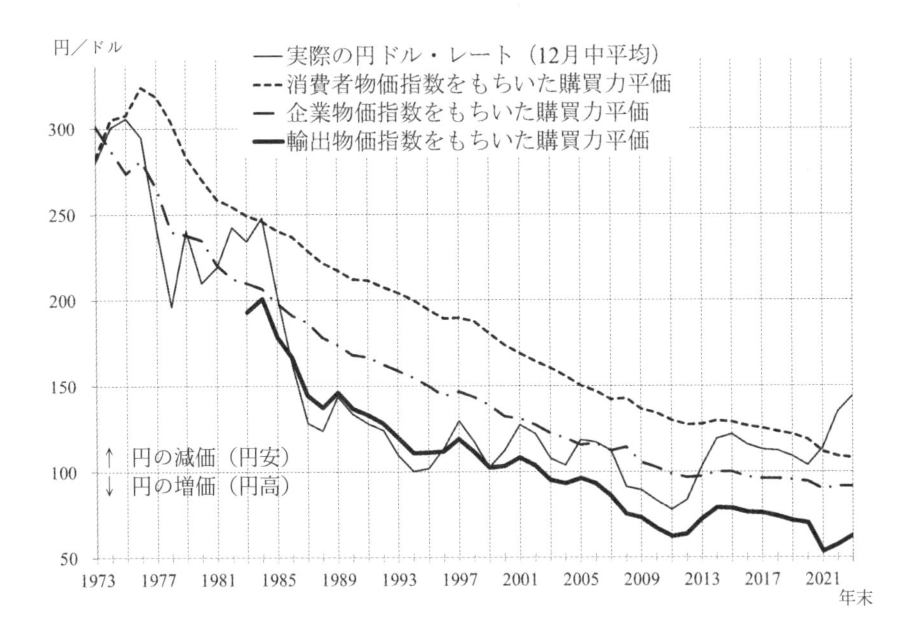

（資料）公益財団法人　国際通貨研究所ホームページ

例題 2 相対的購買力平価仮説が成立するとき、ある年の日本のインフレ率が２％、米国のインフレ率が５％であるとき、その年の円／ドル名目為替レートの変化率はいくらですか。

A　7％の円の減価

B　3％の円の減価

C　3％の円の増価

D　7％の円の増価

解　答 C

解　説

ある年の日本のインフレ率が２％、米国のインフレ率が５％であるとき、その年の円／ドル名目為替レートの変化率は、

円／ドル名目為替レートの変化率＝２％－５％＝－３％

と求められ、３％の円の増価となる。

Point ④ 実質為替レート

(1) 名目為替レートと実質為替レート

「実質為替レート」とは、通貨の実質的購買力を示す為替レートのことである。

たとえば、日米2ヵ国だけからなる世界を想定して、円ドルの名目為替レートが1ドル＝100円であったとする。このとき、日本ですべての財の価格が2倍だけ上昇すると、円ドルの名目為替レートは1＄＝200円となり減価する（円安となる）が、この価格変化による日本での実質的な変化はないので、日米間での交易条件（価格競争力）にも変化はない。このため、交易条件の変化（輸出入の変化）に関する為替レートとして、「実質為替レート」を考える必要がある。

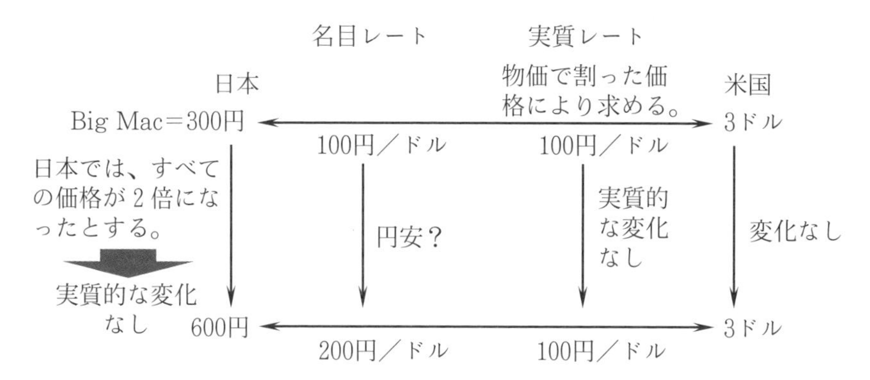

ある財に関して日本と米国の間で一物一価の法則が成立していると想定すると、円ドルの実質為替レート1ドル＝e円は、この財の日本での価格をp円、米国での価格をp^*ドル、日本の物価水準をP^J、米国の物価水準をP^{US}、円ドルの名目為替レートを1ドル＝E円とすると、

$$e=\frac{\dfrac{p円}{P^J}}{\dfrac{p^*ドル}{P^{US}}}\quad\Leftrightarrow\quad e=\frac{p円}{p^*ドル}\times\frac{P^{US}}{P^J}\quad\Leftrightarrow\quad e=E\times\frac{P^{US}}{P^J}$$

と示される。

一方、実質為替レート$e=E\times\frac{P^{US}}{P^J}$を変化率$\frac{\Delta e}{e}$にすると、

$$\frac{\Delta e}{e}=\frac{\Delta E}{E}+\frac{\Delta P^{US}}{P^{US}}-\frac{\Delta P^J}{P^J}$$

（$\frac{\Delta E}{E}$：名目為替の変化率、$\frac{\Delta P^J}{P^J}$：日本のインフレ率、$\frac{\Delta P^{US}}{P^{US}}$：米国のインフレ率）

と示すことができる。

(2) 実質為替レートと購買力平価説

絶対的購買力平価説が成立している場合、円ドルの名目為替レート１ドル＝E円は、日本の物価水準をP^J、米国の物価水準をP^{US}とすると、

$$E=\frac{P^J}{P^{US}}$$

と示される。この関係式が成立しているとき、円ドルの実質為替レート１ドル＝e円の値は、

$$e=E\times\frac{P^{US}}{P^J}=\frac{P^J}{P^{US}}\times\frac{P^{US}}{P^J}=1$$

と求められる。このことは、名目為替レートが絶対的購買力平価に等しくなっているかぎり、名目為替レートの値に関係なく、実質為替レートの値は１となることを示している。

一方、相対的購買力平価説が成立している場合、円ドルの名目為替レートの変化率$\frac{\Delta E}{E}$は、日本のインフレ率を$\frac{\Delta P^J}{P^J}$、米国のインフレ率を$\frac{\Delta P^{US}}{P^{US}}$とすると、

$$\frac{\Delta E}{E}=\frac{\Delta P^J}{P^J}-\frac{\Delta P^{US}}{P^{US}}$$

と示される。この関係式が成立しているとき、円ドルの実質為替レートの変化率$\frac{\Delta e}{e}$の値は、

$$\frac{\Delta e}{e}=\frac{\Delta E}{E}+\frac{\Delta P^{US}}{P^{US}}-\frac{\Delta P^{J}}{P^{J}}=\frac{\Delta P^{J}}{P^{J}}-\frac{\Delta P^{US}}{P^{US}}+\frac{\Delta P^{US}}{P^{US}}-\frac{\Delta P^{J}}{P^{J}}=0$$

と求められる。このことは、名目為替レートが相対的購買力平価に等しくなっているかぎり、名目為替レートの変化率の値に関係なく、実質為替レートは、ある値で一定となることを示している。

このため、名目為替レートが、インフレ格差による国際競争力の変化を反映して変化する場合には、実質為替レートが不変になることを意味している。

例題3

日本の物価上昇率が2％、米国の物価上昇率が5％であるとする。円の対ドル名目為替レートで円が2％増価する場合、対ドル実質為替レートで円はどのようになるか、次のうち正しいものを選びなさい。

A　5％増価

B　1％増価

C　1％減価

D　5％減価

E　9％減価

解　答  C

解　説

円の対ドル実質為替レートeの変化率は、次のように求められる。

$$\frac{\Delta e}{e}=\frac{\Delta E}{E}+\frac{\Delta P^{US}}{P^{US}}-\frac{\Delta P^{J}}{P^{J}}=(-2\%)+(+5\%)-(+2\%)=+1\%（=1\%減価）$$

例題 4

購買力平価に関する次の記述のうち、正しいものはどれですか。

A　絶対的購買力平価は、2国間のインフレ率の差を反映して動くと考えられる。

B　名目為替レートが相対的購買力平価に沿って動く場合、実質為替レートは一定となる。

C　大幅な関税引上げや輸入規制が行われていても絶対的購買力平価説は成立する。

D　基準時点や物価指数の種類によって相対的購買力平価は影響を受けない。

解　答 ▶ B

解　説

A　2国間のインフレ率の差を反映して名目為替レートが変化するという考え方を「相対的購買力平価説」という。

B　名目為替レートが相対的購買力平価に沿って動く場合、実質為替レートは一定となる。とくに、名目為替レートが絶対的購買力平価に沿って動く場合、実質為替レートは1となる。

C　大幅な関税引上げや輸入規制が行われている場合、一物一価の法則が成立しないので、絶対的購買力平価説も成立しない。

D　相対的購買力平価は、基準時点の選定や、採用する物価指数の種類によって、求められる数値が異なる。

Point ⑤ 実効為替レート

「実効為替レート」とは、貿易相手国通貨を輸出入の大小で加重平均した為替レートのことである。実効為替レートは、自国通貨が他の通貨に対して平均的にどれだけ増価あるいは減価したかを判断する指標となるので、日本の貿易全体を問題にするときにはこのような実効為替レートで考える必要がある。

たとえば、日本の貿易相手が米国、中国、ユーロ圏だけだとした場合、日本の全貿易額は、

全貿易額＝対米貿易額＋対中貿易額＋対ユーロ圏貿易額

とあらわされる。このとき、円の名目実効為替レートは、円ドルの名目為替レートと、円元の名目為替レートと、円ユーロの名目為替レートをもとにして、

$$\text{円の実効為替レート}=\frac{\text{対米貿易額}}{\text{全貿易額}}\times\text{対ドル・レート}+\frac{\text{対中貿易額}}{\text{全貿易額}}\times\text{対元・レート}+\frac{\text{対ユーロ圏貿易額}}{\text{全貿易額}}\times\text{対ユーロ・レート}$$

と示される。

図表4－5　円の実効為替レート

1970年1月～2024年8月

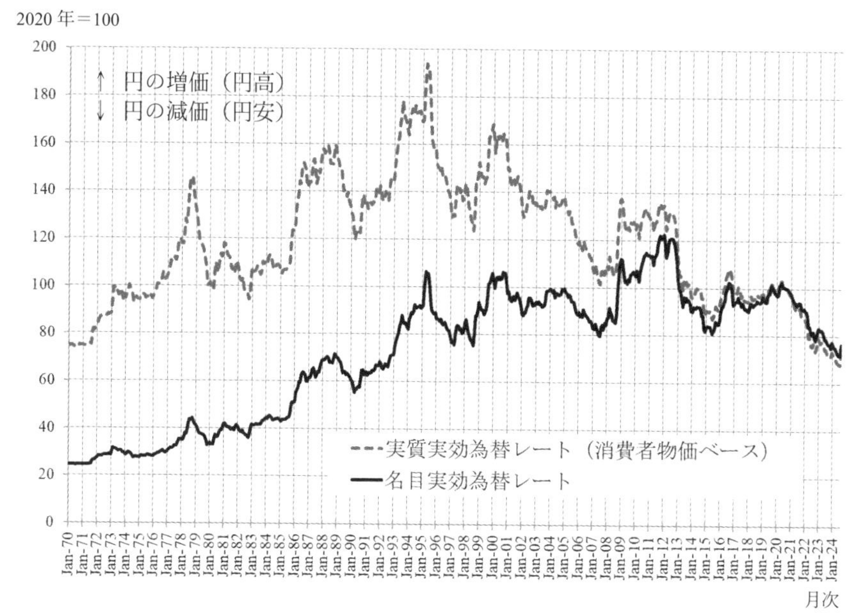

（資料）日本銀行ホームページ

例題5　円、ドル、元の3通貨のみが存在する世界を想定する。日本の対米国、対中国の貿易ウェイトは、それぞれ30%、70%とする。基準時点と比べ、円は対ドルで4%増価した。これをもとに、基準時点（＝100）からの円の名目実効為替レートの変化率を計算すると、基準時点に比べ1.2%減価した。このとき円は対元でいくら減価もしくは増価しましたか。

A　3.4%の減価

B　2.4%の減価

C　2.4%の増価

D　3.4%の増価

解　答　A

解　説

円の名目実効為替レートの変化率は、円の各国通貨に対する名目為替レートの増価率を各国との貿易ウェイトで加重平均することで求められる。円の対元レートの増価率をX%として、問題文の数値を適用すると、名目実効為替レートの変化率は、次のように示される（ただしここでは、増価の場合、変化率はマイナスに、減価の場合、変化率はプラスにしている）。

円の名目実効為替レートの変化率$=0.3\times(-4\%)+0.7\times X\%=+1.2\%$

この関係式より、円の対元レートの増価率X%を求めると、次のようになる。

$$-1.2+0.7X=+1.2 \quad\Leftrightarrow\quad 0.7X=+2.4 \quad\Leftrightarrow\quad X=+\frac{2.4}{0.7}=+3.428\ldots\fallingdotseq+3.4$$

これより、円の対元レートの増価率は3.4%の減価と求められる。

Point ⑥ バラッサ＝サミュエルソン効果

歴史的にみると、工業における資本の蓄積と生産性が高まることにより、先進国が生まれている。このような先進国の国内においては、生産性が高い資本集約的な貿易財産業での賃金が高くなる。同時に、先進国においては、生産性が低い労働集約的なサービス産業（非貿易財産業）での賃金やサービス価格も、労働市場における裁定のため、高くなる。

これらのことより、成長率の高い先進国の一般物価水準は、成長率の低い発展途上国の一般物価水準を上回り、先進国の実質為替レートが増価傾向を示すこととなる。このような現象を「バラッサ＝サミュエルソン効果」という。

3　国際資本取引と為替レート

Point ①　先物カバーつき金利裁定条件式

円金利をi^J、ドル金利をi^{US}、現在の直物為替レートを１ドル＝S_0円、現在の先物為替レートを１ドル＝F_0円とすると、内外債券間に金利裁定が成立するとき、

$$1+i^J=\frac{F_0}{S_0}(1+i^{US}) \quad \Leftrightarrow \quad \frac{1+i^J}{1+i^{US}}=\frac{F_0}{S_0}$$

という関係式が示される。これを「先物カバーつき金利裁定条件式」という。

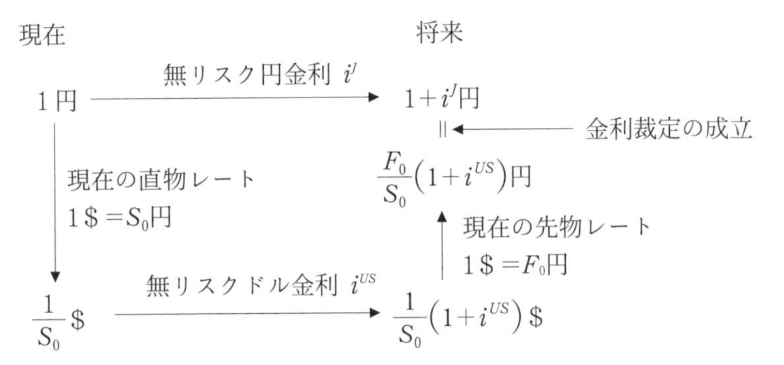

この関係式より、先物為替レートは、

$$F_0=S_0\times\frac{1+i^J}{1+i^{US}}$$

と示される。

例題６　先物カバーつき金利裁定条件式が成立するとして、現在の直物為替レートが１ドル80円、日本の３ヵ月物金利が年率２％、米国の３ヵ月物金利が年率４％の場合、３ヵ月先物レートはいくらですか。

A　78.46円

B　79.60円

C　80.39円

D　81.56円

解　答　B

解　説

先物カバーつき金利裁定条件式が成立するとき、現在の直物為替レートをS_0、現在の３ヵ月先物為替レートをF_0、日本の３ヵ月物金利（年率）をi^J、米国の３ヵ月物金利（年率）をi^{US}としたとき、以下の関係式が示される。

$$1+\frac{i^J}{4}=\frac{F_0}{S_0}\times\left(1+\frac{i^{US}}{4}\right)$$

この式の両辺を$\left(1+\frac{i^{US}}{4}\right)$で割り、さらに、両辺に$S_0$をかけると、３ヵ月先物為替レート$F_0$に関する式が、次のように求められる。

$$F_0=S_0\times\frac{1+\frac{i^J}{4}}{1+\frac{i^{US}}{4}}$$

この関係式に、問題であたえられている数値を適用すると、３ヵ月先物為替レートF_0の値が、次のように求められる。

$$F_0=80\times\frac{1+\frac{0.02}{4}}{1+\frac{0.04}{4}}=79.6039\cdots\fallingdotseq79.60\text{円／ドル}$$

Point ② カバーなし金利裁定

市場参加者が為替リスクを厭わないリスク中立的な立場をとるとき（＝市場参加者の内外通貨建て資産間の代替性が完全の場合）、

先物カバーつき金利裁定条件式

$$1+i^J=\frac{F_0}{S_0}\times(1+i^{US})$$

において、現在の先物為替レート１ドル＝F_0円を将来の直物為替レートの期待値（予想値）１ドル＝S_1^e円に置き換えた、

$$1+i^J=\frac{S_1^{\ e}}{S_0}\times(1+i^{US})$$

という関係が成立する。この関係式を「カバーなし金利裁定式」という。

「カバーなし金利裁定式」は、近似的に、

$$i^J-i^{US}=\frac{S_1^{\ e}-S_0}{S_0}$$

と示される。この式の右辺は、為替レートの予想変化率をあらわす。

「カバーなし金利裁定式」が成立するとき、現在の直物為替レート１ドル＝S_0円は、次の要因により、増価する。

① 自国金利の上昇：自国金利i^Jが上昇したとき、現在の直物レートは増価する。

② 外国金利の低下：外国金利i^{US}が低下したとき、現在の直物レートは増価する。

③ 将来の増価予想：将来の直物レートが増価すると予想されるとき、現在の直物レートは増価する。

例題７

カバーなし金利平価が成立し、円金利が１％、ドル金利が３％であるとき、円ドル名目為替レートの予想される変化として、正しいものはどれですか。

A　円がドルに対して４％減価する。

B　円がドルに対して２％減価する。

C　円がドルに対して２％増価する。

D　円がドルに対して４％増価する。

解　答　C

解　説

C　カバーなし金利平価が成立すれば、円ドルレートの予想変化率は、

円金利－ドル金利＝円ドルレートの予想変化率

という関係式が成立する。円金利が１％、ドル金利が３％であるとき、カバーなし金利平価が成立すれば、円ドルレートの予想変化率は、

円ドルレートの予想変化率＝１％－３％＝－２％

と求められ、円がドルに対して２％増価することが予想される。

Point ③ オーバーシューティング・モデル

ドーンブッシュのオーバーシューティング・モデルでは、短期的には、物価を一定と想定したもとで、カバーなし金利平価の成立を考え、長期的には、購買力平価の成立を考える。

このような状況において、金融緩和政策により貨幣供給が増加すると、短期的には、自国金利が低下し、カバーなし金利平価のもとで、自国通貨が減価するとともに、将来的には自国通貨の増価が予想される。一方、長期的には、貨幣供給の増加により、自国物価が上昇し、購買力平価は減価する。

これらのことより、短期的な減価水準は、長期的な減価水準をオーバーシュートし、その後徐々に長期的な水準に向かって増価していくと考えられる。

図表4-6　金融緩和政策による為替レートのオーバーシュート

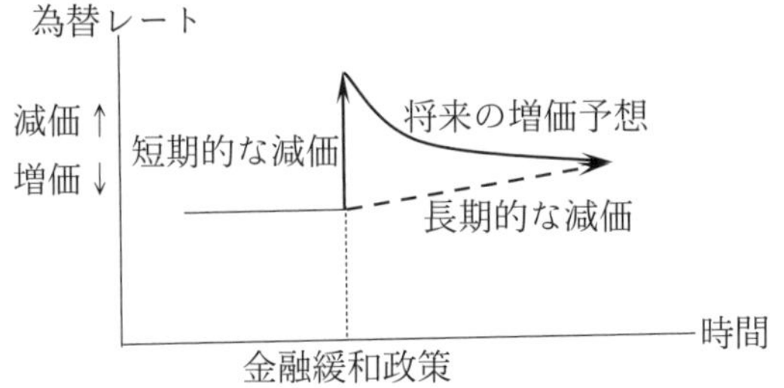

4　国際経済の基礎理論

Point ①　ISバランス・アプローチ

GDPを収入面からみると、国内の総所得（収入）を示すGDPは、政府部門の収入（＝税収）と民間部門の収入（＝可処分所得＝消費＋貯蓄）から構成されるので、

GDP＝税収＋消費＋貯蓄

と示される。一方、GDPを支出面からみると、GDPは、消費、設備投資、政府支出、経常収支（＝輸出－輸入）の合計となるので、

GDP＝消費＋投資＋政府支出＋経常収支

と示される。

これらの「収入面からみたGDP」から「支出面からみたGDP」を差し引いて「収支」を求めると、ISバランスは、

（税収＋消費＋貯蓄）－（消費＋投資＋政府支出＋経常収支）＝0

より、

$$経常収支＝\underbrace{貯蓄－投資}_{民間収支}＋\underbrace{税収－政府支出}_{財政収支}$$

と示される。

なお、「財政黒字＝税収－政府支出」として、ISバランスを、

経常収支＝貯蓄－投資＋財政黒字

と示したり、「財政赤字＝政府支出－税収」として、ISバランスを、

経常収支＝貯蓄－投資－財政赤字

と示すこともある。

例題 8　貯蓄、投資、経常収支の関係に関する次の記述のうち、正しくないものはどれですか。

A　民間投資を民間貯蓄が上回り、かつ財政収支が黒字であれば、経常収支は黒字になる。

B　民間貯蓄超過（民間貯蓄－民間投資）が財政赤字よりも大きければ、経常収支は黒字になる。

C　経常収支は民間貯蓄から民間投資と財政赤字を差し引いたものに等しい。

D　民間貯蓄が減少する中で財政赤字が拡大すれば、経常収支は改善する（黒字の拡大／赤字の縮小）。

解　答　D

解　説

A　民間投資を民間貯蓄が上回り、財政収支が黒字であれば、経常収支（＝民間貯蓄－民間投資＋財政黒字）は黒字になる。

B　民間貯蓄超過（民間貯蓄－民間投資）が財政赤字よりも大きければ、経常収支（＝民間貯蓄超過－財政赤字）は黒字になる。

C　「経常収支＝民間貯蓄－民間投資－財政赤字」とも示される。

D　民間貯蓄が減少するなかで財政赤字が拡大すれば、経常収支は悪化する（黒字の縮小／赤字の拡大）。

Point ② 弾力性アプローチ

(1) 為替レートの変化と輸出入の変化

単純化のために、日本と米国の2ヵ国しかない世界を考える。日本は米国にある1財だけ輸出しており、その財の円建て輸出価格は100円で固定されているとする。また、日本は米国から別の1財だけ輸入しており、その財の輸入価格は1ドルと固定されているとする。このとき、為替レートの変動は、すべて現地価格に転嫁され、輸出財に関してはドル建て価格が変動し、輸入財に関しては円建て価格が変動するものとする。

このような状況のもとで、円安は、ドル建ての輸出価格を低下させ、円建ての輸入価格を上昇させる。たとえば、円ドル・レートが1ドル＝100円から1ドル＝200円に円安となる場合、日本からの輸出財のドル建ての輸出価格は、1ドルから0.5ドルに引き下げられる一方、米国からの輸入財の円建て輸入価格は、100円から200円に引き上げられることとなる。

さらに、円安は、輸出数量を増加させ、輸入数量を減少させる。たとえば、円ドル・レートが1ドル＝100円から1ドル＝200円に円安となる場合、ドル建ての輸出価格が低下するので、日本からの輸出財に対する米国での需要が増加するため、輸出数量が増加する一方、円建ての輸入価格が上昇するので、米国からの輸入財に対する日本での需要が減少するため、輸入数量が減少すると考えられる。

(2) マーシャル＝ラーナーの条件

為替レートが変動したとき、「輸出入数量」の変化のほうが「輸出入価格」の変化よりも大きくなる条件のことを「マーシャル＝ラーナーの条件」という。マーシャル＝ラーナーの条件は、次のように求められる。

$$\text{輸出需要の価格弾力性}+\text{輸入需要の価格弾力性}>1$$

ここで、輸出（輸入）需要の価格弾力性は、

$$\text{輸出（輸入）需要の価格弾力性}=\left|\frac{\text{輸出（輸入）数量の変化率}}{\text{輸出（輸入）価格の変化率}}\right|$$

と示され、輸出（輸入）需要の価格弾力性が1よりも大きければ、輸出入数

量の変化（分子）のほうが、輸出入価格の変化（分母）よりも大きいことを意味する。

(3) マーシャル＝ラーナーの条件と経常収支

マーシャル＝ラーナーの条件が成立する場合、輸出入数量の変化のほうが輸出入価格の変化よりも大きくなる。このとき、円安は、輸出数量を増加させ、輸入数量を減少させるので、経常収支（＝輸出－輸入）を黒字化する。一方、円高は経常収支を赤字化する。

Point ③ Jカーブ効果

経常収支の赤字（黒字）により円安（円高）となったとき、短期的には、経常収支はさらに赤字化（黒字化）するが、中長期的には黒字化（赤字化）するため、経常収支がJ字型のカーブを描くことを「Jカーブ効果」という。

Jカーブ効果は、短期的（為替レートの変化直後）には、マーシャル＝ラーナーの条件が成立しないが、中長期的には、マーシャル＝ラーナーの条件が成立する場合にみられる。

図表４－７　Jカーブ効果

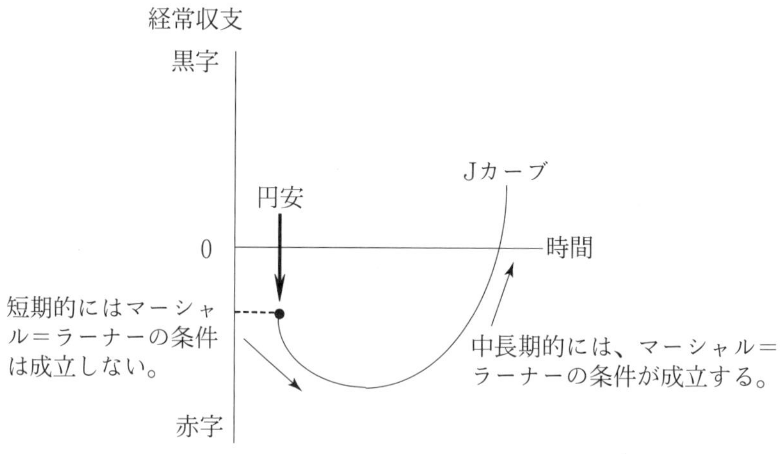

経常収支
黒字
Jカーブ
円安
0
時間
短期的にはマーシャル＝ラーナーの条件は成立しない。
中長期的には、マーシャル＝ラーナーの条件が成立する。
赤字

Point ④　比較優位の原理

世界にはX国とY国の2国だけが存在する状況を考える。また、財は、A財とB財の2種類があり、これらの財を生産するためにもちいられる生産要素は労働だけだとする。このとき、X国において、A財を1単位生産するために必要な労働単位数を a_X、B財を1単位生産するために必要な労働単位数を b_X とする。さらに、Y国において、A財を1単位生産するために必要な労働単位数を a_Y、B財を1単位生産するために必要な労働単位数を b_Y とする。これらを図表に整理すると、以下のようにあらわされる。

	A財	B財
X国	a_X	b_X
Y国	a_Y	b_Y

ここで、「財1単位を生産するために必要な労働単位数」の意味を考えると、これは、財1単位あたりの総費用である「平均費用」を、労働単位数ではかった値に該当する。

(1)　絶対優位

A財またはB財について、X国の平均費用（＝財1単位を生産するために必要な労働単位数）とY国の平均費用を比較するとき、平均費用が小さい国は、平均費用が大きい国に対して、その財の生産に関して「**絶対優位**」にあるという。たとえば、A財の生産について、$a_X < a_Y$ であれば、X国はY国に対して、A財の生産に関して「絶対優位」にあるという。

(2)　比較優位

X国におけるA財とB財の平均費用の比率（比較生産費）$\frac{a_X}{b_X}$と、Y国におけるA財とB財の平均費用の比率（比較生産費）$\frac{a_Y}{b_Y}$を比較するとき、

$$\frac{a_X}{b_X} < \frac{a_Y}{b_Y}$$

であれば、X国はY国と比較して、B財に対するA財の平均費用が低いこと

をあらわす一方、Y国はX国と比較して、A財に対するB財の平均費用が低いことをあらわす。このとき、X国はA財の生産に、Y国はB財の生産に、それぞれ「**比較優位**」をもつという。

なお、A財とB財の平均費用の比率（比較生産費）は、A財を1単位追加的に生産するために犠牲にするB財の量をあらわすので、B財ではかった、A財を1単位生産する「機会費用」とみなすことができる。このため、各国は、低い機会費用で生産できる財に「比較優位」をもつことになる。

(3) リカードの比較優位の原理

労働だけを投入して生産されるA財とB財があり、X国とY国で、これらの財を1単位生産するために必要な労働単位数は、以下の図表のとおりとする。なお、X国の総労働単位数を5、Y国の総労働単位数を12とする。

	A財	B財	総労働単位数
X国	2	3	5
Y国	8	4	12

いま、X国とY国の間で貿易がなく、両国それぞれでA財とB財の両方を生産し消費しなければならないとすると、X国においては、総労働5単位のうち、労働2単位をA財の生産に、労働3単位をB財の生産に投入することで、A財もB財も1単位生産することができる。同じようにして、Y国においては、総労働12単位のうち、労働8単位をA財の生産に、労働4単位をB財の生産に投入することで、A財もB財も1単位生産することができる。このとき、世界全体では、A財もB財も2単位ずつ生産されることとなる。

ここで、両国が「**完全特化**」する状況を考える。「完全特化」とは、一国が、ある特定の財だけを生産することをいう。いま、X国はA財だけを生産し、Y国はB財だけを生産し、互いに貿易を行うこととする。この場合、X国においては、総労働5単位をA財の生産に投入することで、A財を2.5単位生産でき、Y国においては、総労働12単位をB財の生産に投入することで、B財を3単位生産できる。このとき、世界全体の生産量は、両国で両方の財をそれぞれ生産した場合よりも多くなる。

X国におけるA財とB財の平均費用（＝財１単位を生産するために必要な労働単位数）の比率（比較生産費）と、Y国におけるA財とB財の平均費用の比率（比較生産費）を比較すると、

$$\frac{2}{3} < \frac{8}{4}$$

となるので、X国はA財の生産に、Y国はB財の生産に、それぞれ「**比較優位**」をもつ。「**リカードの比較優位の原理**」では、各国は、それぞれが比較優位をもつ財に完全特化し、互いに貿易を行うことで、世界全体の効率性が高まると考える。

例題９　世界に２つの国XとYだけが存在し、両国は生産要素として労働だけをもちいて２種類の財AとBのみを生産するものとする。それぞれの国においてA財とB財を１単位生産するのに必要な労働量が以下の表のとおりであるとき、リカードの比較優位の原理にもとづく両国間の貿易に関する次の記述のうち、正しいものはどれですか。ただし、労働はすべて同質であり、輸送費はかからないものとし、生産要素の両国間の移動はないものとする。

	A財	B財
X国	2	4
Y国	10	5

A　X国はB財に絶対優位をもつので、B財に完全特化する。
B　X国はB財に比較優位をもつので、B財に完全特化する。
C　Y国はA財に絶対優位をもつので、A財に完全特化する。
D　Y国はB財に比較優位をもつので、B財に完全特化する。

解　答　D

解　説

A　正しくない。A財とB財の両方について、X国が絶対優位をもっている。しかし、絶対優位から、X国がどちらの財に完全特化するかの判断はできない。

B　正しくない。X国の比較生産費（2／4）＜Y国の比較生産費（10／5）なので、X国はA財に比較優位をもち、Y国はB財に比較優位をもつ。

C　正しくない。Y国は比較優位をもつB財に完全特化する。

D　正しい。Y国はB財に比較優位をもつので、B財に完全特化する。

Point ⑤ ヘクシャー＝オリーンの貿易理論（モデル）

(1) ヘクシャー＝オリーンの理論

「リカードの比較優位の原理」においては、2財（A財とB財）と2国（X国とY国）において、生産要素は労働だけであり、2国間の生産技術が異なる状況を想定した。これに対して、「ヘクシャー＝オリーンの理論」においては、2財と2国において、生産要素が資本と労働の2つあるが、2国間の生産技術は同じ状況を想定する。

「ヘクシャー＝オリーンの理論」のもとでは、2国（X国とY国）は、それぞれ、より豊富に存在する資源をより集約的に投入して生産する財に比較優位をもつこととなる。このため、2国の生産技術が同じであっても、各国とも比較優位にある財をより多く生産して輸出するため、2国間で貿易が行われることとなる。

(2) 要素価格均等化定理

2国間で貿易が行われることにより、2財の国内価格は、一物一価の法則が成立するため、それぞれ国際価格（世界価格）に等しくなる。このとき、2国における生産要素（資本と労働）の要素価格（賃金とレンタルコスト）の相対価格も等しくなる。

⑶ ストルパー＝サミュエルソンの定理

ある国が資本集約的な産業に特化すれば、その国では資本への需要が大きくなるため、資本の要素価格が上昇し、さらに、その国では労働集約的な産業が縮小し、労働に余剰が生じるため、労働の要素価格は低下する。このように、資本が相対的に多い国では、資本の要素価格が上昇し、労働の要素価格が低下する。一方、労働が相対的に多い国では、労働の要素価格が上昇し、資本の要素価格が低下する。

⑷ リプチンスキーの定理

価格を一定としたもとで、ある生産要素の総量が増加する場合、その生産要素をより集約的に投入して生産する財の生産量が増加し、他の財の生産量が減少する。たとえば、資本だけが増加すると、資本集約的な財の生産量が増加する一方で、労働集約的な財の生産量が減少する。

⑸ レオンチェフのパラドックス

ヘクシャー＝オリーンの定理によると、資本が豊富なアメリカは、資本集約的な財を輸出することとなる。しかし、レオンチェフは、アメリカの産業連関表による検証から、アメリカが、労働集約的な財を輸出しているという結論を得た。このヘクシャー＝オリーンの定理と反する結果を「レオンチェフのパラドックス」という。

例題10　国際貿易の理論に関する次の記述のうち、正しくないものはどれですか。

A　リカードの比較優位の理論では、労働者が国家間を移動しない状態を仮定している。

B　リカードの比較優位の理論に基づくと、すべての財について自国より生産技術が劣る国との貿易からも利益は生じ得る。

C　ヘクシャー＝オリーンの理論では、ある国において相対的に少ない生産要素を集約的に使う産業は他国に対してその国が比較優位を持つ。

D　ヘクシャー＝オリーンの理論では、自由貿易の結果として、各国の生産要素価格の比率は収斂する。

解　答　C

解　説

C　ヘクシャー＝オリーンの理論では、ある国において相対的に多い生産要素を集約的に使う産業は、他国に対してその国が比較優位をもつ。

Point ⑥ 自由貿易と関税の効果

(1) 閉鎖経済のもとでの総余剰

図表4－8において、供給曲線は、国内の企業により国内で生産される供給量をあらわし、需要曲線は、国内の消費者により国内で消費される需要量をあらわす。

貿易をしていない閉鎖経済の場合、国内での生産量と国内での消費量が一致する。このため、国内価格は、供給曲線と需要曲線との交点で決定され、*Ob* となる。このとき、消費者余剰、生産者余剰、総余剰は、それぞれ、次のようにあらわされる。

- 消費者余剰：三角形 *aeb* の面積となる。
- 生産者余剰：三角形 *beO* の面積となる。
- 総余剰：三角形 *aeO* の面積となる。

(2) 自由貿易の利益

海外で生産される製品と国内で生産される製品とは、品質などまったく同じものと想定する。自由貿易により、閉鎖経済のもとで成立する国内価格よりも安い国際価格で、海外からいくらでも輸入できる状況を考える。価格が安い海外製品が国内で売られるようになると、それよりも価格が高い国内製品は売れなくなるため、結局、国内製品も海外製品と同じ価格で生産・販売することとなる。このため、自由貿易においては、国内価格は国際価格に等しくなる。

図表4－8において、国際価格を *Oc* とすると、国内の企業による生産量は *cd*、国内の消費者による需要量は *cf*、輸入量は *df*（$=S^*D^*$）とあらわされる。このとき、消費者余剰、生産者余剰、総余剰は、それぞれ、次のようにあらわされる。

- 消費者余剰：三角形 *afc* の面積となる。
- 生産者余剰：三角形 *cdO* の面積となる。
- 総余剰：*afdO* の面積となる。

これより、自由貿易の場合の総余剰は、閉鎖経済のもとでの総余剰と比較して、三角形 *efd* の面積だけ増加する。この自由貿易による総余剰の増加分を「**貿易の利益**」という。

(3) 関税の効果

輸入する海外製品に対して関税を賦課すると、国内価格は、国際価格よりも関税分高くなる。このため、関税賦課前と比較して、価格が高くなった海外製品の需要量は減少し（輸入量は減少し）、国内製品の生産・販売量は増加する。このことより、関税には、国内生産者を保護する効果がある。

図表 4 - 8 において、国際価格が *Oc* のとき、輸入する海外製品 1 単位あたり *cg* の関税を賦課すると国内価格は *Og* となり、国内の企業による生産量は *gh*、国内の消費者による需要量は *gi*、輸入量は *hi*（$=S_tD_t$）とあらわされる。このとき、消費者余剰、生産者余剰、政府の余剰（政府の関税収入）、総余剰は、それぞれ、次のようにあらわされる。

- 消費者余剰：三角形 *aig* の面積となる。
- 生産者余剰：三角形 *ghO* の面積となる。
- 政府の余剰（政府の関税収入）：四角形 *hijk* の面積となる。
- 総余剰：*aijkhO* の面積となる。

これより、関税を賦課した場合の総余剰は、自由貿易の場合の総余剰と比較して、三角形 *ifj* の面積と三角形 *hkd* の面積の合計だけ減少しており、厚生損失が発生している。

図表 4 - 8　自由貿易と関税の効果

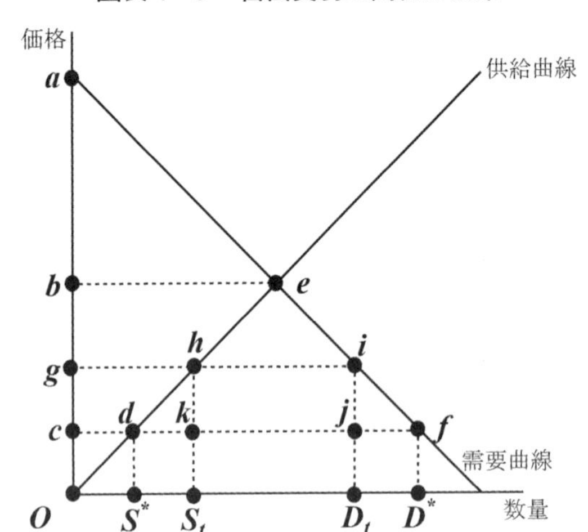

例題11　小国において、ある財に対して関税を賦課する場合の効果に関する次の記述のうち、正しいものはどれですか。

A　関税を賦課すると、消費者余剰は、関税賦課前よりも増加する。
B　関税を賦課しても、消費者余剰は、関税賦課前と等しくなる。
C　関税を賦課すると、生産者余剰は、関税賦課前よりも増加する。
D　関税を賦課すると、総余剰は、関税賦課前よりも増加する。

解　答　C

解　説

A　正しくない。関税を賦課すると、消費者余剰は、関税賦課前よりも減少する。
B　正しくない。関税を賦課すると、消費者余剰は、関税賦課前よりも減少する。
C　正しい。関税を賦課すると、生産者余剰は、関税賦課前よりも増加する。
D　正しくない。関税を賦課すると、総余剰は、関税賦課前よりも減少する。

Point ⑦ 交易条件

日本と海外の取引における価格比を「**交易条件**」という。交易条件は，

$$交易条件 = \frac{輸出財の価格}{輸入財の価格} = \frac{輸出物価指数}{輸入物価指数}$$

と定義される。交易条件の値が大きくなり、交易条件が改善すると、輸出量が同じでも、輸出総額は、輸入総額と比較して増加する。また、交易条件は、為替レートの影響も受ける。

例題12

ある国の輸出額が4,000円（輸出財の数量：5個、輸出財の価格：800円）、輸入額が2,000円（輸入財の数量：10個、輸入財の価格：200円）であるとき、この国の交易条件はいくらですか。

A　1

B　2

C　3

D　4

解　答 ▶ D

解　説

交易条件は、

交易条件＝輸出財の価格÷輸入財の価格＝800円÷200円＝4

と求められる。

第2部
数量分析と確率・統計

お金の時間価値

1. 傾向と対策

お金の時間価値（貨幣の時間価値）は、証券アナリスト試験の各科目・各分野で問われる最重要学習テーマである。ただ、このテーマに関する具体的な問題（例えば、科目Ⅰ「証券分析とポートフォリオ・マネジメント」の株式・債券などの資産価格評価など）は、それぞれの分野の主要な学習内容でもあり、科目Ⅲ「数量分析と確率・統計」での出題にはあまりなじまない。

こうした点を踏まえると、本分野での出題は他分野では問いづらいやや抽象性の高いトピックが中心となることが予想される。年複利回数を考慮した現在価値や将来価値の計算（連続複利による計算も含む）を中心として、その応用となる年金の現在価値や将来価値の計算は狙われやすいテーマである。ただ、従来「証券分析とポートフォリオ・マネジメント」で問われてきた具体的なテーマ（金額加重収益率（2022年秋）、フォワード・レート（2023年春）、正味現在価値と内部収益率（2023年秋）など）についても問われている。

この分野で得点するためには、現在価値や将来価値の計算で必要となる指数計算などを確認しておくとともに、科目Ⅰや科目Ⅱでの学習内容を活用できるように意識しておくことも大切だろう。

「総まとめテキスト」の項目と過去の出題例

「総まとめ」の項目	過去の出題例	重要度
第1章　お金の時間価値		
1　現在価値と将来価値	2022年春・第2問・Ⅰ・問1	A
2　お金の時間価値の応用例	2022年秋・第2問・Ⅰ・問1、問2 2023年春・第2問・Ⅰ・問1 2023年秋・第2問・Ⅰ・問1 Ⅱ・問1 2024年春・第2問・Ⅰ・問1	A

2. ポイント整理

1　現在価値と将来価値

Point ①　現在価値と将来価値

金融商品の金利計算は、主として複利計算によって行われる。元金X_0円を利子率r（年1回複利）でn年間運用して得られる金額X_n円は

$$X_n = X_0(1+r)^n \qquad [1.1.1]$$

と計算できる。

このことは、現在のX_0円はn年後の将来にはX_n円の価値を持つと考えることができ、X_0円を**現在価値**、X_n円をn年後の**将来価値**と呼ぶ。このような時点の異なる金額の評価を**お金の時間価値（貨幣の時間価値）**という。

Point ②　利子率の解釈

利子率は、**割引率**、**要求収益率**、**機会費用**という3つの観点から捉えることができる。

(1)　割引率

[1.1.1] は

$$X_0 = \frac{1}{(1+r)^n}X_n$$

と変形できる。この式から、X_0はn年後の将来価値X_nを利子率rでn年間割り引いた**割引現在価値**と見ることができ、利子率rは割引率（**ディスカウント・レート**）と解釈できる。

また、この式中の$\frac{1}{(1+r)^n}$は「n年後の1円の現在価値」を表しており、**割引係数**（ディスカウント・ファクター）と呼ばれる。

(2)　要求収益率

[1.1.1] は

$$r = \left(\frac{X_n}{X_0}\right)^{\frac{1}{n}} - 1$$

と変形できる。利子率は、投資を行うにあたり投資家が必要とする収益率である**要求収益率**と解釈することができる。

(3) 機会費用

運用可能な資金には限りがある。もしある投資機会にその資金を使えば、別の投資機会にその資金を使うことはできなくなる。利子率は、代替的な投資機会を利用できなくなることに対する費用として見ることができ、これを**機会費用**と呼ぶ。

Point ③ 利子率の分解

利子率の水準は、**リスクフリー・レート**（**無リスク利子率**）に、リスクに対する対価としての**リスクプレミアム**を加えたものとみることができる。

- リスクフリー・レート：リスクのない投資に対する利子率
- リスクプレミアム：リスクを伴う投資に対して投資家が上乗せを要求する収益率

リスクの源泉には、デフォルトリスク（信用リスク）、流動性リスクなどがある。

Point ④ 単利と複利

金利計算には、単利計算と複利計算とがある。**単利**計算は、利息は元金のみが生み出し、資金運用期間中に支払われた利息がさらに利息を生み出すことを考慮しない計算方法である。これに対して、**複利**は、元金と資金運用期間中に得られた利息の両方から利息は生み出されると考える。

複利計算による場合には、１年間の付利回数により将来価値は異なる。１年間の付利回数が２回の場合を**半年複利**、回数を無限に増加させた場合を**連続複利**という。

金利計算方法の違いにより、現在価値と将来価値とは以下のように計算される。

金利計算方法		将来価値	現在価値
単利		$X_n=(1+nr)X_0$	$X_0=\frac{1}{1+nr}X_n$
	年 m 回複利	$X_n=\left(1+\frac{r}{m}\right)^{mn}X_0$	$X_0=\frac{1}{\left(1+\frac{r}{m}\right)^{mn}}X_n$
複利	年１回複利	$X_n=(1+r)^nX_0$	$X_0=\frac{1}{(1+r)^n}X_n$
	半年複利（年２回複利）	$X_n=\left(1+\frac{r}{2}\right)^{2n}X_0$	$X_0=\frac{1}{\left(1+\frac{r}{2}\right)^{2n}}X_n$
	⋮	⋮	⋮
	連続複利	$X_n=e^{rn}X_0$	$X_0=\frac{X_n}{e^{rn}}=e^{-rn}X_n$

連続複利による計算は、年 m 回複利の場合の m を無限大にすると、$\lim_{m\to\infty}\left(1+\frac{r}{m}\right)^{mn}=e^{rn}$（ただし、$e$ は自然対数の底で、$e=2.71828\cdots$）となることを利用している。

例題１

《2022（春）．２．Ⅰ．1》

２年後の100円を年率２％の半年複利で割引いた現在価値はいくらか。

A　96.00円
B　96.08円
C　96.10円
D　96.12円
E　96.35円

解　答 ▶ C

解　説

$$X_0 = \frac{1}{\left(1+\frac{r}{2}\right)^{2n}} X_n$$

$$= \frac{1}{\left(1+\frac{0.02}{2}\right)^{2\times 2}} \times 100 = 96.098\ldots \cong 96.10$$

例題 2

《2016（秋）. 証券. 6 . I . 2》

100円を連続複利利子率３％で運用すると、８年後の将来価値はいくらか。なお、100円を連続複利利子率４％で運用すると、２年後には108.33円となる。

A　112.7円

B　117.3円

C　122.1円

D　127.1円

E　132.3円

解　答　D

解　説

$X_8 = X_0 e^{8r}$

$= 100 \times e^{8\times 0.03} = 100 \times e^{0.24}$

ここで、「100円を連続複利利子率４％で運用すると、２年後には108.33円」だから、

$$100 \times e^{2\times 0.04} = 100 \times e^{0.08} = 108.33$$

$$\therefore e^{0.08} = 1.0833$$

指数法則（第６章）
$(x^a)^b = x^{ab}$

このことを利用すると、

$$e^{0.24} = e^{0.08\times 3} = (e^{0.08})^3 = 1.0833^3 = 1.2712...$$

よって、 $X_8 = 100 \times e^{0.24} = 100 \times 1.2712... \cong 127.1$

例題３

《2021（秋）. 証券．６. Ⅰ. 3》

残存期間４年で額面100円の割引債の現在の価格が80円であるとき、連続複利利回り（年率）はいくらか。ただし、ln(1.25)≒0.223である。

A　4.4%

B　5.6%

C　7.4%

D　11.2%

E　22.3%

解　答　B

解　説

$$X_0 = e^{-r\times 4}X_4$$

$$80 = e^{-4r}\times 100$$

$$e^{4r} = \frac{100}{80} = 1.25$$

対数法則（第6章）
$\ln e = 1$
$\ln x^a = a\ln x$

両辺の自然対数をとると

$$\ln e^{4r} = \ln(1.25)$$

ここで、$\ln e^{4r} = 4r\ln e = 4r$ **であることと、問題文から** $\ln(1.25) \fallingdotseq 0.223$ **であることを利用すると**

$$4r = 0.223$$

$$\therefore r = 0.05575 \approx 0.056 = 5.6\%$$

Point ⑤ 実効利子率

年率で表示された利子率が同じでも、年間の付利回数によって将来価値は異なる。

そこで、1年間の運用により実際にどれだけの収益率を生むことになるかを示す数値を考え、これを**実効利子率**（**EAR**、effective annual rate）と呼ぶ。

利子率を r（年 m 回複利）とすると、1年後の将来価値は$X_1 = \left(1+\frac{r}{m}\right)^m X_0$ と表せたことから、EAR は次のように計算できる。

実効利子率（EAR）

$$EAR = \left(1+\frac{r}{m}\right)^m - 1$$

この式は、離散複利の場合。連続複利の場合は、$EAR = e^r - 1$ で計算する。

例えば、利子率が $r=4$ %の場合、

m（年複利回数）	EAR
1	$\left(1+\dfrac{0.04}{1}\right)^{1}-1=0.04=4.00\%$
2	$\left(1+\dfrac{0.04}{2}\right)^{2}-1=0.0404=4.04\%$
4	$\left(1+\dfrac{0.04}{4}\right)^{4}-1=0.04060\ldots\cong 4.06\%$
12	$\left(1+\dfrac{0.04}{12}\right)^{12}-1=0.04074\ldots\cong 4.07\%$
⋮	⋮
∞	$e^{0.04}-1=0.04081\ldots\cong 4.08\%$

この数値例からもわかるように、複利回数 m が大きくなるほど、実効利子率（EAR）は大きくなる。

2　お金の時間価値の応用例

Point ①　年金

⑴　年金とは？

同じ金額が定期的に複数回支払われるキャッシュフローを**年金**（annuity）という。年金のうち、各期の期末にキャッシュフローが発生するタイプのものを、特に、**普通年金**（ordinary annuity）という。

⑵　年金の現在価値／将来価値の計算

お金の時間価値の具体的な応用例として、科目Ⅲ「数量分析と確率・統計」で出題が予想されるテーマとしては年金がある。以下の例でその計算方法を確認しておきたい。

例題 4

今後５年間にわたり10万円を受け取ることができる普通年金を考える。金利は年率２％（年１回複利）で一定とする。このとき、この年金の⑴５年後の将来価値、⑵現在価値はいくらか。

解答　⑴　520,404円　　⑵　471,346円

解説

⑴　普通年金は各期末に一定額が支払われるので、キャッシュフローが以下のようになっていることを利用して、５年後の将来価値 FV_5 を計算する。

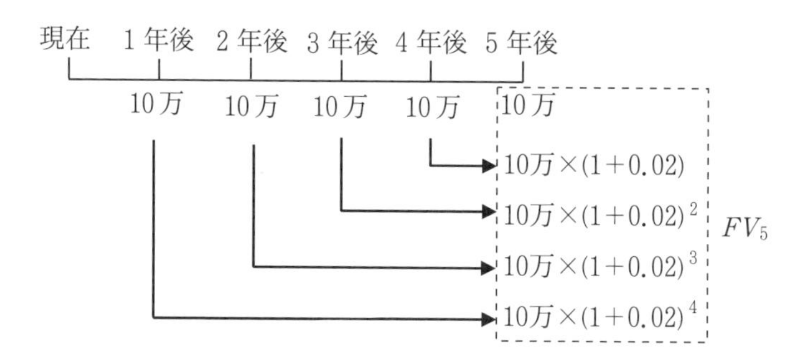

$$FV_5 = 10万 + 10万 \times 1.02 + 10万 \times 1.02^2 + 10万 \times 1.02^3 + 10万 \times 1.02^4$$

$$= 10万 \times (1 + 1.02 + 1.02^2 + 1.02^3 + 1.02^4)$$

$$= 520{,}404.0\ldots \approx 520{,}404$$

(2)　現在価値 PV は以下のように計算する。

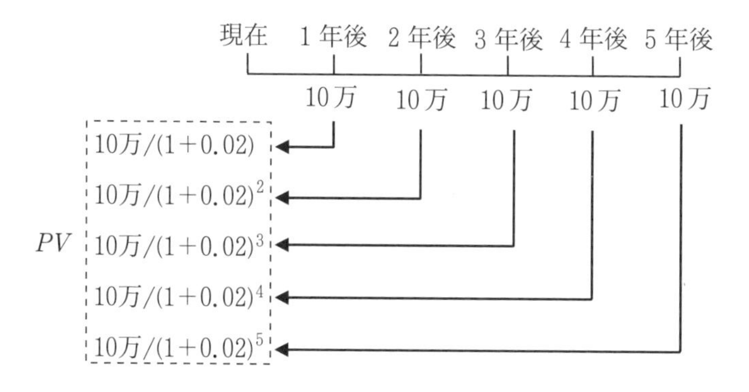

$$PV = \frac{10万}{1.02} + \frac{10万}{1.02^2} + \frac{10万}{1.02^3} + \frac{10万}{1.02^4} + \frac{10万}{1.02^5}$$

$$= 10万 \times \left(\frac{1}{1.02} + \frac{1}{1.02^2} + \frac{1}{1.02^3} + \frac{1}{1.02^4} + \frac{1}{1.02^5} \right)$$

$$= 471{,}345.9\ldots \approx 471{,}346$$

Point ② 正味現在価値（NPV）と内部収益率（IRR）

投資の意思決定に使われる代表的な指標に、正味現在価値（net present value、NPV）と内部収益率（internal rate of return、IRR）がある。

t 期（$t=0, 1, \dots, n$）のキャッシュインフローを CIF_t、キャッシュアウトフローを COF_t とする。1期間の割引率を r とすると、それぞれの現在価値は以下のように表せる。

キャッシュインフローの現在価値（PV_{CIF}）

$$PV_{CIF} = CIF_0 + \frac{CIF_1}{1+r} + \cdots + \frac{CIF_n}{(1+r)^n} = \sum_{t=0}^{n} \frac{CIF_t}{(1+r)^t}$$

キャッシュアウトフローの現在価値（PV_{COF}）

$$PV_{COF} = COF_0 + \frac{COF_1}{1+r} + \cdots + \frac{COF_n}{(1+r)^n} = \sum_{t=0}^{n} \frac{COF_t}{(1+r)^t}$$

(1) 正味現在価値（NPV）

正味現在価値（NPV）は、現在から将来にかけてのキャッシュインフローの現在価値（PV_{CIF}）からキャッシュアウトフローの現在価値（PV_{COF}）を引いたものである。

$$\begin{aligned} NPV &= PV_{CIF} - PV_{COF} \\ &= \left\{CIF_0 + \frac{CIF_1}{1+r} + \cdots + \frac{CIF_n}{(1+r)^n}\right\} - \left\{COF_0 + \frac{COF_1}{1+r} + \cdots + \frac{COF_n}{(1+r)^n}\right\} \\ &= CIF_0 - COF_0 + \frac{CIF_1 - COF_1}{1+r} + \cdots + \frac{CIF_n - COF_n}{(1+r)^n} = \sum_{t=0}^{n} \frac{CIF_t - COF_t}{(1+r)^t} \end{aligned}$$

キャッシュインフロー（CIF_t）とキャッシュアウトフロー（COF_t）の差であるネットキャッシュフロー（NCF_t）は

$$NCF_t = CIF_t - COF_t$$

と表せるから、正味現在価値（NPV）は、以下のように、ネットキャッシュフローの現在価値として表すことができる。

正味現在価値（NPV）

$$NPV = PV_{CIF} - PV_{COF}$$
$$= NCF_0 + \frac{NCF_1}{1+r} + \cdots + \frac{NCF_n}{(1+r)^n} = \sum_{t=1}^{n} \frac{NCF_t}{(1+r)^t}$$

投資判断の基準として正味現在価値（NPV）を用いる場合には、その符号によって判断する。

正味現在価値（NPV）による投資判断

正味現在価値がプラスのとき（$NPV > 0$）…投資すべきである
マイナスのとき（$NPV \leqq 0$）…投資すべきでない

⑵　内部収益率（IRR）

内部収益率（IRR）は「キャッシュインフローの現在価値（PV_{CIF}）とキャッシュアウトフローの現在価値（PV_{COF}）を等しくする割引率」である。つまり、

$$PV_{CIF} = PV_{COF}$$

$$CIF_0 + \frac{CIF_1}{1+IRR} + \cdots + \frac{CIF_n}{(1+IRR)^n} = COF_0 + \frac{COF_1}{1+IRR} + \cdots + \frac{COF_n}{(1+IRR)^n}$$

をみたす IRR のことである。

これらの式の左辺から右辺を引いて考えれば、内部収益率（IRR）は「正味現在価値（NPV）をゼロにする割引率」である。

内部収益率（IRR）

$$NPV\ (= PV_{CIF} - PV_{COF}) = 0$$

$$NCF_0 + \frac{NCF_1}{1+IRR} + \cdots + \frac{NCF_n}{(1+IRR)^n} = 0$$

投資判断の基準として内部収益率（IRR）を用いる場合には、利子率（i）との大小比較により判断する。

内部収益率（IRR）による投資判断

> 内部収益率が利子率を上回るとき（$IRR > i$）…投資すべきである
> 　　　　　　　　下回るとき（$IRR \leqq i$）…投資すべきでない

なお、内部収益率（IRR）を用いて投資判断した場合、正味現在価値（NPV）による判断と同じ結果が得られないこともある。こうした場合、富の最大化を図るという観点から、正味現在価値（NPV）による判断が望ましいと考えられている。

第2章 確率と統計の基礎

1. 傾向と対策

協会通信テキストの「確率と統計の基礎」と題する章には、統計と確率に関するかなり広範な内容が含まれている。

出題の中心は統計の基礎としての記述統計量であり、分布の代表値である平均/モード/メジアン、分布の散らばりを表す分散/標準偏差、分布の形状を表す歪度/尖度に関してよく問われている。記述統計は、統計分野の中では比較的理解しやすいので、これらについては確実に得点源にしたい。

確率の基礎については、統計の基礎と比べやや出題頻度は落ちるものの、確率変数の期待値、分散・標準偏差、共分散・相関係数についてしっかりと理解しておきたい。

「総まとめテキスト」の項目と過去の出題例

「総まとめ」の項目	過去の出題例	重要度
第2章　確率と統計の基礎		
1　統計の基礎：記述統計量		
分布の代表値	2022年春・第2問・Ⅰ・問2 Ⅱ・問1 2022年秋・第2問・Ⅰ・問3 2023年秋・第2問・Ⅰ・問2	A
分布の散らばり	2022年春・第2問・Ⅱ・問2 2023年秋・第2問・Ⅱ・問2 2024年春・第2問・Ⅱ・問1・2	A
分布の形状（歪度・尖度）	2022年春・第2問・Ⅰ・問3 2022年秋・第2問・Ⅰ・問4	B
2　確率の基礎		
確率に関する基本用語	2023年春・第2問・Ⅰ・問2	B
ベイズの定理	2023年春・第2問・Ⅰ・問3	C
確率変数の期待値、分散・標準偏差、共分散・相関係数	2022年春・第2問・Ⅰ・問4	A
2つの確率変数の加重和の期待値と分散	2023年春・第2問・Ⅱ・問1 2023年秋・第2問・Ⅰ・問4	B

2. ポイント整理

1　統計の基礎：記述統計量

観察されたデータの特性を要約した数値を**記述統計量**と呼ぶ。

ある変数について n 個のデータ（$x_1, x_2, \cdots, x_n$）が観察されたとき、このデータセットを要約する統計量には、以下のようなものがある。

Point ①　分布の代表値

データの分布の中心傾向を示す代表値には、平均、モード、メジアンがある。

(1)　平均（算術平均と幾何平均）

平均は、データ分析を行う際の最も代表的な数値である。平均にもさまざまなものがあるが、算術平均と幾何平均を整理しておきたい。

算術平均は、「分析対象データをすべて合計し、それをデータ数で割る」ことによって求める。

算術平均（$\bar{x}$）

$$\bar{x} = \frac{x_1 + x_2 + \cdots + x_n}{n} = \frac{\sum_{i=1}^{n} x_i}{n}$$

一般に平均といえばこの算術平均を指すことが多い。ただ、収益率や成長率を考える場合には、「分析対象データをすべて掛け算し、その累乗根（n 乗根）をとる」ことによって計算する、**幾何平均**が用いられることもある。

$$\sqrt[n]{x_1 \times x_2 \times \cdots \times x_n} = (x_1 \times x_2 \times \cdots \times x_n)^{\frac{1}{n}}$$

実際に、幾何平均収益（変化）率を計算する場合には、x_iにはグロスの数値（例えば、収益率が5％＝0.05なら1＋0.05）を使うため、分析対象の収益（変化）率 $r_1, r_2, \cdots, r_n$ に対しては次のように計算する。

幾何平均収益率

$$\sqrt[n]{(1+r_1)\times(1+r_2)\times\cdots\times(1+r_n)}-1=\{(1+r_1)\times(1+r_2)\times\cdots\times(1+r_n)\}^{\frac{1}{n}}-1$$

例題 1

《2004（春）. 証券. 5 . Ⅱ. 1・2》

下の表は過去 4 年間のX社株式の収益率の推移である。

	1 年目	2 年目	3 年目	4 年目
収益率	−22.5%	21.7%	−6.4%	43.0%

(1) 4 年間の収益率の算術平均は年率何%か。

A 5%

B 6%

C 7%

D 8%

E 9%

(2) 4 年間の収益率の幾何平均は年率何%か。

A 5%

B 6%

C 7%

D 8%

E 9%

解 答 (1) E (2) B

解　説

(1)　算術平均

$$\frac{(-22.5)+21.7+(-6.4)+43.0}{4}=8.95(\%)\approx 9(\%)$$

(2)　幾何平均

$$\sqrt[4]{(1-0.225)\times(1+0.217)\times(1-0.064)\times(1+0.43)}-1=0.0599\ldots\cong 0.06$$
$$=6(\%)$$

(2)　モード

モード（最頻値）とは、データセットの中で最も頻繁に生じる値をいう。

モードは1つだけとは限らず、複数ある場合もあれば、1つもない場合もありうる。

(3)　メジアン

メジアン（中央値）とは、データを小さい値から大きい値に順（昇順）に並べたときのちょうど「真ん中」にくる値をいう。

・データ数が奇数の場合・・・ちょうど真ん中の数値がメジアン

例）データが7個ある場合、メジアンは4番目の値。

・データ数が偶数の場合・・・真ん中の2つの数値の算術平均がメジアン

例）データが8個ある場合、メジアンは4番目の値と5番目の値の算術平均。

例題2

データセット［27%, 11%, 7%, 11%, −5%, 3%］について、(1)モードと(2)メジアンを求めなさい。

解　答　(1)　11%　　(2)　9%

解説

昇順（小さい方から大きい方に順番）に並べると、次のようになる。

順番	1 （最小）	2	3	4	5	6 （最大）
データ	−5％	3％	7％	11％	11％	27％

⑴　**モード（最頻値）**

データセットの中で11％のみが２回登場、他はそれぞれ１回ずつ登場しているので、モード（最頻値）は11％。

⑵　**メジアン（中央値）**

データ数が６個（偶数）なので、その６個のうちの真ん中の２つ（３番目と４番目）のデータの算術平均がメジアンとなる。

$$\frac{7\% + 11\%}{2} = 9\%$$

Point ② 分布の散らばりの尺度

データの分布の散らばりを示す数値として、分散、標準偏差、変動係数などがある。

⑴　分散

分散（variance）は「偏差の２乗の平均」であり、以下のように計算する。分布の散らばりに関する最も代表的な数値である。

分散（S^2）

$$S^2 = \frac{(x_1 - \bar{x})^2 + (x_2 - \bar{x})^2 + \cdots + (x_n - \bar{x})^2}{n} = \frac{1}{n}\sum_{i=1}^{n}(x_i - \bar{x})^2$$

ただし、n：データ数、$\bar{x}$：算術平均

以上のように分散の定義では、偏差の２乗の合計をデータ数 n で割って計算しているが、$n-1$ で割って計算する**不偏分散** s^2 と呼ばれるタイプの分

散もある。

$$s^2 = \frac{(x_1-\bar{x})^2+(x_2-\bar{x})^2+\cdots+(x_n-\bar{x})^2}{n-1} = \frac{1}{n-1}\sum_{i=1}^{n}(x_i-\bar{x})^2$$

推定や検定（第４章）ではこの計算方法が用いられることが多く、証券アナリスト試験で**標本分散**といえば不偏分散を指す。

⑵　標準偏差

分散は偏差の２乗の平均値であるため、元の単位とは異なっている。そこで、元の単位に戻すために「分散の正の平方根」をとった値を考える。これが**標準偏差**（standard deviation）であり、次のように計算する。

標準偏差（S）

$$S = \sqrt{S^2}$$

ただし、S^2：分散

なお、不偏分散（s^2）にもとづいて、標準偏差を$s=\sqrt{s^2}$と計算することもある。証券アナリスト試験で**標本標準偏差**といえばこちらを指す。

⑶　変動係数

２組以上の統計データを比較する場合、分布の中心の位置が著しく異なるようなときには、分散や標準偏差では分布の散らばりをうまく比較できない。そのような場合に、分布の相対的な散らばりを表す指標として、**変動係数**（CV、coefficient of variation）が用いられる場合がある。

変動係数（CV）

$$CV = \frac{S}{\bar{x}}$$

ただし、$\bar{x}$：平均値、S：標準偏差

例題 3 データセット［27%, 11%, 7%, 11%, −5%, 3%］について、(1)分散、(2)標準偏差、(3)変動係数を求めなさい。

解答 (1) 0.00947 (2) 9.7% (3) 1.1

解説

(1)〜(3)

まず、平均値を求める。

$$\bar{x}=\frac{1}{n}\sum_{i=1}^{n}x_i=\frac{27+11+7+11+(-5)+3}{6}=9(\%)$$

次に、偏差とその 2 乗を計算する。

	x_i	$x_i-\bar{x}$	$(x_i-\bar{x})^2$
	27%	27−9=18%	0.0324
	11%	11−9=2%	0.0004
	7%	7−9=−2%	0.0004
	11%	11−9=2%	0.0004
	−5%	−5−9=−14%	0.0196
	3%	3−9=−6%	0.0036
合計	54%		0.0568
平均	$\bar{x}=\frac{54}{6}=9(\%)$		

(1) 分散

$$S^2=\frac{1}{n}\sum_{i=1}^{n}(x_i-\bar{x})^2=\frac{0.0568}{6}=0.009466\ldots\cong 0.00947$$

(2) 標準偏差

$$S=\sqrt{S^2}=\sqrt{0.00947}=0.0973\ldots\cong 9.7\%$$

(3) 変動係数

$$CV=\frac{S}{\bar{x}}=\frac{0.0973}{0.09}=1.08\ldots\cong 1.1$$

Point ③ 分布の形状

データの分布については、左右対称で釣り鐘型をした正規分布（第3章）を仮定することが多いが、現実のデータは必ずしもそうではない。そこで、分布の歪みの度合いや尖りの度合いを把握することを考える。

(1)　歪度

歪度（skewness）Sk とは分布の歪みの度合いを測る数値であり、次のように計算する。

$$Sk=\frac{\frac{1}{n}\sum_{i=1}^{n}(x_i-\bar{x})^3}{s^3}$$

ただし、n：データ数、$\bar{x}$：平均値、s：標準偏差

※　歪度の符号と分布の形状

歪度の符号	形状	モード、メジアン、平均の大小関係
正	右に裾の長い分布	モード＜メジアン＜平均
0	左右対称	モード≒メジアン≒平均
負	左に裾の長い分布	モード＞メジアン＞平均

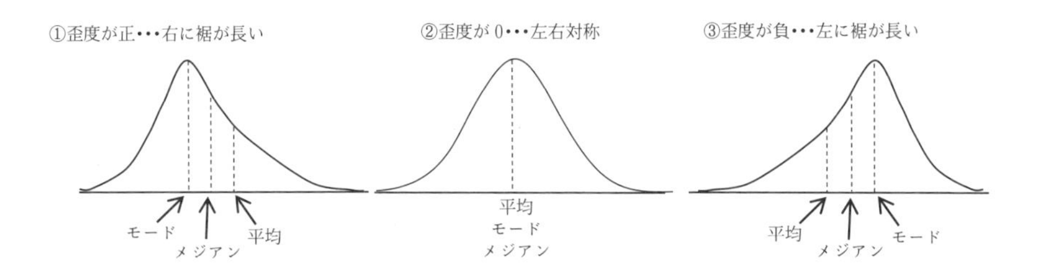

⑵ 尖度

尖度（kurtosis）Ku は、分布の平均付近の尖り具合および裾の厚さに関連する指標で、次のように計算する。

$$Ku = \frac{\frac{1}{n}\sum_{i=1}^{n}(x_i - \bar{x})^4}{s^4}$$

ただし、n：データ数、$\bar{x}$：平均値、s：標準偏差

尖度の定義は、このような定義以外に、これから 3 を引いた尖度（超過係数）で定義することもある。この定義によれば、正規分布の尖度がちょうど 0 となるため、正規分布との比較が容易になる。

※　尖度（超過尖度）の符号と分布の形状

尖度の符号	形状（正規分布との比較）
正	中央部の尖り方が大きく、かつ、裾が厚い分布
0	
負	中央部の尖り方が小さく、かつ、裾が薄い分布

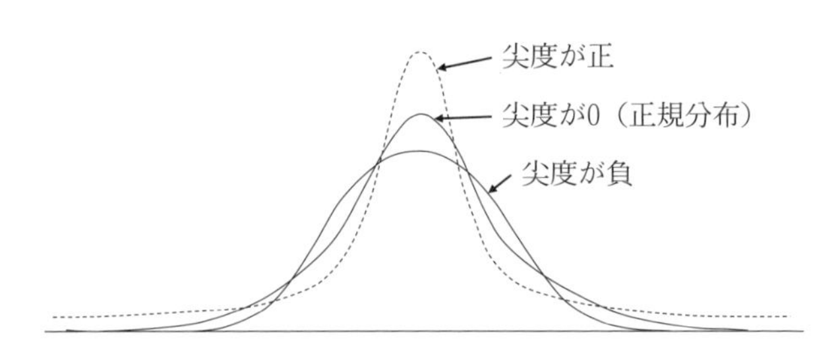

正規分布より裾の厚い分布は**ファットテール**と呼ばれる。

2　確率の基礎

Point ①　確率に関する基本用語

⑴　事象・確率・試行

投資の判断など経済的な意思決定を行う場合、将来起こるか起こらないかわからない不確実な事柄について判断を下し、行動を決めなければならない場合がある。確率を用いた議論では、このような起こるか起こらないかわからない事柄を**事象**と呼び、ある事象が起こる可能性の程度を0から1の間で表した数字を**確率**という。また、事象を得るための観察や実験を**試行**という。

⑵　確率の種類

ある事象Aの起こる確率を$P(A)$のように表す。また、ある事象Bが起こるという条件の下で事象Aの起こる確率を$P(A|B)$のように表し、**条件付確率**という。条件付確率に対し、$P(A)$のように表したものを**無条件確率**ということもある。

AとBが同時に起こる確率を$P(A \cap B)$で表し、これを**同時確率**（結合確率）という。条件付確率と同時確率の間には

$$P(A|B) = \frac{P(A \cap B)}{P(B)} \quad （ただし、P(B) \neq 0）$$

が成り立つ。

⑶　確率に関する性質

条件付確率と同時確率の間に成立する上の関係を変形すると

$$P(A \cap B) = P(A|B)P(B)$$

と表せる。これを確率の**乗法定理**という。

一般には、無条件確率$P(A)$と条件付確率$P(A|B)$は異なるが、

$$P(A) = P(A|B)$$

となる場合、事象Aと事象Bは**独立**であるという。一方の事象が起こるかどうかが他方の事象が起こる確率に影響しないことを意味する。また、乗法定理を考慮すると、

$$P(A \cap B) = P(A)P(B)$$

が成り立つ。

また、事象Aと事象Bの少なくとも一方が起きる確率を$P(A\cup B)$で表す。

$$P(A\cup B)=P(A)+P(B)-P(A\cap B)$$

が成り立つ。これを確率の**加法定理**という。

Point 2 ベイズの定理

条件付確率を用いた公式にベイズの定理がある。結果Aが発生したときにその原因がBである確率を条件付確率$P(B|A)$として求めるもので、以下のように求めることができる。

ベイズの定理

$$P(B|A)=\frac{P(A|B)\times P(B)}{P(A)}$$

$$=\frac{P(A|B)\times P(B)}{P(A|B)P(B)+P(A|B^C)P(B^C)}$$

ただし、B^c：事象Bの余事象（Bが起こらないという事象）

例題 4

《2023（春）2．Ⅰ．3》

アクティブファンドA、B、Cが、今後1年間の運用でそのリターンがインデックスを上回る確率は、それぞれ60%、47%、43%である。この3つのファンドのうち1つが選択され、そのリターンがインデックスを上回ったとき、選択されたファンドがAである確率はいくらか。ただし、運用ファンドが選択される確率はいずれも1/3とする。

A　33.3%

B　40.0%

C　50.0%

D　66.7%

E　75.0%

解　答　B

解　説

ファンドA、B、Cを選択する事象をそれぞれA、B、Cとし、選択されたファンドのリターンがインデックスを上回る事象をWとすると、

各ファンドを選択する確率：$P(A)=P(B)=P(C)=\frac{1}{3}$、

ファンドAを選択し、リターンがインデックスを上回る確率：$P(W|A)=0.6$、

ファンドBを選択し、リターンがインデックスを上回る確率：$P(W|B)=0.47$、

ファンドCを選択し、リターンがインデックスを上回る確率：$P(W|C)=0.43$

である。

よって、「選択されたファンドがインデックスを上回ったとき、それがAである確率」P(A|W)は、ベイズの定理から次のように計算する。

$$P(\mathrm{A}|\mathrm{W})=\frac{P(\mathrm{A})P(\mathrm{W}|\mathrm{A})}{P(\mathrm{A})P(\mathrm{W}|\mathrm{A})+P(\mathrm{B})P(\mathrm{W}|\mathrm{B})+P(\mathrm{C})P(\mathrm{W}|\mathrm{C})}$$

$$=\frac{1/3\times0.6}{1/3\times0.6+1/3\times0.47+1/3\times0.43}$$

$$=0.4$$

Point ③ 確率変数の期待値、分散・標準偏差、共分散・相関係数

第１章では、得られたデータセットに対する平均、分散・標準偏差といった記述統計量を見てきたが、確率を用いたこれらに対応する概念を整理する。確率変数の期待値、分散・標準偏差（さらに、共分散・相関係数）といった概念である。

確率変数とはいろいろな値をさまざまな確率でとる変数をいう。代表例としては、サイコロの目があげられる。歪みのないサイコロであれば、$1,2,\cdots,6$ の６個の値をそれぞれ確率 $\frac{1}{6}$ でとる。サイコロの目という不確実な数値をとる変数が確率変数であり、サイコロを転がした結果出てきた目の１とか２といった数値は確率変数の**実現値**という。

いま、各状態の確率及び2つの確率変数X、Yのそれぞれの状態における実現値が以下のように表されるとする。

状態	1	2	…	n
確率	p_1	p_2		p_n
X	x_1	x_2	…	x_n
Y	y_1	y_2	…	y_n

…合計は1（$\sum_{i=1}^{n} p_i = 1$）

⑴　期待値

期待値（expected value）は、確率変数の分布の中心を表す数値である。

確率変数Xの期待値$E[X]$は次のように計算する。

期待値

期待値＝（各状態ごとの確率×実現値）の合計

$$E[X] = p_1x_1 + p_2x_2 + \cdots + p_nx_n$$
$$= \sum_{i=1}^{n} p_ix_i$$

確率変数Xの期待値はギリシャ文字のμ（「ミュー」）を用いてμ_Xと表すこともある。

⑵　分散・標準偏差

分散（variance）と**標準偏差**（standard deviation）は、確率変数の分布の散らばり具合を表す数値である。

確率変数Xの分散σ_X^2は次のように計算する。

分散

分散＝｛各状態ごとの確率×(実現値－期待値)^2｝の合計

偏差（$x_i - E[X]$）

$$\sigma_X^2 = E\left[(X - E[X])^2\right]$$
$$= p_1(x_1 - E[X])^2 + p_2(x_2 - E[X])^2 + \cdots + p_n(x_n - E[X])^2$$
$$= \sum_{i=1}^{n} p_i(x_i - E[X])^2$$

確率変数 X の標準偏差 σ_X は次のように計算する。

標準偏差

$$標準偏差=\sqrt{分散}$$

$$\sigma_X = \sqrt{\sigma_X^2}$$

(3)　共分散・相関係数

共分散（covariance）と**相関係数**（correlation coefficient）は、2つの確率変数の関係を表す数値である。

確率変数 X と Y の共分散 $Cov(X, Y)$ は次のように計算する。

共分散

$$共分散=\{各状態ごとの確率\times(X の偏差)\times(Y の偏差)\}の合計$$

$$\begin{aligned} Cov(X,Y) &= E\big[(X-E[X])(Y-E[Y])\big] \\ &= p_1(x_1-E[X])(y_1-E[Y])+p_2(x_2-E[X])(y_2-E[Y])+\cdots+p_n(x_n-E[X])(y_n-E[Y]) \\ &= \sum_{i=1}^{n} p_i(x_i-E[X])(y_i-E[Y]) \end{aligned}$$

確率変数 X と Y の共分散は σ_{XY} といった表記をすることもある。

相関係数（correlation coefficient）は2つの確率変数の間に存在する直線的関係の強さを測る数値で、共分散を標準偏差の積で割って基準化したものである。

2つの確率変数 X、Y の相関係数 ρ_{XY} は次のように求める（ρ はギリシャ文字の「ロー」）。

相関係数

$$相関係数=\frac{X と Y の共分散}{X の標準偏差\times Y の標準偏差}$$

$$\rho_{XY} = \frac{Cov(X,Y)}{\sigma_X \sigma_Y}$$

このように定義される相関係数は－1から1の間の値をとる。

① $\rho_{xy}=-1$ …「負の完全相関」
② $-1\leqq\rho_{xy}<0$ …「負の相関」
③ $\rho_{xy}=0$ …「無相関」
④ $0<\rho_{xy}\leqq1$ …「正の相関」
⑤ $\rho_{xy}=1$ …「正の完全相関」

例題５ 《2019（春）．証券．６．Ⅱ．１・２・４》

１年後の経済状態として、シナリオ１（生起確率25％）、シナリオ２（同50％）、シナリオ３（同25％）の３通りが考えられている。以下の図表は証券Ｘと証券Ｙの各シナリオにおける収益率の期待値と標準偏差を示している。

図表１　今後１年間の収益率

	１年間の収益率			期待値	標準偏差
	シナリオ１	シナリオ２	シナリオ３		
生起確率	25％	50％	25％	—	—
証券Ｘ	－69％	30％	69％	(1)	51％
証券Ｙ	－20％	0％	60％	10％	(2)

(1)　証券Ｘの収益率の期待値はいくらか。

Ａ　15.0％
Ｂ　17.5％
Ｃ　20.0％
Ｄ　22.5％
Ｅ　25.0％

(2)　証券Ｙの収益率の標準偏差はいくらか。

Ａ　25.0％
Ｂ　27.5％

C　30.0%

D　32.5%

E　35.0%

(3)　証券Xと証券Yの投資収益率の相関係数はいくらか。

A　−0.4

B　−0.1

C　　0.2

D　　0.5

E　　0.8

解　答 ▶ (1)　A　　(2)　C　　(3)　E

解　説

(1)　**証券Xの収益率の期待値 $E[R_X]$ は**

$$E[R_X] = 0.25 \times (-69\%) + 0.5 \times 30\% + 0.25 \times 69\% = 15\%$$

(2)　**証券Yの収益率の分散 σ_Y は**

$$\sigma_Y = \sqrt{\sigma_Y^2}$$

$$= \sqrt{0.25 \times (-20\% - 10\%)^2 + 0.5 \times (0\% - 10\%)^2 + 0.25 \times (60\% - 10\%)^2} = 30\%$$

(3)　**証券Xと証券Yの収益率の相関係数 ρ_{XY} は**

$$\rho_{XY} = \frac{Cov(X, Y)}{\sigma_X \sigma_Y}$$

$$= \frac{0.25 \times (-69\% - 15\%)(-20\% - 10\%) + 0.5 \times (30\% - 15\%)(0\% - 10\%) + 0.25 \times (69\% - 15\%)(60\% - 10\%)}{51\% \times 30\%}$$

$$= \frac{1230}{1530} = 0.80\ldots \cong 0.8$$

Point ④ 2つの確率変数の加重和の期待値と分散

確率変数X、Yと定数a、b、cから計算される新たな確率変数を

$$Z=aX+bY+c$$

とすると、Zの期待値及び分散は以下のように計算できる。

期待値

$$\mathrm{E}[aX+bY+c]=aE[X]+bE[Y]+c$$

この式は、以下のように求めることができる。

$\mathrm{E}[aX+bY+c]=\mathrm{E}[aX]+\mathrm{E}[bY]+c$ …＋は分けて表すことができる

$=aE[X]+bE[Y]+c$ …確率変数に掛かっている定数は$\mathrm{E}[\cdot]$の外に出せる

分散

$$Var(aX+bY+c)=a^2Var(X)+b^2Var(Y)+2abCov(X,Y)$$

この式は、以下のように求めることができる。

$$\begin{aligned}Var(aX+bY+c) &= E\left[\{(aX+bY+c)-E[(aX+bY+c)]\}^2\right]\\ &= E\left[a(X-E[X])+b(Y-E[Y])^2\right]\\ &= E\left[a^2(X-E[X])^2\right]+E\left[b^2(Y-E[Y])^2\right]\\ &\quad +2E\left[ab(X-E[X])(Y-E[Y])\right]\\ &= a^2E\left[(X-E[X])^2\right]+b^2E\left[(Y-E[Y])^2\right]\\ &\quad +2abE\left[(X-E[X])(Y-E[Y])\right]\\ &= a^2Var(X)+b^2var(Y)+2abCov(X,Y)\end{aligned}$$

この式からわかるように、無相関（$Cov(X,Y)=0$）であれば

$$Var(aX+bY+c)=a^2Var(X)+b^2Var(Y)$$

が成立する。

例題６

《2020（秋）. 証券. 6 . Ⅰ. 2》

確率変数ＸとＹに関する次の記述のうち、正しいものはどれですか。

A　ＸとＹが互いに無相関であれば、ＸとＹは互いに独立である。

B　$E(XY)=E(X)E(Y)$が成り立つのは、ＸとＹが互いに無相関の場合のみである。

C　$E(a+bX+cY)=a+bE(X)+cE(Y)$が成り立つのは、ＸとＹが互いに無相関の場合のみである。

D　ＸとＹが互いに無相関であれば、$Var(a+bX+cY)=bVar(X)+cVar(Y)$が成り立つ。

解　答　B

解説

A　正しくない。XとYが互いに無相関であっても、互いに独立とは限らない。直感的には、「X、Yが互いに独立である」というのは「XとYの間に何の関係もない」ことを表しているのに対し、「確率変数X、Yが無相関である」というのは「XとYの間に直線的関係がない」ことを表しているという違いによる。「何の関係もない」（独立）ならば「直線的関係がない」（無相関）とは言えるが、「直線的関係がない」（無相関）からといって「何の関係もない」（独立）とまでは言えない。

B　正しい。

$$\begin{aligned} Cov(X,Y) &= E\Big[(X-E[X])(Y-E[Y])\Big] \\ &= E\Big[XY-XE[Y]-E[X]Y+E[X]E[Y]\Big] \\ &= E[XY]-E[X]E[Y]-E[X]E[Y]+E[X]E[Y] \\ &= E[XY]-E[X]E[Y] \end{aligned}$$

なので、XとYが互いに無相関、すなわち $Cov(X,Y)=0$ の場合のみ、$\mathrm{E(XY)=E(X)E(Y)}$ が成り立つ。

C　正しくない。XとYの間の相関の有無にかかわらず、常に成り立つ。

D　正しくない。XとYが互いに無相関であれば、$Var(a+bX+cY)=b^2Var(X)+c^2Var(Y)$ が成り立つ。

確率分布

1. 傾向と対策

確率変数は離散型確率変数と連続型確率変数に分類される。

確率分布に関する2021年試験以前の旧カリキュラム下での出題は、連続型確率分布の代表格である正規分布に関するものがそのほとんどを占め、正規分布の派生というべき対数正規分布や t 分布（第4章）に関する出題が若干見られるにとどまってきた。しかし、2022年のカリキュラム改定以降は、正規分布に関する出題に加え、連続一様分布（2023年春試験）や離散型確率分布である二項分布（2022年春試験）も出題され、さらに、正規分布の応用として従来2次レベルでよく出題されていたVaR（バリュー・アット・リスク）に関しても出題されている。

こうした出題状況を踏まえると、正規分布についてその基本を確認した上で、VaRなどの応用的なテーマを整理し、それに加えて、二項分布や対数正規分布について整理しておきたい。

「総まとめテキスト」の項目と過去の出題例

「総まとめ」の項目	過去の出題例	重要度
第3章　確率分布		
1　確率変数と確率分布		B
2　二項分布	2022年春・第2問・Ⅰ・問5 2023年秋・第2問・Ⅰ・問5	B
3　正規分布	2022年春・第2問・Ⅰ・問5 Ⅱ・問3 2022年秋・第2問・Ⅰ・問5、問6 2023年春・第2問・Ⅱ・問2 2023年秋・第2問・Ⅰ・問3 Ⅱ・問3 2024年春・第2問・Ⅰ・問2 Ⅱ・問2	A
4　対数正規分布	2023年春・第2問・Ⅰ・問2 2024年春・第2問・Ⅰ・問2	B

2. ポイント整理

1　確率変数と確率分布

Point ① 離散型確率変数と連続型確率変数

いろいろな値をさまざまな確率でとる変数を**確率変数**という。確率変数の例としては、サイコロの目があげられる。歪みのないサイコロであれば、1, 2, …, 6 の6個の値をそれぞれ確率 $\frac{1}{6}$ でとる。

確率変数には、サイコロの目のようにとりうる値がとびとびで可算個の**離散型確率変数**と、連続していて不可算の**連続型確率変数**がある。

Point ② 確率分布

確率変数の値と確率の対応の全体を**確率分布**という。

(1)　離散型確率変数

離散型確率変数 X がある特定の値（**実現値**）x をとる確率を $P(X=x)$、$\mathrm{Prob}(X=x)$、あるいは単純に $p(x)$ などと表す。

例えば、歪みのないサイコロの場合、1から6までの整数値をそれぞれ $\frac{1}{6}$ の確率でとるから、サイコロの目をXとするとその確率分布は以下のように表せる（この表でも確認できるように、すべての実現値の確率の合計は、ちょうど1になる）。

図表　サイコロの目の確率分布

x_i	1	2	3	4	5	6
$P(x_i)$	$\frac{1}{6}$	$\frac{1}{6}$	$\frac{1}{6}$	$\frac{1}{6}$	$\frac{1}{6}$	$\frac{1}{6}$

こうして表される確率 $p(x)$ は、実現値 x の関数としてみたとき**確率関数**という。

確率変数 X がある特定の値（x）以下の値をとる確率 $\mathrm{Prob}(X\leq x)$ を関数

として見たとき、この関数を**累積分布関数**（**CDF**（cumulative distribution function）、あるいは単に、**分布関数**）という。累積分布関数を$F(x)$とすると、

$$F(x)=\mathrm{Prob}(X\leq x)$$

である。

累積分布関数は次のような性質を持つ。

1）$0\leq F(x)\leq 1$ …累積分布関数は0〜1の間の値をとる。

2）$F(x)$は増加関数（非減少関数）…xが増加するにつれ、累積分布関数は増加もしくは同じ値をもつ。

歪みのないサイコロの目の確率関数と累積分布関数のグラフは次のように表せる。

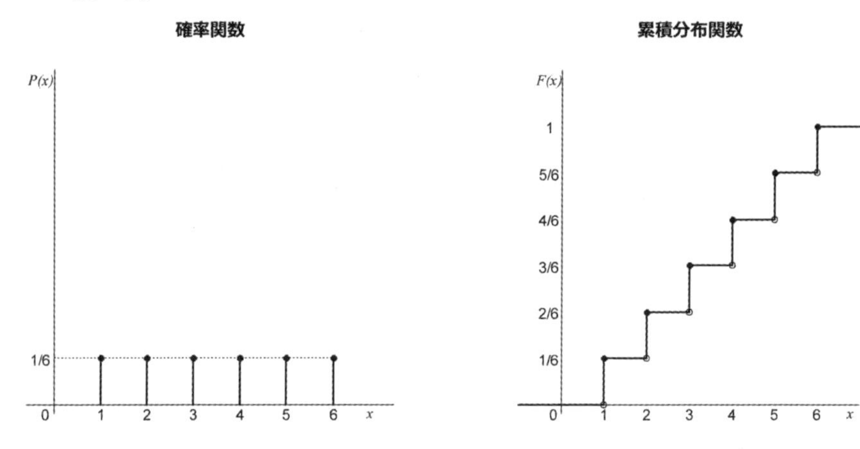

⑵　連続型確率変数

連続型確率変数について確率分布を表す際には、若干の注意が必要である。**連続型確率変数がある特定の値をとる確率は0である**（もし特定の値をとる確率が正とすると、連続型確率変数の確率の合計は1にならず、確率の性質を満たさない）ため、連続型確率変数は確率関数でその分布を表すことはできず、**確率密度関数**と呼ぶ関数$f(x)\geq 0$で分布全体を表す必要がある。

例えば、歪みのないルーレットを考える。起点からの針の角度X（$0°\leq X<360°$）を確率変数と見ると、確率密度関数は以下のように表せる。

$$f(x) = \begin{cases} 1/360 & (0^\circ \leq x < 360^\circ のとき) \\ 0 & (それ以外) \end{cases}$$

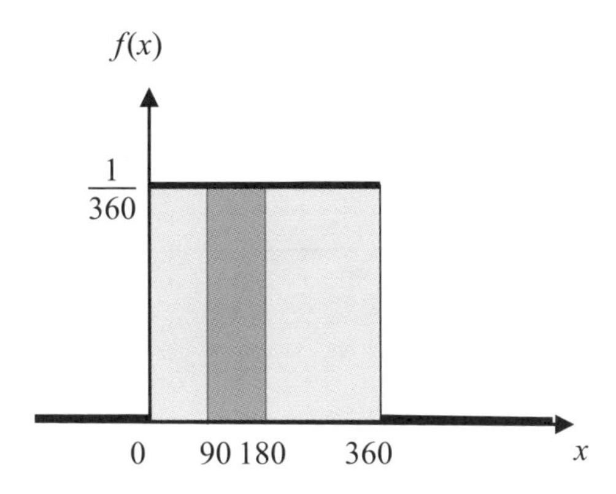

このグラフの太線部分が確率密度関数を表している。特定の値をとる確率は0であるが、一定の範囲に入る確率はプラスになる。ルーレットの針が90°～180°の間に止まる確率$\dfrac{180^\circ - 90^\circ}{360^\circ - 0^\circ} = 0.25$は、$90^\circ \leq X < 180^\circ$の部分の下側（濃いシャドー部分）の面積$(180^\circ - 90^\circ) \times \dfrac{1}{360} = 0.25$に対応している。

このように、連続型確率変数の場合には確率密度関数を考える必要があり、その下側の面積が確率を表すことになる。

なお、確率変数Xがある特定の値（x）以下の値をとる確率を示す累積分布関数については、離散型確率変数の場合と同様に考えることができる。ルーレットの例では下図のように描くことができる。

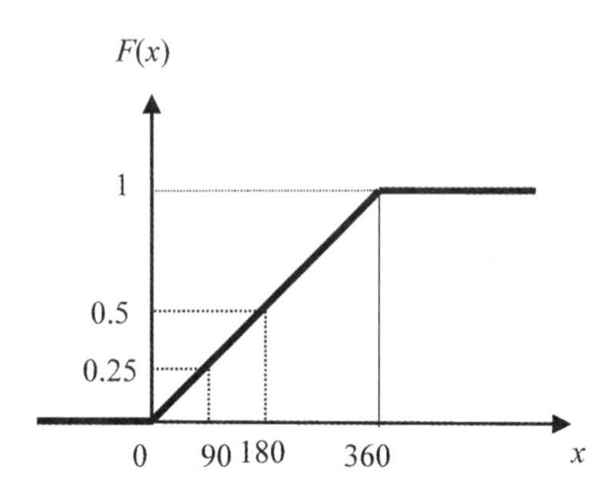

（確率分布を表す関数）

確率変数のタイプ	ある値の確率（密度）	ある値以下の値をとる確率
離散型確率変数	確率関数	累積分布関数
連続型確率変数	確率密度関数	累積分布関数

なお、以上のルーレットの例で用いた確率分布は**連続一様分布**と呼ばれている。

例題１

《2023（春）．２．Ⅰ．４》

連続一様分布の確率密度関数 $f(x)$が、

$$f(x) = \begin{cases} 1 & (0 \leq x \leq 1 \text{ のとき}) \\ 0 & (\text{上記以外}) \end{cases}$$

と表されるとする。このとき、この分布に従う確率変数の実現値が区間〔0.2, 0.6〕に入る確率はいくらか。

A　0.2

B　0.4

C　0.6

D　0.8

E　1

解　答 ▶ B

解　説

確率密度関数 $f(x)$ のグラフは右のように描ける。密度関数の下側の面積が確率を表すから、区間〔0.2, 0.6〕に入る確率は、シャドー部分の面積である。よって、

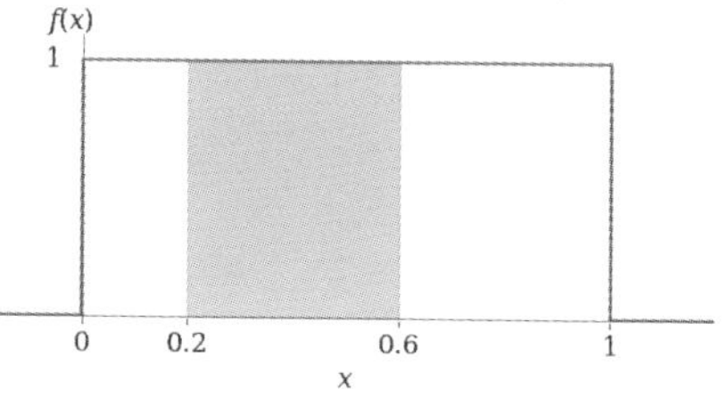

$$P(0.2 \leq x \leq 0.6) = \frac{0.6-0.2}{1-0}$$
$$= 0.4$$

2　二項分布

離散型確率分布の代表的なものに二項分布がある。

Point ①　ベルヌーイ試行

コインを投げて表が出たら「成功」、裏が出たら「失敗」とするような、各試行から生じる結果が成功と失敗の2種類で、それぞれの結果が生じる確率が一定であるような試行を**ベルヌーイ試行**という。

2種類の結果（成功と失敗）を値（1と0）で表し、

成功の場合の値＝1（その確率をp）

失敗の場合の値＝0（その確率を$1-p$）

とする。つまり、確率変数Xの確率関数が

$$p(1)=P(X=1)=p,\ p(0)=P(X=0)=1-p$$

で表される場合である。このような分布を**ベルヌーイ分布**と呼び、この分布の期待値、分散は次のようになる。

ベルヌーイ分布の期待値と分散

> 期待値：$E[X]=p$
>
> 分散：$Var[X]=p(1-p)$

（導出）期待値、分散の定義式に従って、次のように求められる。

$$\text{期待値}：E[X]=p\times1+(1-p)\times0=p$$

$$\begin{aligned}\text{分散}：Var[X]&=p(1-p)^2+(1-p)(0-p)^2=p(1-p)^2+(1-p)p^2\\&=p(1-p)\{(1-p)+p\}\\&=p(1-p)\end{aligned}$$

Point ② 二項分布

n 回の独立なベルヌーイ試行を $X_1, X_2, \ldots, X_n$ とすると、成功回数 Y はこれらの和として求めることができる。

$$Y = X_1 + X_2 + \cdots + X_n = \sum_{i=1}^{n} X_i$$

このように表される成功回数 Y の分布は**二項分布**と呼ばれる。

各回の試行における成功確率を p とすると、成功回数 $Y=y$ に対する確率関数は、次のように表せる。

二項分布の確率関数

$$p(y) = P(Y = y) = {}_nC_y p^y (1-p)^{n-y} \quad (y = 0,1,2,\ldots,n)$$

ただし、${}_nC_y$ は n 回のうち y 回成功する組合せであり、! は階乗の計算

$${}_nC_y = \frac{n!}{(n-y)!y!} = \frac{n \times (n-1) \times \cdots \times 1}{\{(n-y) \times (n-y-1) \times \cdots \times 1\}\{y \times (y-1) \times \cdots \times 1\}}$$

こうした計算からわかるように、二項分布は試行回数の n と成功確率の p という2つのパラメータによって決まることになるため、「確率変数 Y は、試行回数 n、成功確率 p の二項分布に従う」ことを

$$Y \sim Bin(n,p)$$

のように表すこともある。

二項分布は、n 個の独立なベルヌーイ試行に従う確率変数の合計であることから、期待値、分散は次のようになる。

二項分布の期待値と分散

期待値：$E[Y] = np$

分散：$Var[Y] = np(1-p)$

3　正規分布

Point ① 正規分布

連続型確率分布で最も代表的なものが正規分布である。

正規分布は、下図のような釣鐘型で左右対称の形状をした確率密度関数 $f(x)$ で示される分布で、平均と分散（または、標準偏差）によって特定される。

確率変数 X が平均（μ）、分散（σ^2）の正規分布に従うとき

$$X \sim N(\mu, \sigma^2)$$

と表す。

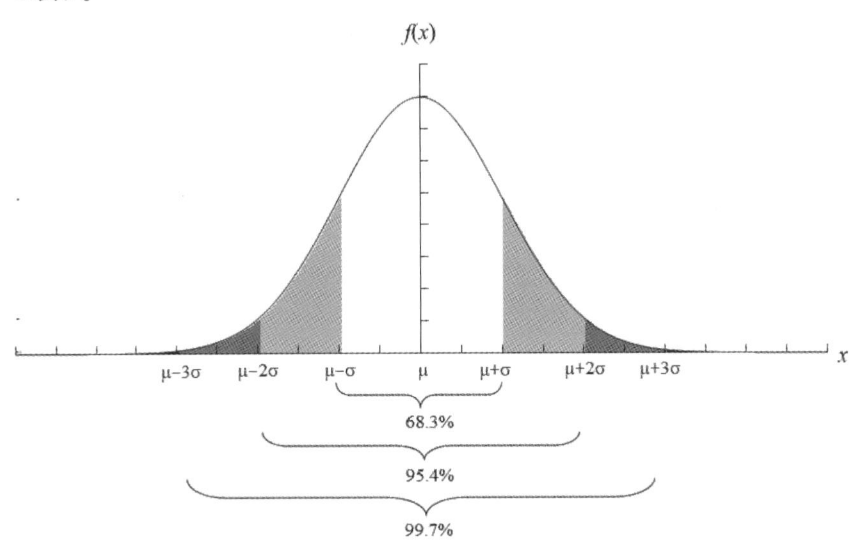

◆正規分布の特徴

① 正規分布は平均 μ、標準偏差 σ（分散 σ^2）という２つのパラメータによって特定される。

② 正規分布に従う確率変数は、マイナス無限大（$-\infty$）からプラス無限大（$+\infty$）までの実数値をとる連続型確率変数である。

③ 分布は、平均 μ を中心として左右対称である（歪度は0）。

④　分布は釣り鐘型をしており、平均μのところで最も高く、裾に行くにしたがって分布は低くなる。

⑤　平均から標準偏差の個数で測った距離で区間を特定すれば、どのような正規分布であっても、その区間にデータが入る確率は常に一定である。

a)　平均から左右に標準偏差1つ分の区間、すなわち、Xが$\mu-\sigma \leq X \leq \mu+\sigma$を満たす区間にデータが入る確率は約68.3%である。

$$\mathrm{Prob}(\mu-\sigma \leq X \leq \mu+\sigma) \cong 0.683$$

b)　平均から左右に標準偏差2つ分の区間、すなわち、Xが$\mu-2\sigma \leq X \leq \mu+2\sigma$を満たす区間にデータが入る確率は約95.4%である。

$$\mathrm{Prob}(\mu-2\sigma \leq X \leq \mu+2\sigma) \cong 0.954$$

c)　平均から左右に標準偏差3つ分の区間、すなわち、Xが$\mu-3\sigma \leq X \leq \mu+3\sigma$を満たす区間にデータが入る確率が約99.7%である。

$$\mathrm{Prob}(\mu-3\sigma \leq X \leq \mu+3\sigma) \cong 0.997$$

Point ② 標準正規分布

(1)　標準正規分布とは

正規分布は平均μ、標準偏差σ（分散σ^2）という2つのパラメータによって特定される分布であるが、このうち、平均0、標準偏差1（分散$1^2=1$）の正規分布を、特に**標準正規分布**という。標準正規分布に従う確率変数をZとすると

$$Z \sim N(0, 1^2)$$

であり、その分布は以下のような確率密度関数のグラフで表される。

標準正規分布の確率密度関数

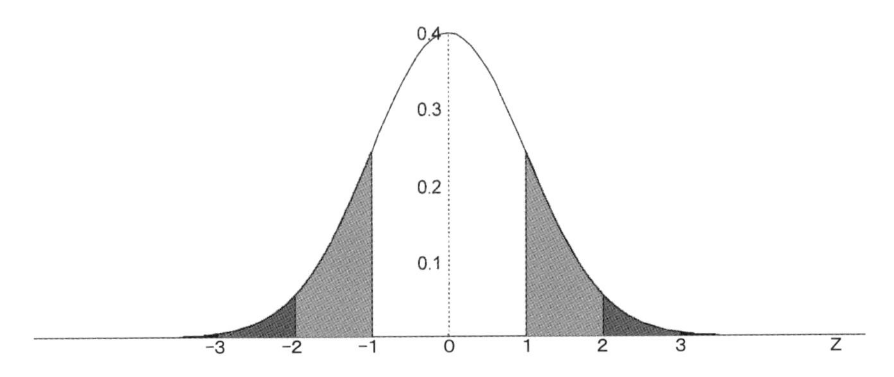

(2) 標準化

確率変数Xが平均μ、標準偏差σの正規分布に従うとき、

①Xから平均μを引き

②標準偏差σで割る

ことによって、標準正規分布に従うZに変換することができる。

標準化

$$Z=\frac{X-\mu}{\sigma}$$

前述のように、正規分布には「平均から標準偏差の個数で測った距離で区間を特定すれば、どのような正規分布であってもその区間にデータが入る確率は常に一定である」という性質がある。このため、どのような正規分布であっても標準正規分布に変換して標準正規分布表を読み取れば、その確率を求めることができる。

Point 3 正規分布の応用例

(1) ショートフォール確率

「ポートフォリオなどの収益率が目標を下回る確率」のことを**ショートフォール確率**という。収益率が正規分布に従うことを仮定して、ショートフォール確率を求める問題がよく出題される。

例題２　市場ポートフォリオの１年間のリターンが期待値７％、標準偏差20％の正規分布に従うとする。今後１年間の市場ポートフォリオのリターンが負（マイナス）になる確率はいくらか。

A　30%

B　36%

C　50%

D　64%

E　70%

解　答 ▶ B

解　説

期待値７％、標準偏差20％の正規分布に従う市場ポートフォリオの１年間のリターンがマイナスとなる確率だから、０％を下回る以下のシャドー部分の面積（確率）$P(x<0)$ を求める。

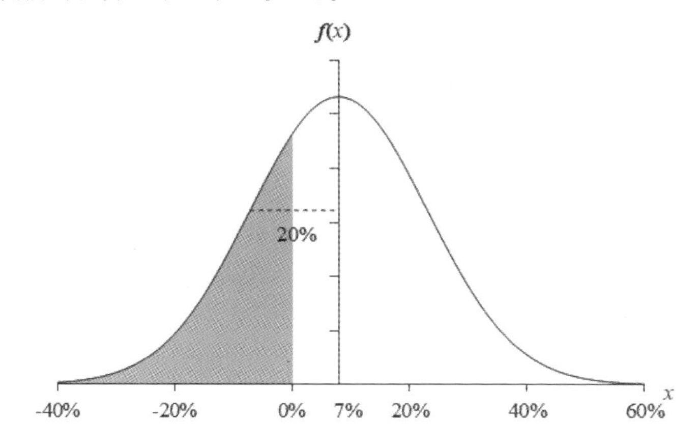

標準化すると

$$z=\frac{x-\mu}{\sigma}=\frac{0\%-7\%}{20\%}=-0.35$$

となるから、元の正規分布の０％を下回る部分の面積（確率）は、標準正規分布の−0.35を下回る部分の面積（確率）と同じ（$P(x<0)=P(z<-0.35)$）。

本試験で問題用紙に添付される標準正規分布表は、０以上の z 値に対する下側面積（下側確率）を与えるので、−0.35の下側面積（下側確率）を直接読み取ることはできないが、標準正規分布は平均０に関して左右対称だから−0.35の下側面積（下側確率）は＋0.35の上側面積（上側確率）に等しい。標準正規分布表から小数第１位の「.3」と小数第２位の「.05」に対応する「.6368」を読み取ればよい。

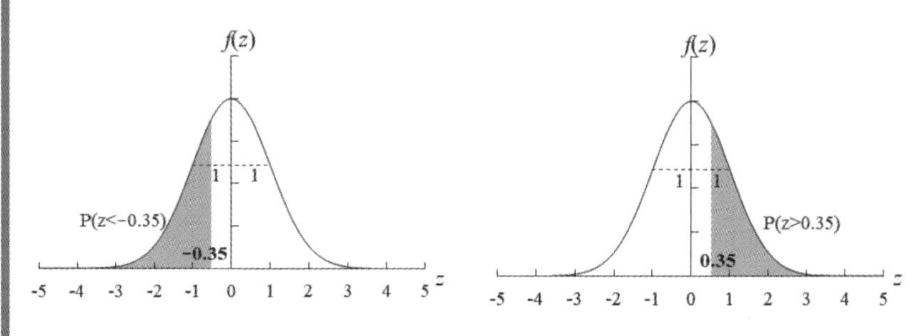

z	.00	.01	.02	.03	.04	.05	.06	.07	.08	.09
.0	.5000	.5040	.5080	.5120	.5160	.5199	.5239	.5279	.5319	.5359
.1	.5398	.5438	.5478	.5517	.5557	.5596	.5636	.5675	.5714	.5753
.2	.5793	.5832	.5871	.5910	.5948	.5987	.6026	.6064	.6103	.6141
.3	.6179	.6217	.6255	.6293	.6331	.6368	.6406	.6443	.6480	.6517
.4	.6554	.6591	.6628	.6664	.6700	.6736	.6772	.6808	.6844	.6879
.5	.6915	.6950	.6985	.7019	.7054	.7088	.7123	.7157	.7190	.7224

したがって、

$$P(z<-0.35)=1-P(z\leq 0.35)=1-0.6368=0.3632\approx 36\%$$

と計算でき、$P(x<0)\approx 36\%$ と求めることができる。

⑵　VaR（バリュー・アット・リスク）

ポートフォリオの市場リスク管理に広く用いられている手法にVaR（Value at Risk、バリュー・アット・リスク）がある。VaRとは「資産をある一定期間保有したとき、一定の確率（信頼水準）で発生しうる最大損失額」のことをいう。

いま当初の資産額をV_0、T期間経過後の資産額をV_Tとする。この資産を保有したとき1－αの確率（信頼水準）で発生しうる最大損失額（$VaR_{100\times(1-\alpha)}$）は、以下のイメージである。

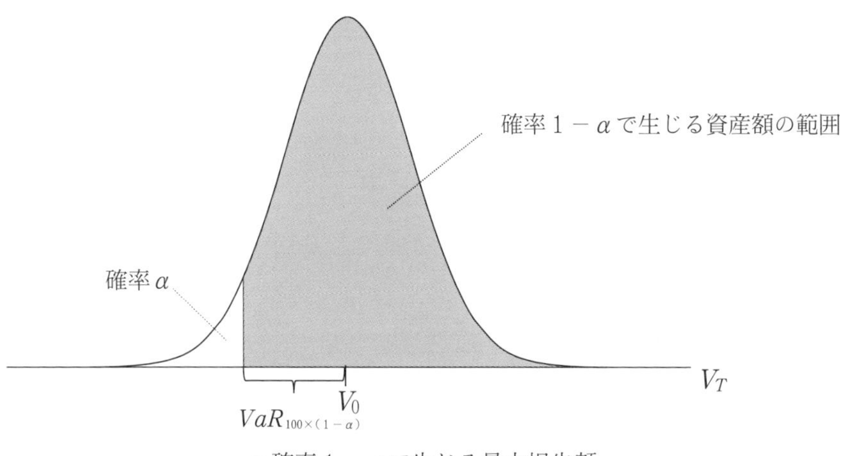

資産のリターンが独立かつ同一の正規分布（平均μ，標準偏差σ）に従う場合、$VaR_{100\times(1-\alpha)}$は以下のように計算する。

VaR（バリュー・アット・リスク）

信頼水準1－αのVaR

$$VaR_{100\times(1-\alpha)} = V_0\left(\mu T - z_\alpha \sigma\sqrt{T}\right)$$

ただし、V_0：当初の資産額、z_α：標準正規分布上側100α％点

・z値（z_α）は信頼水準（1－α）によって決まる。標準正規分布表から求め

ればよいが、代表的なものとしては以下の数値がよく用いられる。

確率（$1-\alpha$）	z 値（z_α）
95%	$z_{0.05}=1.65$
99%	$z_{0.01}=2.33$

例題 3 《2022（秋） 2．Ⅰ．6》

あるファンドの年率換算の期待リターンは10%、リスク（標準偏差）は12%である。このファンドに１億円投資したとき、信頼水準99%の１日 VaR はいくらか。ただし、１年を252営業日とする。また、このファンドの日次のリターンは独立かつ同一の正規分布に従うものとする。

A　1,722千円

B　1,743千円

C　1,750千円

D　1,786千円

E　1,808千円

解　答 ▶ A

解　説

「１億円を投資した場合の、信頼水準99%の100日 VaR」（VaR_{99}）は、年率換算の期待リターンが10%、標準偏差が12%より、日次リターンの期待リターンは $\mu=\dfrac{10\%}{252}$、標準偏差は $\sigma=\dfrac{12\%}{\sqrt{252}}$、また、信頼水準 $1-\alpha=0.99$（$\Leftrightarrow \alpha=0.01$）より $z_\alpha=z_{0.01}=2.33$。よって、

$$
\begin{aligned}
VaR_{99} &= V_0\left(\mu T - z_{0.01}\sigma\sqrt{T}\right) \\
&= 1\,(億円) \times \left(\frac{10\%}{252} \times 1 - 2.33 \times \frac{12\%}{\sqrt{252}} \times \sqrt{1}\right) \\
&= -0.017216...(億円) \approx -1{,}722(千円)
\end{aligned}
$$

この計算結果はマイナスになるが、選択肢は損失の絶対額で与えられるので、それを選ぶ。

4　対数正規分布

Point ① 対数正規分布

確率変数 X が正規分布に従うとき、$Y=e^X$（ただし、e は自然対数の底）によって変換された確率変数 Y は**対数正規分布**に従うといわれる。Y の自然対数をとると $\ln Y=X$ となり正規分布に従うことになるため、このように呼ばれている。

正規分布と対数正規分布の確率密度関数のグラフは以下のように描かれる。

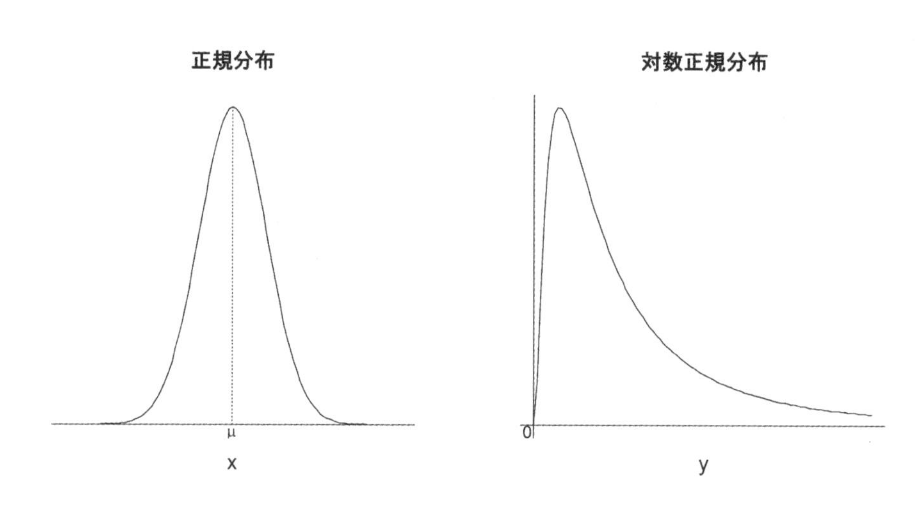

◆対数正規分布の特徴

- 正規分布が左右対称のグラフ（歪度が0）であるのに対し、対数正規分布は右に裾の長いグラフ（歪度が正）である。
- 正規分布がマイナス無限大〜プラス無限大の数値を取るのに対し、対数正規分布の下限はゼロでマイナスの値は取らない。

例題4

《2018（春）. 証券. 6. Ⅰ.2》

確率変数の分布に関する次の記述のうち、正しくないものはどれか。

A　分布の裾が厚いほど、尖度は大きい。

B　左右の非対称の分布の場合、その歪度は必ず正の値となる。

C　対数正規分布の歪度は必ず正の値となる。

D　正規分布の歪度はゼロである。

解　答　B

解　説

A　正しい。尖度は平均近くの尖り度合いを表すとともに、分布の裾の厚さも表す。分布の裾が厚くなると、尖度は大きくなる。

B　正しくない。左右の非対称の分布のうち、左側の裾が長い場合の歪度は負の値となる。

C　正しい。対数正規分布は右側の裾が長い分布であり、歪度は正の値となる。

D　正しい。正規分布は左右対称であり、歪度は0である。

例題 5

《2020（秋）．証券．6．Ⅰ．3》

確率変数Xが平均μ、分散σ^2の正規分布に従うとき、次の記述のうち正しくないものはどれか。

A　Xの分布の歪度は0である。

B　Xの分布の尖度は、分散σ^2の値にかかわらず一定である。

C　$\dfrac{X-\mu}{\sigma^2}$は標準正規分布に従う。

D　e^Xは対数正規分布に従う。ただし、eは自然対数の底である。

解　答　C

解　説

A　正しい。正規分布に従うXの分布は左右対称であり、歪度は0である。

B　正しい。確率変数の尖度（超過尖度）は$Ku=\dfrac{E\left[(X-\mu)^4\right]}{\sigma^4}-3$で定義され、正規分布の場合、この値は0である。

C　正しくない。$Z=\dfrac{X-\mu}{\sigma}$が標準正規分布に従う。この式の分母は標準偏差σであり、分散σ^2ではない。

D　正しい。Xが正規分布に従うとき、$Y=e^X$は対数正規分布に従う。

例題6

《2024（春）. 2. Ⅰ. 2》

正規分布と対数正規分布に関する次の記述のうち、正しくないものはどれか。

A　正規分布よりも裾の厚い分布はファットテールである。

B　対数正規分布に従う確率変数はマイナスの値をとりうる。

C　正規分布に従う確率変数 が、特定の値に一致する確率は0である。

D　対数正規分布の歪度は常にプラスである。

解　答　C

解　説

A　正しい。正規分布よりも裾の厚い分布はファットテールと呼ばれ、尖度（超過係数）は正である。

B　正しくない。対数正規分布に従う確率変数はマイナスの値をとることはない。

C　正しい。正規分布など連続型確率変数の場合、ある特定の値をとる確率は0である。

D　正しい。対数正規分布は右に裾の長い分布であり、その歪度は常にプラスである。

M E M O

推定と検定

1. 傾向と対策

推測統計の手法である推定と検定は、2022年試験からの現行カリキュラムにおいて１次レベルで明示的に取り上げられることになったテーマである。

初回試験となった2022年春試験では、（不偏分散から計算する）標本標準偏差の計算、大数の法則と中心極限定理、母平均の区間推定と多くの問題が出題され、それ以降も推定や検定に関するトピックが問われている。

推定や検定は統計のテーマの中でも比較的難易度の高いことを考慮すると、比較的基本的な項目を整理しておくことが試験対策としては肝要であろう。

具体的には、

- 大数の法則と中心極限定理
- t 分布･･･自由度と標準正規分布との関係
- 区間推定に関する用語（信頼区間、信頼係数等）
- 仮説推定に関する用語（帰無仮説・対立仮説、有意水準・棄却域、検定統計量等）

を理解しておくことを目指したい。その上で、

- 母平均の区間推定
- 正規母集団の仮説検定（特に、母平均の仮説検定）

まで扱えるようになれば十分であろう。

「総まとめテキスト」の項目と過去の出題例

「総まとめ」の項目	過去の出題例	重要度
第４章　推定と検定		
1　標本平均の分布	2022年春・第２問・Ⅰ・問６	B
2　推定	2022年春・第２問・Ⅱ・問４ 2023年秋・第２問・Ⅰ・問６ 2024年春・第２問・Ⅱ・問４	A
3　仮説検定	2022年秋・第２問・Ⅰ・問８ 2023年春・第２問・Ⅰ・問５ 2023年秋・第２問・Ⅱ・問４ 2024年春・第２問・Ⅱ・問５	A

2. ポイント整理

1　推定と検定の概説

Point ①　母集団と標本

考察対象となるデータが膨大であったりする場合、一部のデータを取り出して、全体の統計的特性を推測することがある。このような統計手法を**推測統計**（**推計統計**）といい、考察対象のデータ全体を**母集団**（population)、そこから取り出した一部のデータを**標本**（sample)、母集団から標本を取り出すことを標本抽出(sampling、単に**抽出**）という。

また、母集団の統計的特性を示す指標（平均、分散、相関係数等）を**パラメータ**（parameter、**母数**）という。

このような推測統計の手法は、推定と検定に大別される。

推定：母集団の特徴を表す**パラメータ**（**母数**）を統計的手法によって標本から推測する

検定：母集団のパラメータに関する仮説を標本から検証する

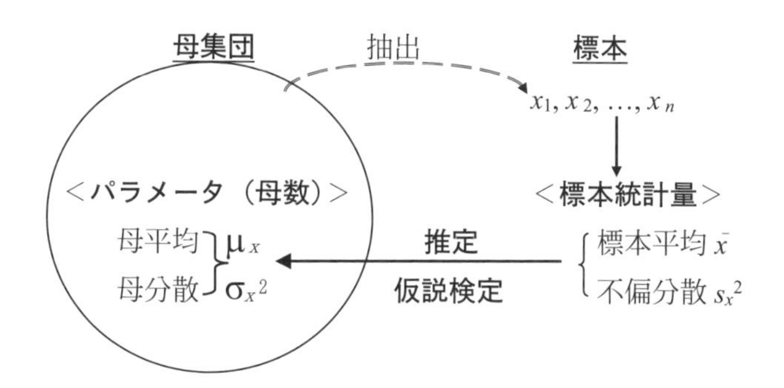

Point ② 標本誤差と標本分布

標本抽出は、母集団からその一部である標本を抽出して行うものであるため、母集団のパラメータと標本から求めた推定値との間に一般的にはズレが生じる。このズレを**標本誤差**という。

また、得られた標本はたまたまその一回の標本抽出によって得られたものに過ぎず、（もし何度も標本抽出を繰り返すことができれば）毎回異なる結果が得られることになろう。そこで、標本統計量は確率変数であると考え、その分布を**標本分布**と呼ぶ。

このため、推定や検定を行う場合には、標本が従う標本分布がどのようなものかに注意する必要がある。

2　標本平均の分布

Point ①　標本平均の分布

母集団（平均μ、分散σ^2）から無作為に得られたn個の標本（$X_1,X_2,\ldots,X_n$）の標本平均$\overline{X}$を考えると

$$\overline{X}=\frac{X_1+X_2+\cdots+X_n}{n}$$

であり、これらn個の標本は互いに独立かつ同一の分布に従うと考えられることから次のようにまとめることができる。

標本平均$\overline{X}$の分布

> 標本平均の分布の平均…母平均に等しい（$E[\overline{X}]=\mu$）
> 標本平均の分布の分散…母分散を標本サイズで割った値に等しい
> （$Var[\overline{X}]=\dfrac{\sigma^2}{n}$）
> 　⇒標本平均の分布の標準偏差…母標準偏差を標本サイズの平方根で割った値に等しい（$\sigma[\overline{X}]=\dfrac{\sigma}{\sqrt{n}}$）

1°　標本平均$\overline{X}$の分布の平均については、以下のように求めている。

$$E[\overline{X}]=E\left[\frac{X_1+X_2+\cdots+X_n}{n}\right]$$

$$=\frac{1}{n}(E[X_1]+E[X_2]+\cdots+E[X_n])$$

$$=\frac{1}{n}(\mu+\mu+\cdots+\mu)\quad（\because 同一性）$$

$$=\frac{n\mu}{n}=\mu$$

2° 標本平均 $\overline{X}$ の分布の分散については、以下のように求めている。

$$Var[\overline{X}] = Var\left[\frac{X_1+X_2+\cdots+X_n}{n}\right]$$

$$= \frac{1}{n^2}(Var[X_1]+Var[X_2]+\cdots+Var[X_n]) \quad (\because \text{独立性})$$

$$= \frac{1}{n^2}(\sigma^2+\sigma^2+\cdots+\sigma^2) \quad (\because \text{同一性})$$

$$= \frac{n\sigma^2}{n^2} = \frac{\sigma^2}{n}$$

Point ② 大数の法則

一般に統計分析にあたり、標本サイズはなるべく大きくとった方が望ましいとされる。それをサポートするのが**大数の法則**である。

大数の法則

標本サイズ n を大きくしていくと、標本平均 $\overline{X}$ は母平均 μ に近づく。

Point ③ 中心極限定理

統計分析にあたっては、正規分布がよく用いられている。左右対称性など、きれいで扱いやすい性質を持っているが、現実のデータは必ずしも左右対称でないなど、正規分布に近い分布とは言えない場合も多い。

しかし、正規分布とは異なる分布についても、標本サイズが大きければ標本平均の分布に正規分布を仮定することが可能であることを示すのが**中心極限定理**である。

中心極限定理

標本サイズ n が十分大きいとき、標本平均 $\overline{X}$ と母平均 μ との差である $\overline{X}-\mu$ の分布は、平均0、分散 $\frac{\sigma^2}{n}$ の正規分布に近づく。

例題 1

《2022（春） 2．Ⅰ．6》

大数の法則と中心極限定理に関する次の記述のうち、正しいものはどれか。ただし、n は標本サイズ、μ は母平均、σ は母標準偏差、$\overline{X}$ は標本平均を表す。

A　n が十分大きいとき、$\overline{X}-\mu$ は平均 0 、分散 $\dfrac{\sigma^2}{n}$ の正規分布に近づくことを中心極限定理という。

B　n が十分大きいとき、$\overline{X}$ が μ に近づくことを中心極限定理という。

C　n が十分大きいとき、$\overline{X}$ が σ に近づくことを大数の法則という。

D　n の大小にかかわらず、常に $\overline{X}$ の分布が平均 0 、分散 1 の正規分布になることを大数の法則という。

解　答　A

解　説

大数の法則……「標本サイズ n が十分大きいとき、標本平均 $\overline{X}$ が母平均 μ に近づく」

中心極限定理……「標本サイズ n が十分大きいとき、標本平均と母平均の差 $\overline{X}-\mu$ は平均 0 、分散 $\dfrac{\sigma^2}{n}$ の正規分布に近づく」

3　推定

推定とは、母集団の特徴を表すパラメータ（母数）を統計的手法によって標本から推測することをいう。

推定には、1つの値で推定結果を示す**点推定**とある程度の幅を持った区間で示す**区間推定**とがある。

Point ① 推定量が持つと望ましい性質

パラメータの推定に用いられる標本統計量を**推定量**という。

望ましい推定量が持つと望ましい性質として、協会通信テキストでは以下の3つが挙げられている。

・**不偏性**…推定量の期待値が、推定しようとしているパラメータと等しくなる。
・**一致性**…標本サイズが大きくなるにつれ、推定量がパラメータに近づいていく。
・**有効性**…（複数の不偏推定量の中で）推定量の分散が最も小さい。

Point ② 点推定

点推定では、以下の推定量が用いられることが多い。

パラメータ	推定量	計算方法
母平均（μ）	標本平均（$\bar{x}$）	$\bar{x}=\frac{1}{n}\sum_{i=1}^{n}x_i$
母分散（σ^2）	不偏分散（s^2）	$s^2=\frac{1}{n-1}\sum_{i=1}^{n}(x_i-\bar{x})^2$
母標準偏差（σ）	不偏分散の正の平方根（s）	$s=\sqrt{s^2}=\sqrt{\frac{1}{n-1}\sum_{i=1}^{n}(x_i-\bar{x})^2}$

データから分散を計算する際、第2章ではデータ数（n）で割る計算式を学習したが、母分散の推定量としては不偏性の観点から「データ数－1」（$n-1$）で割って計算することが多く、協会通信テキストでは、標本分散と標本標準偏差が以下のように定義されている。

標本分散と標本標準偏差

$$\text{標本分散}=\text{不偏分散}\ (s^2)=\frac{1}{n-1}\sum_{i=1}^{n}(x_i-\bar{x})^2$$

$$\text{標本標準偏差}=\sqrt{\text{不偏分散}(s^2)}=\sqrt{\frac{1}{n-1}\sum_{i=1}^{n}(x_i-\bar{x})^2}$$

標本分散や標本標準偏差といった用語は、一般的な統計学のテキストでは、標本データから計算した分散や標本標準偏差の意味で用いることが多いが、証券アナリスト試験では、「データ数−1」($n-1$) で割って計算した不偏分散の意味で用いられている点に注意が必要である。

例題２

《2022（春）２．Ⅱ．１・２》

以下は、ある株式インデックスの過去５年間の年度末データである。このインデックスの年次リターンの４年間の標本標準偏差はいくらか。

年度末	X0	X1	X2	X3	X4
インデックス	100.0	110.0	99.0	89.1	106.9

A　7.2%
B　8.1%
C　13.0%
D　14.0%
E　15.0%

解　答　E

解　説

①各年次リターンの計算

X0〜X1　$\frac{110}{100}-1=0.1=10\%$

X1〜X2　$\frac{99}{110}-1=-0.1=-10\%$

X2〜X3　$\frac{89.1}{99}-1=-0.1=-10\%$

X3〜X4　$\frac{106.9}{89.1}-1=0.1997\ldots\approx 0.200=20\%$

②標本平均（算術平均）$\bar{x}=\frac{x_1+x_2+\cdots+x_n}{n}=\frac{\sum_{i=1}^{n} x_i}{n}$の計算

$$\bar{x}=\frac{10\%+(-10\%)+(-10\%)+20\%}{4}=2.5\%$$

③標本分散（不偏分散）$s^2=\frac{\sum_{i=1}^{n}(x_i-\bar{x})^2}{n-1}$の計算

$$s^2=\frac{(10\%-2.5\%)^2+\{(-10\%)-2.5\%\}^2+\{(-10\%)-2.5\%\}^2+(20\%-2.5\%)^2}{4-1}=225$$

④標本標準偏差（不偏分散）$s=\sqrt{s^2}=\sqrt{\frac{\sum_{i=1}^{n}(x_i-\bar{x})^2}{n-1}}$ の計算

$$s=\sqrt{225}=15(\%)$$

Point ③ 区間推定

区間推定は、未知のパラメータθが一定の確率$1-\alpha$で区間$[a, b]$に入る、というように示す。このとき、$[a, b]$を**信頼区間**、$1-\alpha$を**信頼係数**あるいは**信頼水準**などと呼ぶ。

イメージとしては、パラメータθが確率$1-\alpha$で以下のグラフのシャドー部分の範囲に入るように、区間$[a, b]$を設定する。

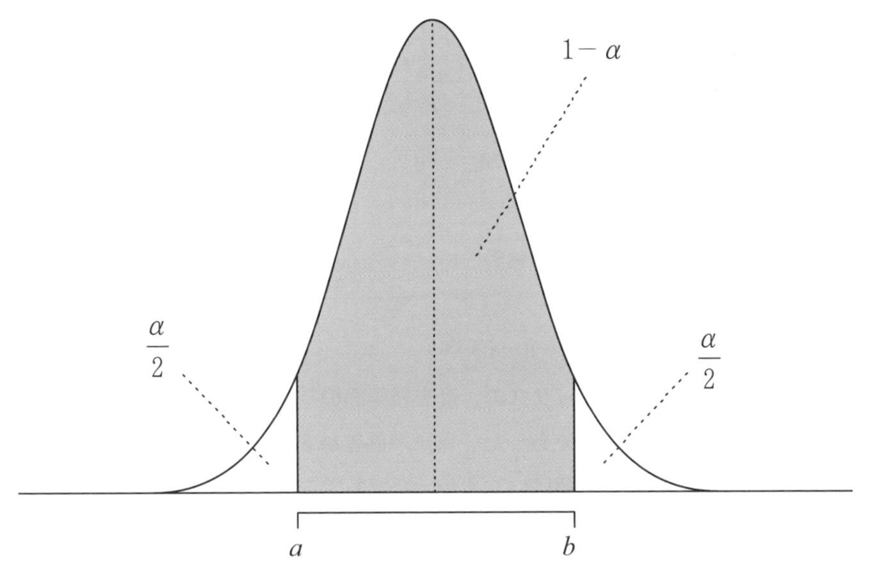

試験対策上覚えておきたいのは母平均（μ）の信頼区間で、以下のように求める。

(1)　母分散が既知の場合

母集団（平均μ、分散σ^2）から無作為に抽出したときの標本平均$\overline{X}$の分布は、中心極限定理によって、母集団が正規分布に従っていないとしても標本数が十分に大きければ、平均μ、分散$\dfrac{\sigma^2}{n}$の正規分布で近似できる。

$\dfrac{\overline{X}-\mu}{\sigma/\sqrt{n}}$が標準正規分布に従うことになるため、母平均の信頼区間は次のように求めることができる。

母平均の区間推定（母分散既知）

> 信頼係数 $1-\alpha$ の信頼区間
>
> $$\left[\overline{X}-z_{\frac{\alpha}{2}}\times\frac{\sigma}{\sqrt{n}},\ \overline{X}+z_{\frac{\alpha}{2}}\times\frac{\sigma}{\sqrt{n}}\right]$$

・z 値（$z_{\alpha/2}$）は信頼係数（$1-\alpha$）によって決まる。標準正規分布表から求めればよいが、代表的なものとして以下の数値が使われることが多い。

信頼係数（$1-\alpha$）	z 値（$z_{\alpha/2}$）
90%	$z_{0.05}=1.65$
95%	$z_{0.025}=1.96$
99%	$z_{0.005}=2.58$

・推定量の標準偏差は**標準誤差**と呼ばれ、$\frac{\sigma}{\sqrt{n}}$ が標本平均の標準誤差である。

例題3

《2022（春）2．Ⅱ．4》

あるインデックスの、過去16年間の年次リターンから得られる標本平均は4％であった。母標準偏差が8％とわかっているとき、母平均についての95％信頼区間はいくらか。ただし、このインデックスのリターンは正規分布に従うものとする。

解　答 [0.08%, 7.92%]

解　説

標本の大きさ $n=16$、標本平均 $\overline{X}=4\%$、信頼係数95%より $z_{0.05/2}=1.96$、母標準偏差が既知の場合の標本平均の標準誤差 $\frac{\sigma}{\sqrt{n}}=\frac{8\%}{\sqrt{16}}=2\%$ だから

$$[4\%-1.96\times 2\%,\ 4\%+1.96\times 2\%]=[0.08\%,\ 7.92\%]$$

⑵　母分散が未知の場合

母集団（平均μ、分散σ^2）は正規分布に従うものの母分散が未知の場合、標本平均の分散$\frac{\sigma^2}{n}$は分からない。そこで、母分散σ^2の代わりに不偏分散s^2を用いる。ただし、この場合、$\frac{\overline{X}-\mu}{s/\sqrt{n}}$は$t$分布（自由度$n-1$）と呼ばれる、標準正規分布とはやや異なる分布に従う。このため、母平均の信頼区間は、次のように求める。

母平均の区間推定（母分散未知）

信頼係数$1-\alpha$の信頼区間

$$\left[\overline{X}-t_{\frac{\alpha}{2}}(n-1)\times\frac{s}{\sqrt{n}},\overline{X}+t_{\frac{\alpha}{2}}(n-1)\times\frac{s}{\sqrt{n}}\right]$$

- 母分散が未知のため、$\frac{s}{\sqrt{n}}$が標本平均の標準誤差である。

※　t 分布

t 分布（あるいは、**スチューデントの t 分布**）と呼ばれる分布で、次のような特徴を有する。

- 平均 0 に関して左右対称。
- 分布は、自由度で特定される。つまり、自由度のみがパラメータになっている。
- 分布は標準正規分布に比べより裾の厚い分布になっているが、自由度が大きくなるにつれその度合いが小さくなり、標準正規分布に近づいていく。

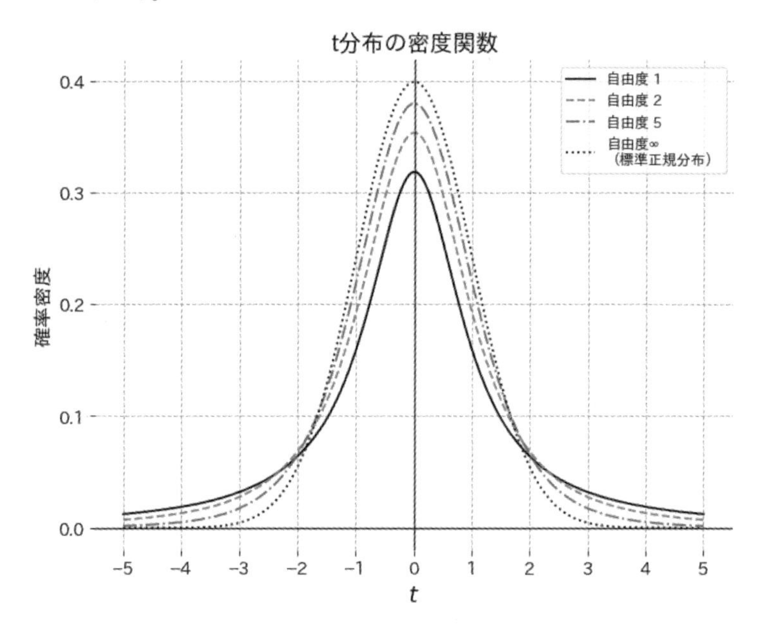

例題4

《2011（秋）. 証券. 6．Ⅰ．2》

t分布に関する次の記述のうち、正しくないものはどれか。

A　t分布は自由度を示すパラメータを1個持つ。

B　t分布は左右対称ではない。

C　t分布は標準正規分布よりも裾が厚い。

D　t分布は自由度が大きくなるにつれて、標準正規分布に近づく。

解　答　B

解　説

A　正しい。t分布は自由度だけで特定される。つまり、パラメータは自由度1つのみ。

B　正しくない。t分布は左右対称な分布。

C　正しい。

D　正しい。

4　仮説検定

Point ① 仮説検定とその手順

仮説検定とは、母集団の分布のパラメータ（母数）に関する一定の予想（仮説）を一定の判断基準にしたがって検証することをいう。

仮説検定は、ある仮説を否定できるだけの根拠があるか、それだけの根拠は十分にはないかを判断するものであり、以下のような手順を踏んで行われる。

仮説検定の手順

＜Step 1＞　仮説（帰無仮説と対立仮説）の設定
＜Step 2＞　検定統計量の選択
＜Step 3＞　有意水準（棄却域）の設定
＜Step 4＞　（データを収集し）検定統計量の実現値の計算
＜Step 5＞　判定

Point ② 仮説の設定

仮説検定を行う場合には、まず、仮説を設定する。その際、帰無仮説（null hypothesis）と対立仮説（alternative hypothesis）を並立させる。

帰無仮説 H_0：棄却したいと考えている仮説

対立仮説 H_1：帰無仮説が十分な根拠をもって棄却されたときに採用される主張

仮説の立て方は、仮説検定でどのような内容が問われているかにより、次のように分類される（母集団のパラメータをθ、仮説値をθ_0とする）。

名称	検証内容	検定仮説
①両側検定	「θ が θ_0 と等しいか否か？」を検証する場合	$\begin{cases} H_0: \theta = \theta_0 \\ H_1: \theta \neq \theta_0 \end{cases}$
②片側検定	a）「θ が θ_0 より大きいかどうか？」を検証する場合	$\begin{cases} H_0: \theta \leq \theta_0 \\ H_1: \theta > \theta_0 \end{cases}$
	b）「θ が θ_0 より小さいかどうか？」を検証する場合	$\begin{cases} H_0: \theta \geq \theta_0 \\ H_1: \theta < \theta_0 \end{cases}$

なお、上記の片側検定における帰無仮説の表し方は現行の協会通信テキストの記述に従ったものだが、あまり一般的な表現ではない。多くの統計学のテキストでは

②a）$\begin{cases} H_0: \theta = \theta_0 \\ H_1: \theta > \theta_0 \end{cases}$　　②b）$\begin{cases} H_0: \theta = \theta_0 \\ H_1: \theta < \theta_0 \end{cases}$

のように、片側検定の場合の帰無仮説を等号（=）で表している。

Point ③ 検定統計量

仮説検定を行い、帰無仮説が棄却されるかどうかについて判定するには、観測された標本データに基づく必要がある。仮説検定のために用いられる標本統計量を**検定統計量**（例えば、t 統計量）といい、観測されたデータから計算された検定統計量の具体的な値（例えば、t 値）を検定統計量の実現値という。

検定統計量として何を用いるべきかは仮説検定の内容によって様々だが、証券アナリスト試験対策としては以下の「正規分布の母平均の仮説検定（母分散（σ^2）が未知の場合）」の t 統計量を覚えておきたい。

※　正規分布の母平均の仮説検定

「母集団が正規分布に従うとして、母平均（μ）がある値（μ_0）に等しいかどうか？」について仮説検定を行う場合に、($x_1, x_2, \cdots, x_n$) という n 個の標本が観測されたとする。

検定仮説は

$$\begin{cases} H_0: \mu = \mu_0 \\ H_1: \mu \neq \mu_0 \end{cases}$$

であり、帰無仮説 H_0：$\mu = \mu_0$ が正しければ、$\dfrac{\bar{x}-\mu_0}{\sigma/\sqrt{n}}$ は標準正規分布に従う（ただし、$\bar{x}$ は標本平均で、$\bar{x} = \dfrac{x_1+x_2+\cdots x_n}{n} = \dfrac{\sum_{i=1}^{n} x_i}{n}$）。

標準正規分布に従うことから、これを z と表すと、母分散（σ^2）が既知の場合の検定統計量は、以下のような z 統計量である。

正規分布の母平均の仮説検定（母分散は既知）：z 統計量

$$z = \frac{\bar{x}-\mu_0}{\frac{\sigma}{\sqrt{n}}} = \frac{\text{標本平均}-\text{仮説値}}{\text{標本平均の標準誤差}}$$

もっとも、この検定を行う場合、母分散（σ^2）が既知ということはほとんどない。そこで、母分散が未知の場合は、母分散（σ^2）を不偏分散（s^2）で置き換えた $\dfrac{\bar{x}-\mu_0}{s/\sqrt{n}}$ が自由度 $n-1$ の t 分布に従うことを利用する。

正規分布の母平均の仮説検定（母分散）：*t* 統計量

$$t = \frac{\bar{x}-\mu_0}{\frac{s}{\sqrt{n}}} = \frac{\text{標本平均}-\text{仮説値}}{\text{標本平均の標準誤差}} \sim \text{自由度}\, n-1 \,\text{の}\, t\, \text{分布}$$

Point ④ 有意水準と棄却域

(1) 有意水準と棄却域

仮説検定を行い、帰無仮説が棄却されるかどうかについて判定する際、どの程度低い確率の結果が出てきたら帰無仮説が棄却されるかの基準になるのが**有意水準**である。有意水準は α と表されるが、5％（$\alpha=0.05$）や1％（$\alpha=0.01$）に設定されることが多い。

帰無仮説（$\mu=\mu_0$）が正しいとして、確率的には、確率 α でしか起こりえない検定統計量の範囲を**棄却域**と呼ぶ。また、棄却域との境界値を**臨界値**と呼ぶ。

検定仮説のタイプと棄却域は以下のように表される。シャドー部分が棄却域であり有意水準によってその範囲は決まる。データから計算された検定統計量の実現値が棄却域に入れば、帰無仮説は棄却される。

両側検定

$$\begin{cases} H_0 : \theta = \theta_0 \\ H_1 : \theta \neq \theta_0 \end{cases}$$

片側検定

$$\begin{cases} H_0 : \theta \leq \theta_0 \\ H_1 : \theta > \theta_0 \end{cases} \qquad \begin{cases} H_0 : \theta \geq \theta_0 \\ H_1 : \theta < \theta_0 \end{cases}$$

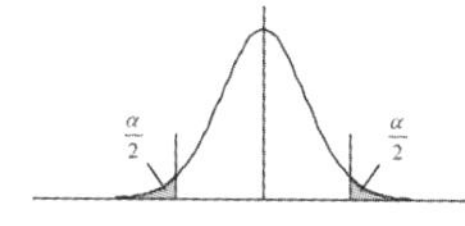

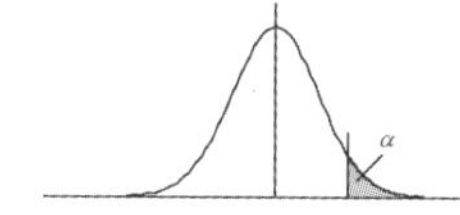

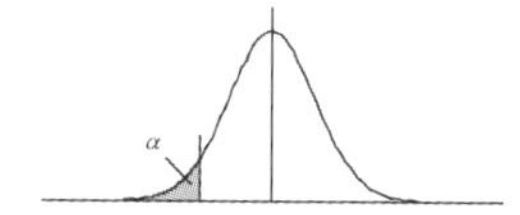

(2)　第1種の過誤と第2種の過誤

仮説検定を行った場合、その判断が正しいとは限らず、誤った判断をする場合がありうる。そうした誤った判断は次の2種類に分類される。

①　**第1種の過誤**

帰無仮説が本当は正しいにも関わらず棄却してしまう誤り。有意水準αは、第1種の過誤を犯す確率に他ならない。

②　**第2種の過誤**

帰無仮説が本当は誤っているにも関わらず棄却しない誤り。この誤りの確率をβとすると、$1-\beta$は**検出力**（**検定力**）を表す。

		帰無仮説 H_0 の真の状況	
		帰無仮説 H_0 が正しい	帰無仮説 H_0 が誤り
判定	帰無仮説 H_0 を棄却しない	正しい判断	第2種の過誤（確率＝β）
	帰無仮説 H_0 を棄却する	第1種の過誤（確率＝有意水準α）	正しい判断（確率＝検出力$1-\beta$）

Point ⑤ 判定

判定は、（収集されたデータにもとづいて計算された）検定統計量の実現値が棄却域に入るかどうかによる。

検定統計量の実現値が棄却域に入る場合	⇒ 帰無仮説 H_0は棄却される。
検定統計量の実現値が棄却域に入らない場合	⇒ 帰無仮説 H_0は棄却されない。

Point ⑥ 母平均の仮説検定

仮説検定の手順に従って、以下の設例で考える。

例題 5　ファンドマネジャーA氏の運用成績（対ベンチマーク超過収益率）に関する次のデータをもとに、A氏の運用成績がベンチマーク・リターンに比べ優れているかどうかを有意水準５％で仮説検定せよ。ただし、超過収益率は正規分布に従うものとし、自由度35の t 分布上側５％点 $t_{0.05}(35)=1.69$である。

A 氏の超過リターン

　標本平均（$\bar{r}_A$）　：0.9%$_A$

　標本標準偏差（s_A）：3.6%

サンプル数（n）：36

解　答 ▶ A氏の運用成績がベンチマーク・リターンに比べ優れているとはいえない

解　説

<Step 1>　仮説（帰無仮説と対立仮説）の設定

超過リターンの母平均（μ_A）が正かどうかを判断したいので、検定仮説は次の通り。

帰無仮説 H_0：$\mu_A \leq 0$

対立仮説 H_1：$\mu_A > 0$

<Step 2>　検定統計量の選択

母平均の仮説検定（母分散は未知）なので、検定統計量は

$$t = \frac{\text{標本平均}-\text{仮説値}}{\text{標本平均の標準誤差}} = \frac{\overline{r_A}-\mu_0}{\frac{s_A}{\sqrt{n}}}$$

サンプル数 n=36より、この t 統計量が自由度36－1＝35の t 分布に従うことを利用する。

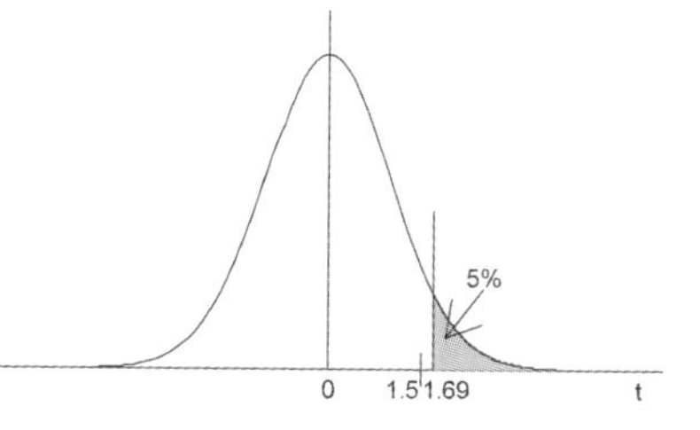

<Step 3>　有意水準と棄却域

棄却域は $t>1.69$ の領域で、図のシャドー部分。

<Step 4>　検定統計量の実現値（t 値）の計算

$$t\text{値} = \frac{0.9\% - 0}{\frac{3.6\%}{\sqrt{36}}} = 1.5$$

<Step 5>　判定

t 値(1.5)＜t の臨界値（1.69）であり、棄却域に入らないから、帰無仮説 H_0 は棄却されない。つまり、A 氏の運用成績がベンチマーク・リターンに比べ優れているとはいえない。

Point ⑦ 正規母集団に関するさまざまな仮説検定

母集団が正規分布に従う場合の母平均や母分散の仮説検定の代表的なものとして、以下のようなものがある。

1．母平均の検定	
・母平均が特定の値であるかどうかの検定	
(a) 母分散が既知の場合	…Z 検定
(b) 母分散が未知の場合	…t 検定
2．母分散の検定	
① 母分散が特定の値であるかどうかの検定	…χ^2 検定
② 2つの母集団の分散が等しいかどうかの検定	…F 検定

例題 6

《2023（春）2．I．5》

正規母集団の仮説検定に関する次の記述のうち、正しくないものはどれか。

A 母分散が既知の場合、平均が特定の値であるかの検定にはZ検定を利用する。

B 母分散が未知の場合、分散が特定の値であるかの検定にはt検定を利用する。

C 分散が特定の値であるかの検定にはχ^2検定を利用する。

D 2つの母集団の分散が等しいかの検定にはF検定を利用する。

解 答 B

解 説

B 正しくない。母分散が未知の場合、平均が特定の値であるかの検定にはt検定を利用する。しかし、分散が特定の値であるかの検定にはχ^2検定を利用する。

回帰分析の基礎

1. 傾向と対策

回帰分析は、統計学の代表的な応用手法の１つで、金融・経済の分析には不可欠のツールとなっている。旧カリキュラムの１次レベルにおける扱いは「証券分析とポートフォリオ・マネジメント」におけるマーケット・モデルへの応用として出題されていたものの、一般的な取り扱いは２次レベルの内容とされていた。

カリキュラム改定により科目Ⅲ（数量分析と確率・統計）の学習内容として取り込まれた回帰分析だが、2022年春試験では出題はなし、同秋試験では第６問Ⅱ（問１～問４）でマーケット・モデルを題材としたセット問題での出題、2023年春・秋試験は小問１題のみの出題、2024年春試験はまた出題なしと不安定な状況が続いている。

こうした出題状況からすると、学習範囲を絞っておくのが賢明かもしれない。セット問題での出題が想定される項目をまず整理しておくことがよいだろう。整理しておきたい項目としては以下のようなものがある。

- （本論に入る前段階として）散布図、標本相関係数
- 最小２乗法（OLS）による回帰係数の推定
- 決定係数（R^2）
- 回帰係数の仮説検定

「総まとめテキスト」の項目と過去の出題例

「総まとめ」の項目	過去の出題例	重要度
第５章　回帰分析		
1　標本相関係数	2022年秋・第２問・Ⅱ・問１ 2023年春・第２問・Ⅰ・問６	A
2　回帰係数の最小２乗推定	2022年秋・第２問・Ⅱ・問２	B
3　決定係数	2022年秋・第２問・Ⅱ・問３ 2023年春・第２問・Ⅰ・問６	A
4　係数の信頼区間と仮説検定	2022年秋・第２問・Ⅱ・問４ 2023年秋・第２問・Ⅰ・問７	B

2. ポイント整理

1　標本相関係数

Point ①　散布図と標本相関係数

例えば、一定期間にわたる株価指数とある株式のリターンなど、２つの変数 x と y についての n 組の標本データ (x_1, y_1), (x_2, y_2), …(x_n, y_n) が得られたとする。１組の標本データをグラフ上の点としてそれぞれ描いた下のようなグラフは**散布図**と呼ばれる。散布図を描くことにより２変数間の関係を視覚的に捉えられると同時に、回帰分析の前提となる仮定が満たされているかのチェックとして必要な作業でもある。

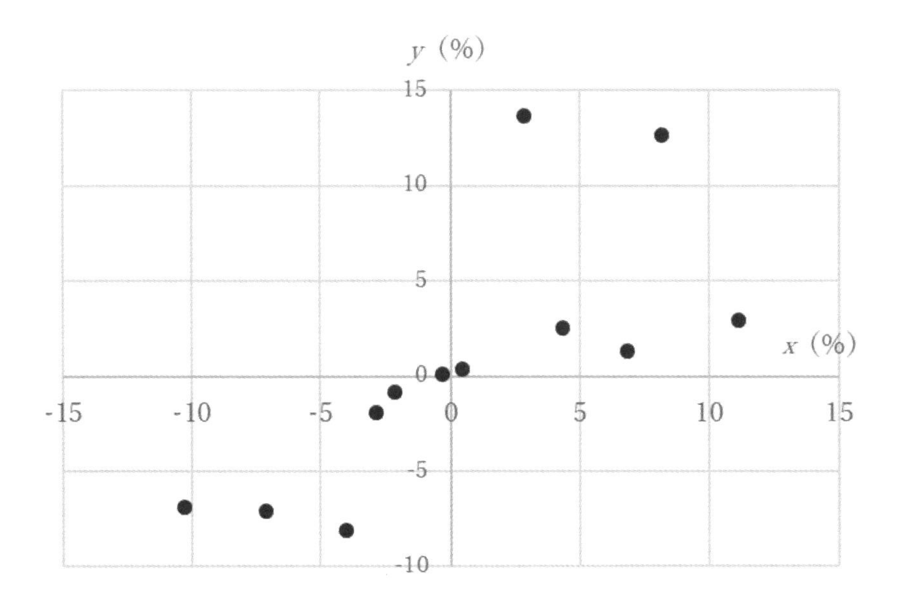

２変数間の関係を定量的に捉える数値として**標本相関係数** $r_{x,y}$ がある。標本相関係数は２変数間の標本共分散をそれぞれの標本標準偏差で割ることにより、以下のように計算できる。

標本共分散

$$s_{x,y}=\frac{\sum_{i=1}^{n}(x_i-\bar{x})(y_i-\bar{y})}{n-1}$$

ただし、x_i ：x の i 番目の観測値

y_i ：y の i 番目の観測値

$\bar{x}$ ：x の標本平均

$\bar{y}$ ：y の標本平均

n ：サンプル数

標本相関係数

$$r_{x,y}=\frac{s_{x,y}}{s_x s_y}$$

$$=\frac{\sum_{i=1}^{n}(x_i-\bar{x})(y_i-\bar{y})}{\sqrt{\sum_{i=1}^{n}(x_i-\bar{x})^2}\sqrt{\sum_{i=1}^{n}(y_i-\bar{y})^2}}$$

ただし、s_x ：x の標本標準偏差

s_y ：y の標本標準偏差

◆相関係数の性質

・相関係数は、２つの変数の間の直線的関係の強さを測る数値である。

・相関係数には単位がない（無名数である）。

・相関係数は－１から１までの値をとる（$-1 \leqq \rho_{XY} \leqq 1$）。

１．$\rho_{XY}=-1$　負の完全相関

２．$-1 \leqq \rho_{XY} < 0$　負の相関

３．$\rho_{XY}=0$　無相関

４．$0 < \rho_{XY} \leqq 1$　正の相関

５．$\rho_{XY}=1$　正の完全相関

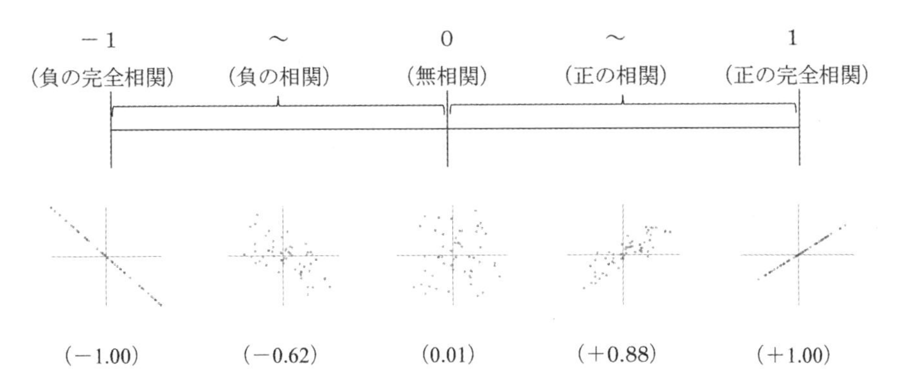

各グラフの下にある（　）内の数値は、それぞれのグラフで表された2変数の間の相関係数を表している。相関係数の符号によって2変数間の変数が全体的に同じ方向に動く傾向があるかどうかを示すとともに、相関係数の絶対値の大きさによって2変数の間の直線的関係の強さを示すものになっている。

2　回帰係数の最小２乗推定

Point ① 回帰モデル

ある変数 Y の変動を別の１つの変数 X の変動を用いた１次関数で説明する**単回帰モデル**は、次のように表される。

単回帰モデル

$y_i = \alpha+\beta x_i+\varepsilon_i \quad (i = 1,...,n)$ ただし、y_i：**被説明変数（従属変数）**の i 番目の観測値 x_i：**説明変数（独立変数）**の i 番目の観測値 ε_i：**誤差項**の i 番目の値 α, β：回帰パラメータ（α：**定数項（切片）**、β：**傾き**） n：サンプル数

以上のような説明変数が１つの単回帰モデルに対し、複数の説明変数 $x_1,x_2,...,x_k$ を用いる次のようなモデルを**重回帰モデル**という。

$$y_i = \alpha+\beta_1 x_{1,i}+\beta_2 x_{2,i}+\cdots+\beta_k x_{k,i}+\varepsilon_i \quad (i = 1,...,n)$$

また、モデルの誤差項については、通常、次のような仮定が置かれる。

①誤差項は期待値０、分散 $\sigma_\varepsilon{}^2$（一定）の正規分布に従う、すなわち、$\varepsilon_i \sim N(0, \sigma_\varepsilon{}^2)$

②誤差項間の共分散は０、すなわち、$Cov(\varepsilon_i, \varepsilon_j) = 0$（ただし、$i \neq j$）

これらのモデルのうち、１次レベルでは単回帰モデルについて整理しておく必要がある（重回帰モデルは２次レベルの学習項目になっている）。

Point ② 最小２乗法（OLS）による β と α の推定

回帰分析の主な目的は、観測値を利用してパラメータを適切に推定することである。そのためによく利用される方法として**最小２乗法**（**OLS**：ordinary least squares method）がある。

いま、パラメータ α と β の推定値を $\hat{\alpha}$、$\hat{\beta}$ とし、推定回帰式 $\hat{y} = \hat{\alpha}+\hat{\beta}x$ と表

すことにする。なお、$\widehat{y}$ は観測値 x_i に対応した推定回帰式上の値（回帰値、下のグラフの直線上の y の値）である。

最小2乗法（OLS）は、観測値と推定回帰式とのズレ（$\widehat{\varepsilon_i}=y_i-\widehat{y_i}=y_i-(\widehat{\alpha}+\widehat{\beta}x_i)$）である**残差**に着目し、その2乗和が最小になるように α と β を推定する方法である。

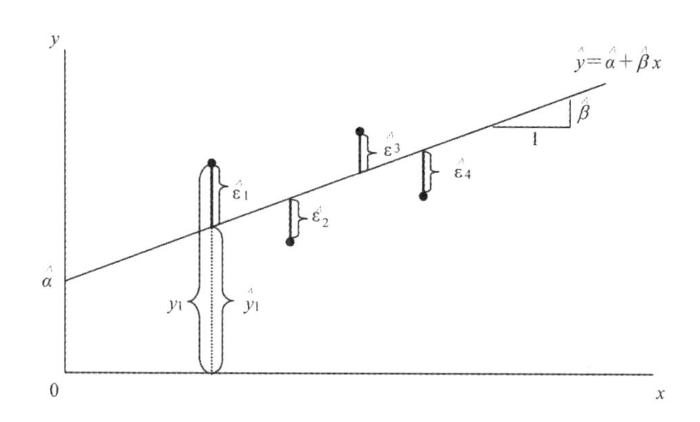

単回帰モデル $y_i=\alpha+\beta x_i+\varepsilon_i$ に OLS を用いると、パラメータの推定値 $\widehat{\alpha}$、$\widehat{\beta}$ は次のように求めることができる。

OLS によるパラメータの推定値

> $\widehat{\beta}=\dfrac{S_{XY}}{S_X^2}$
>
> $\widehat{\alpha}=\overline{Y}-\widehat{\beta}\overline{X}$
>
> ただし、 $\overline{X}$：説明変数の標本平均
>
> $\overline{Y}$：被説明変数の標本平均
>
> S_X^2：説明変数の標本分散
>
> S_{XY}：説明変数と被説明変数の標本共分散

3　決定係数

Point ①　モデルの説明力：決定係数（R^2）

回帰分析を行ったとき、推定回帰線が被説明変数の変動をうまく捉えているかを見る数値が必要になる。このための数値が**決定係数**（R^2）である。

いま、被説明変数の総変動である**全平方和**（SST、sum of suquared total）を説明変数で説明可能な変動である**回帰平方和**（SSR、sum of suquared regression）と説明変数で説明不可能な変動である**残差平方和**（SSE、sum of suquared errors）に分解して考える。つまり、

SST　=　SSR　+　SSE

（全平方和=回帰平方和+残差平方和）

という関係が成立する。

なお、それぞれの変動は次のように定義されている。

記号	定義式	意味
SST（全平方和）	$SST = \sum_{i=1}^{n}(Y_i - \overline{Y})^2$	被説明変数の総変動
SSR（回帰平方和）	$SSR = \sum_{i=1}^{n}(\hat{Y}_i - \overline{Y})^2$	説明変数で説明可能な変動
SSE（残差平方和）	$SSE = \sum_{i=1}^{n}(Y_i - \hat{Y}_i)^2$	説明変数で説明不可能な変動

決定係数 R^2 は、「被説明変数の総変動」に占める「説明変数で説明可能な変動」の割合であるため、

$$R^2 = \frac{SSR}{SST}$$

であり、SST=SSR+SSE という関係から

$$R^2 = \frac{SST - SSE}{SST} = 1 - \frac{SSE}{SST}$$

という関係が成立する。

加えて、単回帰モデル $y_i = \alpha + \beta x_i + \varepsilon_i$ の場合には、決定係数は次のように表

せる。

単回帰モデルにおける決定係数（R^2）

$$R^2=\frac{\text{説明変数の変動で説明可能な変動}}{\text{被説明変数の総変動}}=\frac{\hat{\beta}^2 s_x^2}{s_y^2}=r_{XY}^2$$

ただし、r_{XY}：説明変数と被説明変数の標本相関係数

◆決定係数（R^2）の性質

・決定係数は、回帰モデルの**説明力**（当てはまり具合）を示す尺度である。

・決定係数は、０から１までの値をとり（$0\leqq R^2\leqq 1$）、大きくなればなるほどモデルの説明力が高い。

・単回帰モデルの場合、決定係数は、説明変数と被説明変数の間の相関係数の２乗に等しい。

例題 1

《2019（春）. 証券. 6．Ⅰ．2》

単回帰分析に関する次の記述のうち、正しいものはどれですか。

A　決定係数は、説明変数と被説明変数の間の相関係数の 2 乗に等しい。

B　決定係数は 1 より大きな値をとることがある。

C　回帰線の傾きが負であるとき、決定係数は負となる。

D　残差平方和が大きいほど、決定係数は高くなる。

解　答　A

解　説

A　正しい。単回帰分析の場合、決定係数（R^2）は、説明変数と被説明変数の間の相関係数の 2 乗に等しい。

B　正しくない。決定係数は 0 から 1 までの値をとるため、 1 より大きな値をとることはない。

C　正しくない。決定係数は 0 から 1 までの値をとるため、負の値をとることはない。実際、回帰線の傾きが負であれば相関係数は負となるが、その 2 乗である決定係数は正である。

D　正しくない。決定係数 $(R^2) = 1 - \dfrac{SSE}{SST} = 1 - \dfrac{\text{残差平方和}}{\text{全平方和}}$ なので、残差平方和が大きいほど、決定係数は小さくなる。

例題2

《2019（秋）. 証券. 6．I．2》

証券Aの超過リターン（リターンからリスクフリー・レートを引いたもの）と、市場ポートフォリオの超過リターンの間の相関係数は－0.20である。市場ポートフォリオの超過リターンを説明変数、証券Aの超過リターンを被説明変数とする回帰モデル（マーケットモデル）を、最小2乗法により推定した場合の決定係数はいくらですか。

A　－0.20

B　－0.04

C　0

D　0.04

E　0.20

解　答　D

解　説

単回帰分析の場合、決定係数（R^2）は、説明変数と被説明変数の間の相関係数の2乗に等しい。よって、$R^2=(-0.20)^2=0.04$となる。

4　係数の信頼区間と仮説検定

Point ① **回帰係数の仮説検定**

最小2乗法（OLS）によって求められたパラメータの推定値を用いて、回帰係数の仮説検定を行う。誤差項が平均0、分散一定という仮定に従うとき、回帰係数の標本分布について$\dfrac{\text{回帰係数の推定値}-\text{真の値}}{\text{回帰係数の標準誤差}}=\dfrac{\hat{\beta}-\beta}{SE_{\hat{\beta}}}$が$t$分布（自由度$n-k-1$）に従うことが知られている。ただし、$k$は説明変数の個数である。このため、単回帰分析（$k=1$）の場合検定統計量は次のようになる。

回帰係数の検定統計量

$$t=\frac{\text{推定値}-\text{仮説値}}{\text{推定値の標準誤差}}\quad\cdots\quad t\text{分布（自由度}\,n-1-1=n-2\text{）に従う}$$

回帰係数　$\dfrac{\hat{\beta}-\beta_0}{SE_{\hat{\beta}}}\sim t(n-2)$

定数項　$\dfrac{\hat{\alpha}-\alpha_0}{SE_{\hat{\alpha}}}\sim t(n-2)$

仮説検定の具体的な手順は、検定統計量は異なるものの、第4章で学習した母平均に関する仮説検定と同様に考えればよい。

例題3

《2021（春）．証券．6．Ⅰ．3》

単回帰分析において、説明変数の係数が0であるかどうかの t 検定に関する次の記述のうち、正しいものはどれか。

A　t 値は、係数の推定値を説明変数の標準偏差で割った値である。

B　係数の推定値が有意水準1％で0と有意に異なるならば、有意水準5％でも0と有意に異なる。

C　係数の推定値が有意水準5％で0と有意に異なるならば、信頼係数95％の信頼区間に0が含まれる。

D　係数の仮説検定に用いられる t 分布は、観測されるデータ数にかかわらず一定である。

解　答　B

解　説

A　正しくない。t 値 $= \dfrac{\text{推定値}-\text{仮説値}}{\text{推定値の標準誤差}}$ で求める。「説明変数の係数が0であるか」の検定であり、帰無仮説は $\beta=0$（したがって、仮説値＝0）であるため、t 値 $= \dfrac{\text{推定値}-0}{\text{推定値の標準誤差}} = \dfrac{\text{推定値}}{\text{推定値の標準誤差}}$ である。よって、t 値は係数の推定値を回帰係数の推定値の標準誤差で割った値である。

B　正しい。t 値が有意水準1％の棄却域に入れば、これより棄却域の広い有意水準5％の棄却域にも入る。

C　正しくない。係数の推定値が有意水準5％で0と有意に異なれば、仮説値である0は信頼係数95％の信頼区間に含まれない。

D　正しくない。t 分布は自由度に依存する。データ数が変われば自由度も変わり、異なる t 分布となる。

M E M O

微分と最適化の基礎

1. 傾向と対策

微分は「証券分析とポートフォリオ・マネジメント」や「市場と経済の分析」で多用されているツールである。理論的説明やさまざまな公式の導出で不可欠なものであり、理論をしっかりと理解する上で重要である。

ただ、旧カリキュラム下では微分が直接不可欠とされる問題となるとその数は限られており、最適化問題（消費者や投資家の効用最大化問題）を解く過程で、多項式関数の微分が必要となるくらいに限定されていた。

カリキュラム改定後の試験では、最適化問題（関数の最大化問題）が出題されるのに加え、偏微分の計算問題（2022年春試験）、合成関数の微分を利用した指数関数の微分の計算問題（2023年春試験）、マクローリン展開（2023年秋、2024年春試験）のような微分の計算問題が出題されている。

この分野については、まずは、微分の幾何学的意味（接線の傾きの計算であること）を確認した上で、多項式の微分を利用した最適化問題を解けるようにしておくことに重点を置き、なお余裕があれば、若干難しい計算問題にも対応できるようにしておきたい。

「総まとめテキスト」の項目と過去の出題例

「総まとめ」の項目	過去の出題例	重要度
第６章　微分と最適化の基礎		
1　微分の基礎	2022年春・第２問・Ⅰ・問７ 2023年春・第２問・Ⅰ・問７ 2023年春・第２問・Ⅱ・問３ 2023年秋・第２問・Ⅰ・問８ 2024年春・第２問・Ⅰ・問３、問４	A
2　最適化問題	2022年春・第２問・Ⅰ・問８ 2022年秋・第２問・Ⅰ・問７ 2023年春・第２問・Ⅱ・問４ 2024年春・第２問・Ⅰ・問５	A

2. ポイント整理

1　微分の基礎

Point ①　代表的な関数

x の値を定めるとそれに対応して y の値が1つ定まるとき、y は x の**関数**であるといい、$y=f(x)$ のように表す。このとき、x を**独立変数**といい、y を**従属変数**という。

以下では、証券アナリスト試験対策として知っておきたい代表的な関数として、べき乗関数、指数関数、対数関数を取り上げる。

(1)　べき乗関数

関数 $f(x)$ が、変数 x を a 回掛けたもの、つまり、

$$f(x)=x^a$$

と表されるとき、この関数を**べき乗関数**と呼ぶ。

ここでの a の値は自然数（正の整数）に限らず、小数や、分数、さらには負の値であっても構わない。

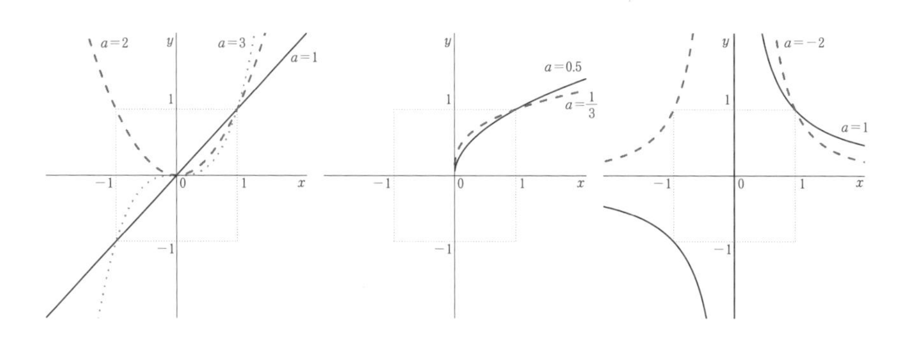

べき乗に関する演算ルールとして次のようなものがある。

	演算ルール（定義または公式）	備考
①	$x^0=1$	「0乗は1」
②	$x^a x^b=x^{a+b}$	例）$x^2x^3=(x\cdot x)\cdot(x\cdot x\cdot x)=x^{2+3}$
③	$(x^a)^b=x^{ab}$	例）$(x^2)^3=(x\cdot x)\cdot(x\cdot x)\cdot(x\cdot x)=x^{2\times 3}$
④	$x^{-a}=\dfrac{1}{x^a}$	「マイナス乗は逆数」

(2)　指数関数

関数 $f(x)$ が、1でない正の定数 a（$a>0,\ a\neq 1$）に対し、

$$f(x)=a^x$$

と表されるとき、この関数を**指数関数**といい、定数 a を指数関数の**底**という。

指数関数で特に重要なものに

$$\exp(x)=\lim_{n\to\infty}\left(1+\frac{x}{n}\right)^n$$

と定義されるものがある。

ここで、$x=1$ としたときの値を e とすると

$$e=\exp(1)=\lim_{n\to\infty}\left(1+\frac{1}{n}\right)^n=2.71828\ldots$$

であり、この定数を**自然対数の底**（あるいは、自然定数、ネイピア数、オイラー数など）と呼ぶ。

なお、

$$e^x=\exp(x)$$

が成立するため、$\exp(x)$ の代わりに e^x と表されることも多い。

代表的な指数関数

$f(x)=a^x$　または　$f(x)=\exp(x)$

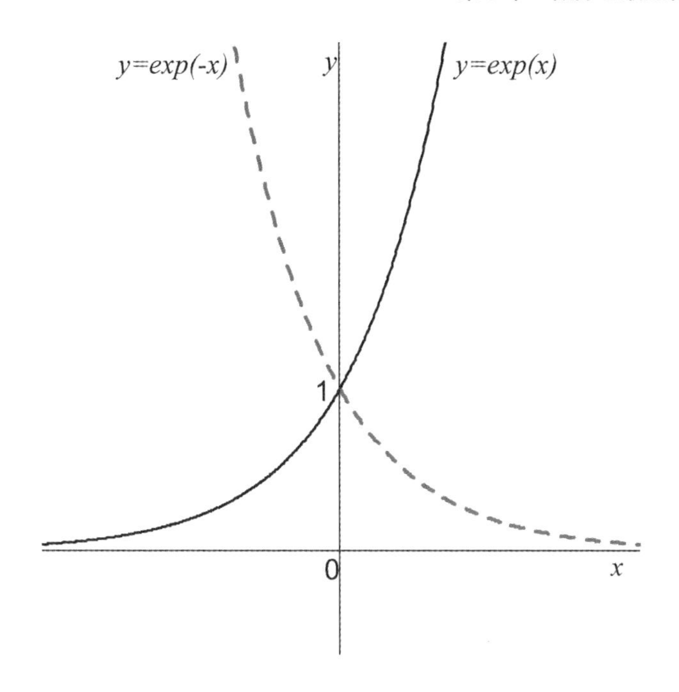

(3)　対数関数

指数演算 $y=a^x$ の x と y を入れ替え、ある数 x を a のべき乗 a^y として

$$x=a^y$$

と表される式を考える。このときの y は「底を a とする x の対数」と呼ばれ、

$$y=\log_a x$$

と表される。また、数 x を**真数**という。

例）$8=2^3$　⇔　$\log_2 8=3$

$\log_2 8(=3)$ は「底を2とする8の対数」であり、「2を何乗かすると8になる数」（つまり、3）である。

対数の中で特に重要なものが、底を $e=2.71828...$ として $\log_e x$ と表される**自然対数**である。自然対数は $\log_e x$ と表す代わりに $\ln x$ と表されることが多い。

対数には、以下のような演算ルールがある。

	演算ルール	備考
①	$\ln 1=0$	「1の対数は0」
②	$\ln e=1$	「eの対数は1」
③	$\ln a^x=x\ln a$	「真数の累乗は対数の係数」
④	$\ln ab=\ln a+\ln b$	「積の対数は、対数の和」
⑤	$\ln\frac{a}{b}=\ln a-\ln b$	「商の対数は、対数の差」

関数$f(x)$が、変数xの対数として

$$f(x)=\log_a x$$

と表されるとき、この関数を**対数関数**という。この中で特に重要なものが、自然対数で表される次のような場合である。

代表的な対数関数

$f(x)=\ln x$　または　$f(x)=\log_e x$

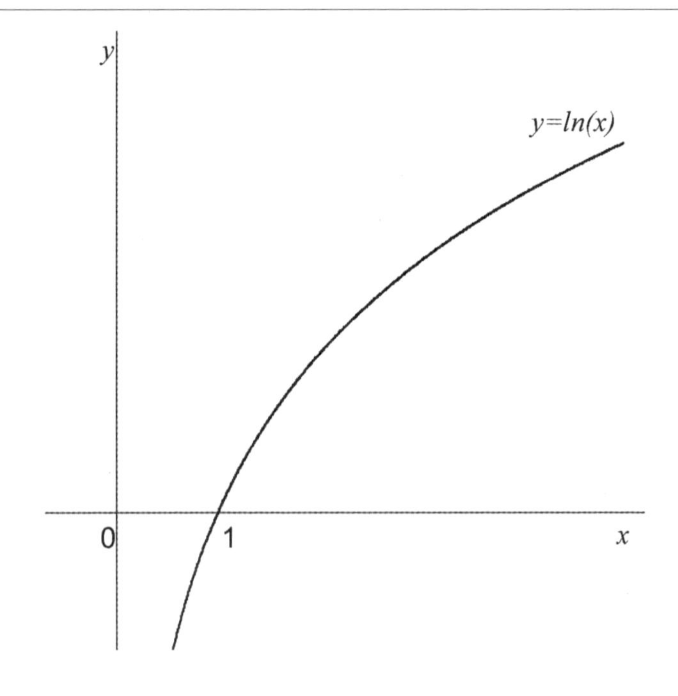

Point ② 1変数関数の微分

(1)　微分の定義と意味

関数 $y=f(x)$ の $x=a$ における極限値

$$\lim_{h\to 0}\frac{f(a+h)-f(a)}{h}$$

を関数 $y=f(x)$ の $x=a$ における**微分係数**といい、$f'(a)$ または $\frac{d}{dx}f(a)$ のように表す。

この定義は、グラフでは以下のように見ることができる。

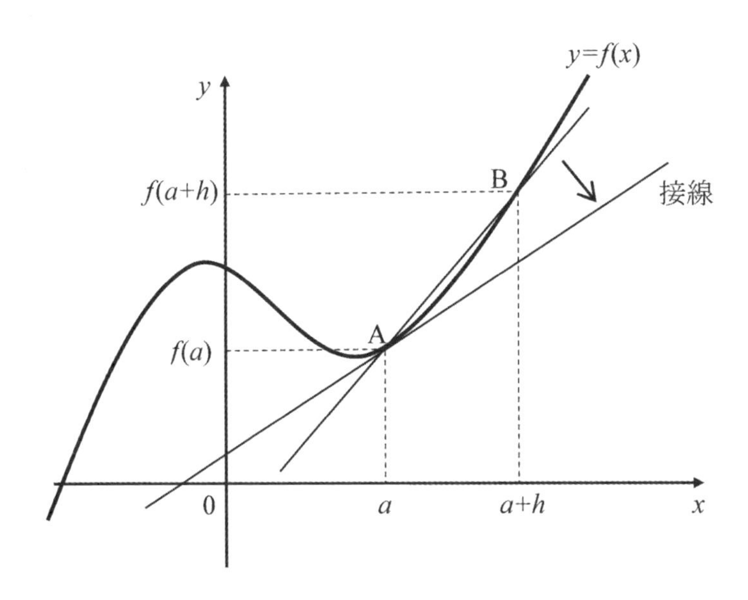

横軸の値が $x=a$ から $x=a+h$ に h だけ変化すると、縦軸の値は $y=f(a)$ から $y=f(a+h)$ に $f(a+h)-f(a)$ だけ変化する。このとき、「x の変化（Δx）に対する y の変化（Δy）の割合」（$\frac{\Delta y}{\Delta x}$）は

$$\frac{\Delta y}{\Delta x}=\frac{f(a+h)-f(a)}{h}$$

であり、グラフ上の2点A、Bを結ぶ直線の傾きに相当する。

ここでhを0に近づけて極限をとること（$\lim_{h \to 0}$）は、点BをAに限りなく近づけることを意味し、2点A、Bを結ぶ直線は点$A(a,\ f(a))$における接線に近づく。このため、$x=a$における微分係数$f'(a)$は、点Aにおける**接線の傾き**と見ることができる。

このように、微分係数は「xの変化（Δx）に対するyの変化（Δy）の割合」を表しているが、Δxを0に近づけたときの極限をとっているため、xをわずかに変化させたときのyの変化を考えていることになる。このわずかな変化を微小変化と呼び、微分係数$f'(a)$は$x=a$における「xの**微小変化**に対するyの変化の割合」を表している。

微分の意味

- 独立変数の微小変化に対する従属変数の変化の割合
- グラフ上の点における接線の傾き

関数$y=f(x)$の各点aに対し微分係数$f'(a)$を対応させると新たな関数を定めることができる。この新たな関数を$y=f(x)$の**導関数**といい、y'、$f'(x)$、$\frac{dy}{dx}$、$\frac{df}{dx}(x)$、$\frac{d}{dx}f(x)$、などと表す。

以上のように、関数$y=f(x)$に対して、その関数上の点における微分係数を求めたり導関数を求めたりすることを「関数$y=f(x)$を**微分する**」という。

微分の表記方法

y'、$f'(x)$、$\frac{dy}{dx}$、$\frac{df}{dx}$、$\frac{d}{dx}f(x)$、など

⑵ 関数の増減と極大・極小

微分係数はグラフ上の点における接線の傾きであることから、関数の増減を調べたり、最大値や最小値を求めたりするのに有用である。

関数の増減と微分係数の符号

> 関数 $y=f(x)$ について、
> ・$f'(x)$ が正の値をとる区間(接線は右上がり)では、$y=f(x)$ は単調増加
> ・$f'(x)$ が負の値をとる区間(接線は右下がり)では、$y=f(x)$ は単調減少

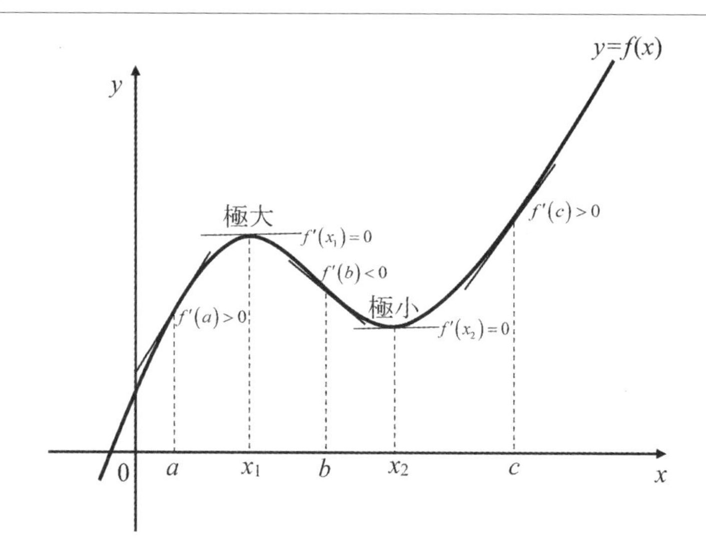

関数 $y=f(x)$ が上図のように表される場合、

（i）$x<x_1$ のとき　　$f'(a)$ のように正になっており、$y=f(x)$ は単調増加
（ii）$x_1<x<x_2$ のとき　$f'(b)$ のように負になっており、$y=f(x)$ は単調減少
（iii）$x>x_2$のとき　　$f'(c)$ のように正になっており、$y=f(x)$ は単調増加

である。

また、$x=x_1$ のように増加から減少に転ずるときを**極大**、$x=x_2$ のように減少から増加に転ずるときを**極小**という。また、そのときの関数値 $f(x_1)$ を**極大値**、$f(x_2)$ を**極小値**（これらを総称して**極値**）という。極大や極小の場合、それらの点における接線は水平、つまり、接線の傾きである微分係数は0である。

極値をとるための条件

関数 $y=f(x)$ が $x=a$ で極値（極大値または極小値） $\Rightarrow$ $f'(a)=0$

この条件は、最適化問題を解くときによく用いられる。ただし、「極値をとれば微分係数は 0 」というだけで、逆に、微分係数が 0 だからといって極値をとるとは限らない。極大点または極小点である他に、変曲点である可能性もある（後述、２階微分と関数の凹凸の項参照）。

(3) 代表的な関数の微分公式

代表的な関数の微分公式は、以下の式で与えられる。

	関数形	微分公式
① べき乗関数	$f(x)=x^a$（ただし、a は定数）	$f'(x)=ax^{a-1}$
② 指数関数	$f(x)=e^x$（ただし、e は自然対数の定数、$e=2.71828...$）	$f'(x)=e^x$
③ 対数関数	$f(x)=\ln x$（ただし、ln は自然対数）	$f'(x)=\frac{1}{x}$

(4) 微分の演算公式

関数 $f(x)$、$g(x)$ について、次が成り立つ。

	公式
① 定数倍	$\{kf(x)\}'=kf'(x)$（ただし、k は定数）
② 和	$\{f(x)+g(x)\}'=f'(x)+g'(x)$
③ 差	$\{f(x)-g(x)\}'=f'(x)-g'(x)$
④ 積	$\{f(x)\cdot g(x)\}'=f'(x)\cdot g(x)+f(x)\cdot g'(x)$
⑤ 商	$\left\{\frac{f(x)}{g(x)}\right\}'=\frac{f'(x)g(x)-f(x)g'(x)}{\{g(x)\}^2}$（ただし、$g(x)\neq 0$）
⑥ 合成関数	$\{g(f(x))\}'=g'(f(x))f'(x)$

合成関数の微分は、$y=f(x)$、$z=g(y)$ とすると、$\dfrac{dz}{dx}=\dfrac{dz}{dy}\cdot\dfrac{dy}{dx}$ のように導関数を掛け合わせたように表せることから、**チェインルール**（連鎖率）ともいう。

(5)　多項式関数の微分

多項式関数とは

$f(x)=a_0x^n+a_1x^{n-1}+\cdots+a_{n-1}x+a_n$（ただし、$a_0, a_1, \cdots, a_{n-1}, a_n$ は定数）

のように表される関数をいう。証券アナリスト試験で微分の計算が実際に必要とされるのは、多項式関数の微分が多い。

多項式関数の微分は、べき乗関数の微分公式と微分の演算公式から行うことができ、以下の3点に注意して機械的に計算すればよい。

多項式の導関数の計算手順

①係数：変数 x を含む項の係数に、指数部分の数値を掛ける
②指数：変数 x を含む項の指数部分から1を引く
③定数項：消去する（定数の導関数はゼロのため）

例）$f(x)=4x^3-7x^2+3x+1$

$$f'(x)=3\times4x^{3-1}-2\times7x^{2-1}+1\times3x^{1-1}+0$$
$$=12x^2-14x+3x^0$$
$$=12x^2-14x+3\quad(\because x^0=1)$$

例題 1

《2023（春）2．Ⅰ．7》

x の関数 $f(x)=-e^{2x+1}$ を x で微分したとき、$x=-\dfrac{1}{2}$ における値はいくらか。ただし、e は自然対数の底である。

A　−2
B　−1
C　0
D　1
E　2

解　答 ▶ A

解　説

合成関数の微分公式 $\frac{dz}{dx}=\frac{dz}{dy}\cdot\frac{dy}{dx}$ **を用いる。**$z=f(y)$、$y=g(x)$ **とすると、**$\frac{dz}{dx}=\frac{dz}{dy}\cdot\frac{dy}{dx}=f'(y)g'(x)$

$f(x)=-e^{2x+1}=z$ **で、**$z=-e^{y}$, $y=2x+1$ **とすると、**

$\frac{dz}{dy}=-e^{y}$, $\frac{dy}{dx}=2$ **より**

$$f'(x)=-e^{y}\times 2$$
$$=-2e^{2x+1}$$

より、

$$f'\left(-\frac{1}{2}\right)=-2e^{2\times\left(-\frac{1}{2}\right)+1}$$
$$=-2e^{0}$$
$$=-2$$

(6)　2階微分

関数 $y=f(x)$ を1度微分して得られた $f'(x)$ をもう1度微分することを**2階微分**といい、次のように表す。

y''、$f''(x)$、$\frac{d^2y}{dx^2}$、$\frac{d^2f}{dx^2}(x)$、$\frac{d^2}{dx^2}f(x)$、など

これに対し、1度だけ微分することを**1階微分**という。微分係数と導関数を区別して言う場合には、**1階の微分係数、1階の導関数、2階の微分係数、2階の導関数**という。

同様に、2階微分して得られた $f''(x)$ をもう1度微分することを**3階微分**という。さらに、この操作を n 回繰り返して行うことを**n 階微分**といい、次のように表す。

$$y^{(n)}、f^{(n)}(x)、\frac{d^n y}{dx^n}、\frac{d^n f}{dx^n}(x)、\frac{d^n}{dx^n}f(x)、など$$

一般に、２階微分以降の微分を総称して、**高階微分**という。

(7)　２階微分と関数の凹凸

２階微分可能な関数 $y=f(x)$ について、２階導関数 $f''(x)$ が正の値をとる区間では、$y=f(x)$ は下に凸であり、これを**凸関数**という。$f''(x)$ が負の値をとる区間では、$y=f(x)$ は上に凸であり、これを**凹関数**という。

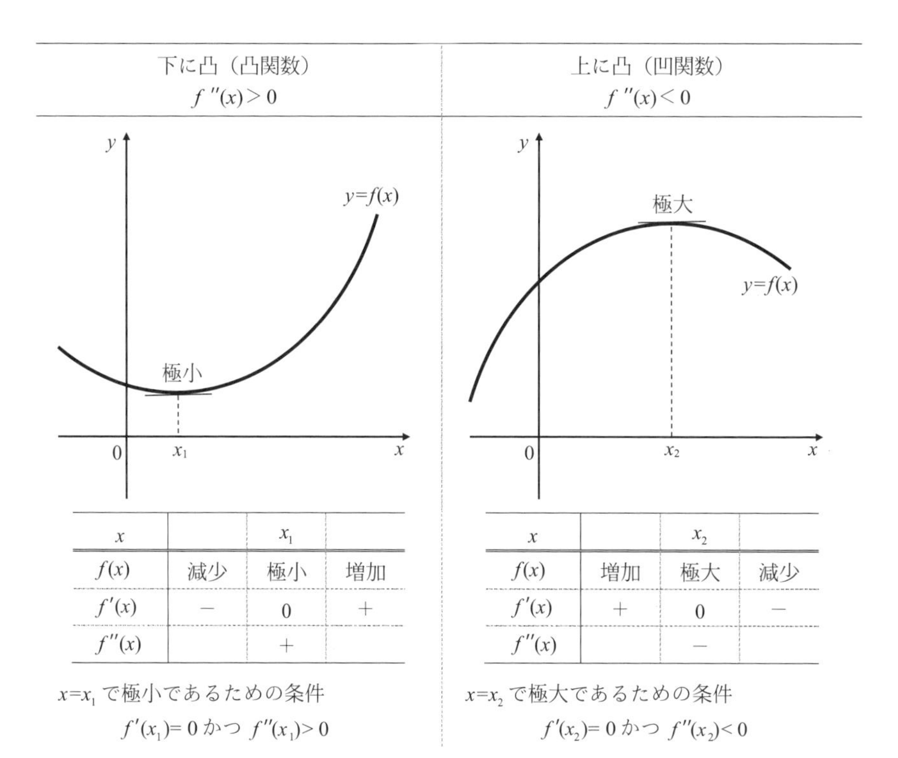

x		x_1	
$f(x)$	減少	極小	増加
$f'(x)$	－	0	＋
$f''(x)$		＋	

$x=x_1$ で極小であるための条件

$f'(x_1)=0$ かつ $f''(x_1)>0$

x		x_2	
$f(x)$	増加	極大	減少
$f'(x)$	＋	0	－
$f''(x)$		－	

$x=x_2$ で極大であるための条件

$f'(x_2)=0$ かつ $f''(x_2)<0$

以上のように、１階微分が０（$f'=0$）というのは、関数が極大または極小であるための必要条件に過ぎない。極大または極小であるためには、２階微分の符号についての条件も加わる。

また、1階微分が0（$f'=0$）であっても、極値を持たないケースもある。

例えば、$f(x)=x^3$は

$$f'(x)=3x^2$$

$$f''(x)=6x$$

となるから、表にすると以下の通り。

x		0	
$f(x)$	増加		増加
$f'(x)$	＋	0	＋
$f''(x)$	－	0	＋

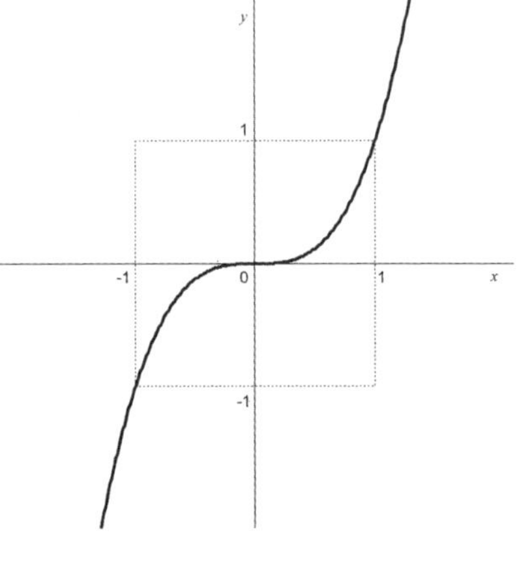

$x=0$において1回微分は0になっているものの、この関数は単調増加関数であり極値を持たない。

また、$x=0$の前後で2回微分の符号がマイナスからプラスに転じており、

$x\leq 0$では上に凸（凹関数）、$x\geq 0$では下に凸（凸関数）

というように、グラフ（関数）の凸性も入れ替わっている。このようにグラフ（関数）の凸性が入れ替わる点を**変曲点**という。

例題2

《2022（春）2．I．8》

xの関数が$U(x)=0.05x+0.01(1-x)-0.05x^2$とする。このとき、この関数$U(x)$が最大となる$x$はいくらか。

A　0.1

B　0.2

C　0.3

D　0.4

E　0.5

解　答 ▶ D

解　説

$U(x)$ が$x=x^*$で $U(x)$ が最大値をとるための条件は $U'(x^*)=0$である。

$$U'(x^*) = -0.1x^*+0.04 = 0$$
$$\therefore x^* = 0.4$$

なお、２回微分は

$$U''(x^*) = -0.1 < 0$$

であり、右のグラフからも明らかなように上に凸のグラフとなるから、$x^*=0.4$ で確かに最大値をとる。

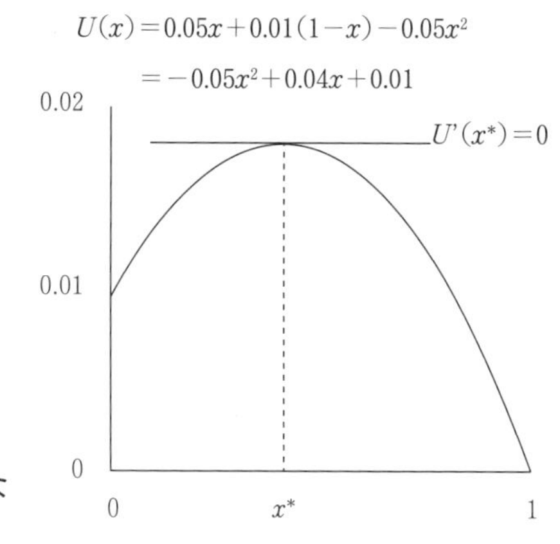

⑻　関数の多項式近似：テーラー展開

x の関数 $y=f(x)$ が n 回微分可能であるとすると、この関数は $x=a$ の回りで次のように多項式近似できる。

$$f(x) \approx f(a)+f'(a)(x-a)+\frac{1}{2}f''(a)(x-a)^2+\frac{1}{3!}f^{(3)}(a)(x-a)^3 +\cdots+\frac{1}{n!}f^{(n)}(a)(x-a)^n$$

これを**テーラー展開**という。また、この式で特に $a=0$ として表した次の式を**マクローリン展開**という。

$$f(x) \approx f(0)+f'(0)x+\frac{1}{2}f''(0)x^2+\frac{1}{3!}f^{(3)}(0)x^3+\cdots+\frac{1}{n!}f^{(n)}(x)x^n$$

マクローリン展開の代表例

例1) $f(x)=e^x$

$$f(x)\approx 1+x+\frac{1}{2}x^2+\frac{1}{6}x^3+\cdots$$

例2) $g(x)=\ln(1+x)$

$$g(0)\approx x-\frac{1}{2}x^2+\frac{1}{3}x^3-\cdots$$

1° $f(x)$をマクローリン展開すると

$$f(x)\approx f(0)+f'(0)x+\frac{1}{2}f''(0)x^2+\frac{1}{6}f'''(0)x^3+\cdots$$

ここで、$f(x)=e^x$ より、$f'(x)=e^x$, $f''(x)=e^x$, $f'''(x)=e^x$, …

$$f(0)=f'(0)=f''(0)=f'''(0)=\cdots=e^0=1$$

よって、 $f(x)\approx 1+x+\frac{1}{2}x^2+\frac{1}{6}x^3+\cdots$

2° $g(x)$をマクローリン展開すると

$$g(x)\approx g(0)+g'(0)x+\frac{1}{2}g''(0)x^2+\frac{1}{6}g'''(0)x^3+\cdots$$

ここで、$g(x)=\ln(1+x)$ より、$g'(x)=\frac{1}{1+x}$, $g''(x)=-\frac{1}{(1+x)^2}$,

$$g'''(x)=\frac{2}{(1+x)^3}$$

$$g(0)=\ln(1+0)=\ln 1=0、g'(0)=\frac{1}{1+0}=1,$$

$$g''(0)=-\frac{1}{(1+0)^2}=-1,\ g'''(0)=\frac{2}{(1+0)^3}=2$$

よって、$g(0)\approx x-\frac{1}{2}x^2+\frac{1}{3}x^3-\cdots$

例題3

《2024(春) 2.Ⅰ.4》

xの関数$f(x)=e^x$をxの3次の項までマクローリン展開したときの、$x=1$の値はいくらか。ただし、eは自然対数の底である。

A 2.0000

B 2.5000

C 2.5417

D 2.6667

E 2.7083

解　答　2.6667

解　説

$f(x)=e^x$ を3次の項までマクローリン展開すると

$$f(x)\approx 1+x+\frac{1}{2}x^2+\frac{1}{6}x^3$$

$x=1$ のとき、

$$f(1)\approx 1+1+\frac{1}{2}\times 1^2+\frac{1}{6}\times 1^3$$
$$=2.66666...$$
$$\approx 2.6667$$

Point ③ 多変数関数の微分（偏微分）

(1)　偏微分

2変数関数 $f(x, y)$ について、$y=b$ を固定して極限値

$$\lim_{h\to 0}\frac{f(a+h,b)-f(a,b)}{h}$$

が存在するとき、その極限値を関数 $f(x, y)$ の点 (a, b) における **x についての偏微係数**といい、$\dfrac{\partial}{\partial x}f(a,b)$ または $f_x(a, b)$ と表す。

同様に、$x=a$ を固定して極限値

$$\lim_{h\to 0}\frac{f(a,b+h)-f(a,b)}{h}$$

が存在するとき、その極限値を関数 $f(x, y)$ の点 (a, b) における **y についての偏微係数**といい、$\dfrac{\partial}{\partial y}f(a,b)$ または $f_y(a, b)$ と表す。

なお、∂ は「ラウンド」「ラウンド・ディー」等と読む。

また、(a, b) の各点に対して $f_x(a, b)$ を対応させて新たに定めた関数を **x についての偏導関数**といい、$\dfrac{\partial}{\partial x}f(x,y)$ または $f_x(x, y)$ と表す。同様に、$(a,$

b）の各点に対して $f_y(a, b)$ を対応させて新たに定めた関数を **y についての偏導関数**といい、$\frac{\partial}{\partial y}f(x,y)$ または $f_y(x, y)$ と表す。

偏微分の表記方法

$\frac{\partial}{\partial x}f(x,y)$、$f_x(x,y)$、$\frac{\partial}{\partial y}f(x,y)$、$f_y(x,y)$、など

⑵　偏微分の計算

偏微分の計算は、偏微分する変数以外の変数は定数とみて、その変数について微分して求める。

例）　$f(x,y) = x^3+x^2y^2+2y^3+3$

これを x について偏微分するときは、y は定数とみて、x で微分して求める。

$$\frac{\partial}{\partial x}f(x,y) = 3x^2+2xy^2$$

また、これを y について偏微分するときは、x は定数とみて、y で微分して求める。

$$\frac{\partial}{\partial y}f(x,y) = 2x^2y+6y^2$$

例題 4

《2022（春）２．Ⅰ．７》

x と y の関数 $f(x, y) = 2x^2+y^2+5xy$ を x で偏微分したとき、$x=1$、$y=1$ におけるこの偏微分の値はいくらか。

A　8

B　9

C　10

D　11

E　12

解　答　B

解　説

「x で偏微分する」とは、y を定数とみなして x で微分することだから

$$f_x(x, y) = 2 \times 2x^{2-1} + 0 + 5y$$
$$= 4x + 5y$$

$x=1$、$y=1$ のとき

$$f_x(1,1) = 4 \times 1 + 5 \times 1 = 9$$

2　最適化問題

Point ①　最適化

最適化とは、

①予算のもとで、効用が最大となる消費の組合せを決める

②生産技術の制約のもとで、費用が最小となる生産要素の組合せを決める

③投資対象証券のリターンの予想に基づき、効用が最大となるポートフォリオを決める

等のように、与えられた**制約条件**のもとで、望ましいもの（あるいは、その逆に望ましくないもの）を表した関数である**目的関数**を最大化（または最小化）する変数を求めることをいう。

上記の例では、制約条件と目的関数は以下のようになっている。

制約条件	目的関数	最大化 or 最小化
①　予算	効用関数	最大化
②　生産技術	費用関数	最小化
③　各証券のリターンの予想	効用関数	最大化

このように最適化は、制約条件のもとで最大化または最小化を図る問題として定式化される。テキスト等では、以下のように書かれることもある。

最大化問題	最小化問題
max 目的関数 *s.t.* 制約条件（等式 or 不等式）	min 目的関数 *s.t.* 制約条件（等式 or 不等式）

max は maximize「目的関数を最大化せよ」、min は minimize「目的関数を最小化せよ」、s.t. は “subject to…” の略で「…という条件を満たすように」という意味を表している。

Point ② 線形計画問題と非線形計画問題

最適化問題は、線形計画問題と非線形計画問題に分類されることがある。

名称	内容	代表的な解法
線形計画問題	目的関数と制約条件が１次方程式または１次不等式で表される場合	**シンプレックス法**
非線形計画問題	目的関数または制約条件が１次式では表せない場合	**ラグランジュの未定乗数法（ラグランジュ乗数法）**…制約条件が等式の場合 **KKT 条件（カルーシュ＝クーン＝タッカー条件）**…制約条件が不等式の場合も適用可能

Point ③ 最適化問題の解法

証券アナリスト試験で出題される最適化問題としては、非線形最適化問題（等式制約条件付）が重要である。さまざまな解法があるが、代表的な方法として以下のような方法がある。

◆等式制約条件付最適化問題の解法

$$\begin{aligned}&\max f(x,y)\\&s.t.\quad g(x,y)=a\end{aligned}\quad \text{or}\quad \begin{aligned}&\min f(x,y)\\&s.t.\quad g(x,y)=a\end{aligned}$$

（解法１）等式制約条件を利用して変数を減らして解く方法

＜step1＞等式制約条件（$g(x,y)=a$）を利用して、目的関数（$f(x,y)$）の変数を減らす。

＜step2＞最適化のための１階の条件（微分係数＝0）を利用して解を求める。

（解法２）ラグランジュ未定乗数法によって解く方法

<step1>ラグランジアンLと呼ばれる関数を設定する。

$L = f(x, y) - \lambda \underline{(g(x, y) - a)}$（ただし、λはラグランジュ定数）

↑

制約条件を$g(x, y) - a = 0$と変形した式の左辺を当てはめる

<step2>最適化のための１階の条件（各変数及びλについて偏微係数＝0）からできる連立方程式の解を求める。

例題５

《2014（秋）．経済．１．Ⅰ．３》

余暇時間と労働時間の選択問題において、効用関数が$u = ty$（t：余暇時間，y：所得）で表せるとする。労働者は100時間を余暇と労働に振り分け、労働時間に時給を掛けたものが所得であるとする。時給が50円のとき、この労働者の問題は

$\max u = ty$

$s.t.\ \ y = 50(100 - t)$

と定式化できる。この労働者の最適な余暇時間はいくらか。

A　40時間

B　45時間

C　50時間

D　55時間

E　60時間

解　答　C

解　説

（解法1）等式制約条件を利用して変数を減らして解く方法

<step1>等式制約条件を利用して、効用関数の変数を減らす。

解答は余暇時間 t を求める問題なので、制約条件を使って y を消去し、効用関数 u を独立変数が t のみの関数として表す。

この場合は、制約条件が $y=50(100-t)$ と表されているので、これをそのまま効用関数 u に代入すれば y を消去できる。

$$
\begin{aligned}
u&=ty\\
&=t\times 50(100-t)\\
&=5000t-50t^2
\end{aligned}
$$

<step2>効用関数 u を t に関して最大化する。そのために、u を t で微分して＝0とおき、得られた方程式を解く。

$$\frac{du}{dt}=5000-2\times 50t^{2-1}=0$$

$$5000-100t=0$$

$$\therefore t=50$$

（解法2）ラグランジュ未定乗数法を利用して解く方法

<step1>ラグランジアン L の設定

L＝目的関数－λ×制約条件

↑　　　　　　↑

$u=ty$ の右辺　　$y-50(100-t)=0$ と変形して得られる左辺を当てはめる

この場合、ラグランジアンは次の通り。

$$
\begin{aligned}
L&=ty-\lambda\{y-50(100-t)\}\\
&=ty-\lambda y+5000\lambda-50\lambda t
\end{aligned}
$$

<step2>ラグランジアン L を t，y，λ に関して偏微分してそれぞれ＝0とし、それらからできる連立方程式を解く。

tで偏微分　$\frac{\partial L}{\partial t} = y - 50\lambda = 0$

yで偏微分　$\frac{\partial L}{\partial y} = t - \lambda = 0$

λで偏微分　$\frac{\partial L}{\partial y} = -\{y - 50\ (100 - t)\} = 0$

（結局は、制約条件そのもの）

以上を連立させて解けば

$t=50,\ y=2500,\ \lambda=50$

例題 6　ある投資家が、証券 X と安全資産を用いて、リターン R の期待値 $E[R]$ とその分散（標準偏差の 2 乗）$Var[R]$ で表される以下の効用関数 $U=E[R]-\frac{\gamma}{2}Var[R]$ を最大化するポートフォリオを作成するとき、証券 X への投資比率はいくらか。ただし、リスク回避度 $\gamma=10$ である。また、証券 X の収益率の期待値は6.0％、標準偏差は10.7％であり、リスクフリー・レートは 1 ％（年率）であるため、証券 X への投資比率を w とすると、株式 X と安全資産からなるポートフォリオについて

期待値　$E[R]=0.06\,w+0.01(1-w)=0.05w+0.01$

分散　$Var[R]=0.107^2\,w^2$

と表せるものとする。

A　29%

B　35%

C　44%

D　56%

E　71%

解　答　C

解　説

2 本の等式制約条件を目的関数に代入して、変数を減らして解く。

<step1>等式制約条件を利用して、効用関数の変数を減らす。

期待値と分散の式を効用関数に代入すると

$$U=(0.05w+0.01)-\frac{10}{2}\times 0.107^2 w^2$$

<step2>効用関数 U を w に関して最大化する。そのために、U を w で微分して=0 とおき、得られた方程式を解く。

$$\frac{dU}{dw}=0.05-2\times\frac{10}{2}\times 0.107^2 w=0$$

$$\Leftrightarrow 0.05-10\times 0.107^2 w=0$$

$$\therefore \quad w=\frac{0.05}{10\times 0.107^2}=0.436...\approx 44\%$$

MEMO

第3部
職業倫理・行為基準

科目Ⅲでは総得点が合格最低点に達していても、「職業倫理・行為基準」の得点が一定水準に達しない場合は不合格となる。

証券アナリスト職業行為基準の概要

1. 傾向と対策

この章では、言葉の定義などを含む職業行為基準の概要について学習する。証券分析業務は、「投資情報の提供」、「投資推奨」、「投資管理」の３つに分類されるが、CMAの担当している各業務がどの業務に当たるのかを、まず確認しておく必要がある。

過去の出題傾向としては、毎回最低１問はこの章に関する出題がなされる。

「総まとめテキスト」の項目と過去の出題例

「総まとめ」の項目	過去の出題例	重要度
第１章　証券アナリスト職業行為基準の概要		
１証券アナリスト職業行為基準		C
２職業行為基準における主な用語の定義		
証券分析業務	2022年秋・第１問・問１ 2023年春・第１問・問１ 2023年秋・第１問・問１ 2024年春・第１問・問１	A
職業行為基準や関係法令等	2023年春・第１問・問１、問３ 2023年秋・第１問・問２	B
３総則		C

(注) 小問１問の中で選択肢が複数の論点にまたがるものは複数の項目で計上している。

2. ポイント整理

1　証券アナリスト職業行為基準

Point ① 証券アナリスト職業行為基準の要約

1. 定義

　職業行為基準の適用対象や重要な概念についての定義。

2. 総則

　会員が証券分析業務を行うにあたって規範とすべき、一般的な倫理とルールの規定。

3. 投資情報の提供等

　投資情報の提供、投資推奨および投資管理を行うにあたっての合理的な根拠、および表示についての規定。

4. 投資の適合性の確認等

　投資情報の提供、投資推奨および投資管理を行うにあたっての、投資の適合性の確認等についての規定。

5. 不実表示に係る禁止等

　証券分析業務の能力等に関わる重要な事項についての表示、および投資管理の成果の提示についての規定。

6. 受任者としての信任義務

　会員が受任者として負う信任義務についての規定。

7. 利益相反の防止および開示等

　証券分析業務に従事する会員の利益相反についての規定。

8. 未公開の重要な情報の利用の禁止等

　インサイダー取引の禁止についての規定。

9. その他の行為基準

Point ② 証券アナリスト職業行為基準

証券アナリストが遵守すべき職業行為基準とは以下の通りである。

証券アナリスト職業行為基準

（社）日本証券アナリスト協会

日本証券アナリスト協会は、広く投資関連業界を通ずる専門家組織として昭和37年に発足して以来、証券分析技術と証券アナリストの社会的地位の向上を目指し、一貫した活動を続けてきた。特にわが国資本市場の発展と国際化に伴い、証券アナリストの専門職能に対するニーズが急速に高まってきたことにかんがみ、本協会の会員の権威と信用の一層の向上を図るためには、職業的専門家にふさわしい自主的ルールを確立することが不可欠と考えられたため、昭和62年に「証券アナリスト職業行為基準」を制定し、会員の職業行為の指針として、同基準の普及・定着と職業倫理意識の涵養に努めてきたところである。

しかしながら、最近、資産運用業務の拡大や投資技術の発達に伴い、証券アナリストの職業行為も一段と高度化し、多様化しつつある。また、同時に、投資のグローバル化を映じて、国際的にも証券アナリストの職業倫理・行為基準に関する統一的なガイドライン制定や各国協会固有の基準改訂の動きが広がってきている。

したがって、本協会では、「証券アナリスト職業行為基準」を投資環境と証券アナリストの職業基盤の急速な変化に即応させ、かつ国際的にも遜色ない高度の基準として維持していく必要があると考え、平成12年６月、基準を全面的に見直し、所要の修正と、受任者としての信任義務、投資管理の成果の提示、利益相反の開示など、規定の追加、新設を行った。

さらに、平成14年６月には、当時の米国における証券アナリストを巡る批判等を踏まえ、利益相反の防止および開示の項目の証券アナリストの個人的投資についての規定の追加等、その他所要の改正を行った。

この基準は、会員の所属する業界のいかんにかかわらず、証券分析に関するすべての職務に共通する行為基準として、自主的に遵守すべきものである。

1．定　　義

この基準における主な用語の定義は、次の通りとする。

(1)「会員」とは、個人会員（検定会員および一般会員）ならびに個人賛助会員をいう。ただし、基準「５．不実表示に係る禁止等」に定める会員には、法人会員および証券分析業務を行う法人賛助会員を含む。

(2)「証券分析業務」とは、証券投資に関する諸情報の分析と投資価値の評価とに基づく投資情報の提供、投資推奨または投資管理をいう。

(3)「信任関係」とは、会社とその役員、信託の受益者と受託者、証券の発行者と引受人、年金基金とその理事、顧客と投資顧問業者等、一方が相手方の信頼を受けて、専門的業務または相手方の授権に基づく業務を行う関係をいう。

(4)「信任義務」とは、信任関係に基づき信頼を受けた者が、相手方に対して真に忠実に、かつ職業的専門家としての十分な注意をもって行動する義務をいう。

(5)「実質的保有」とは、証券の名義人であるか否かにかかわりなく、当該証券に関する経済的利害が当人に帰属する場合の保有その他の関係をもつことをいう。

(6)「重要な情報」とは、特定の証券の発行者に係る情報であって、一般の投資者の投資判断または証券の価格に重大な影響を与えるものをいう。

2．総　　則

(1)　会員は、証券分析業務のもつ重要な社会的役割にかんがみ、誠実に職務を励行し、互いに証券アナリストの社会的信用および地位の向上に努めなければならない。

(2)　会員は、常に証券分析に関する理論と実務の研鑽に精進し、その職務にふさわしい専門能力を維持し、向上させなければならない。

(3)　会員は、証券分析業務を行うに当たって、専門的見地から適切な注意を払い、公正かつ客観的な判断を下すようにしなければならない。

(4) 会員は、関係法令ならびに本協会の定款、規則およびこの職業行為基準を遵守しなければならない。

(5) 法人会員および法人賛助会員は、本基準を尊重し、その役職員または構成員である会員が関係法令ならびに本協会の定款、規則およびこの職業行為基準に違反することのないよう必要な指導を行うとともに、会員による証券分析業務の独立性および客観性が確保されるよう努めなければならない。

3．投資情報の提供等

会員は、投資情報の提供、投資推奨または投資管理を行う場合には、次の事項を守り、合理的な根拠をもつ適正な表示に努めなければならない。

(1) 綿密な調査・分析に基づく合理的かつ十分な根拠をもつこと。この場合、それを裏付ける適切な記録を相当期間保持するように努めるものとする。

(2) 事実と意見とを明確に区別すること。

(3) 重要な事実についてすべて正確に表示すること。

(4) 投資成果を保証するような表現を用いないこと。

(5) 顧客または広く一般に提供する投資情報の作成に当たり、他人の資料を利用する場合には、出所、著者名を明示するなど慎重かつ十分な配慮をしなければならない。

4．投資の適合性の確認等

会員は、投資情報の提供、投資推奨または投資管理を行う場合には、次の事項を守らなければならない。

(1) 顧客の財務状況、投資経験、投資目的を十分に確認すること。また、必要に応じてこれらの情報を更新（最低でも年1回以上）すること。

(2) 顧客の状況、ニーズ、投資対象およびポートフォリオ全体の基本的特徴など関連する要素を十分に考慮して、投資情報の提供、投資推奨または投資管理の適合性と妥当性を検討し、顧客の投資目的に最も適合する投資が行われるよう常に配慮すること。

⑶　次の事項を顧客に開示すること。

イ．投資対象の選定またはポートフォリオの構築を行う際に適用する基本的原則と手法およびこれらについての重大な変更

ロ．個々の投資対象の基本的特徴

５．不実表示に係る禁止等

⑴　会員は、次に掲げる事項について不実表示をしてはならない。

イ．会員が顧客に対して行うことができる証券分析業務の種類、内容および方法その他証券分析業務に係る重要な事実

ロ．会員が有する資格

⑵　会員は、自己またはその所属する会社が達成しまたは達成することが合理的に期待される投資管理の成果を、顧客または広く一般に提示するときは、公正、正確かつ十分な提示が行われるよう合理的な努力をしなければならない。

⑶　投資管理の成果の提示が、本協会の採用するグローバル投資パフォーマンス基準のすべての必須基準に準拠しているときは、公正、正確かつ十分な提示が行われたものと認める。

６．受任者としての信任義務

⑴　会員は、証券分析業務を行うに当たっては、顧客その他信任関係にある者の最善の利益に資することのみに専念しなければならず、自己および第三者の利益を優先させてはならない。

⑵　会員は、前項の業務を行う場合には、その時々の具体的な状況の下で、専門家として尽すべき注意、技能、配慮および勤勉さをもってその業務を遂行しなければならない。

７．利益相反の防止および開示等

⑴　会員は、公正かつ客観的な証券分析業務の遂行を阻害すると合理的に判断される事項を、顧客に開示しなければならない。

⑵　証券分析業務のうち顧客に対する投資情報の提供または投資推奨（以下「投資推奨等」という。）の業務に従事する会員は、顧客に投資推奨等を行う証券の実質的保有をしてはならない。ただし、公正かつ客観的な証券分析業務の遂行が阻害されることがないと合理的に判断される場合において、投資推奨等において当該証券の実質的保有の事実が顧客に開示されるときは、この限りでない。

⑶　投資推奨等の業務に従事する会員は、投資推奨等を行う場合は、自己が実質的保有をしまたはそれが見込まれる証券の取引に優先して、顧客が当該投資推奨等に基づいて取引を行うことができるよう、十分な機会を与えなければならない。

⑷　投資管理業務に従事する会員は、自己が実質的保有をしまたはそれが見込まれる証券の取引が、自己の関与する運用財産において行う取引の利益を損なうことがないよう、当該運用財産のための取引を自己の取引に優先させなければならない。

⑸　会員は、顧客が同意した場合を除き、顧客との取引において当事者となりまたは自己の利害関係者の代理人となってはならない。

⑹　会員は、⑴のほか次の事項を顧客に開示しなければならない。

イ．会員が、その顧客に対して提供した証券分析業務の対価として、自己の所属する会社または団体以外から収受しまたは収受することを約束したあらゆる報酬

ロ．会員が、その顧客に第三者の役務提供を受けることを推奨すること、またはその顧客を第三者に紹介することに関して収受しもしくは収受することを約束した、すべての報酬

8．未公開の重要な情報の利用の禁止等

⑴　会員は、証券の発行者との信任関係その他特別の関係に基づき当該発行者に係る未公開の重要な情報を入手した場合には、これを証券分析業務に利用し、または他の者に伝えてはならない。

⑵　会員は、証券の発行者に係る未公開の重要な情報を入手した場合において、その情報が信任関係その他特別の関係に基づく義務または法令もしくは関係諸規則に違反して伝えられたことを知りまたは知りうべきときは、これを証券分析業務に利用し、または他の者に伝えてはならない。
⑶　会員は、証券の発行者に係る未公開の重要な情報を発行者から直接入手した場合において、その発行者が当該情報を公表することが適当と判断されるときは、発行者に対しその公表を働きかけるよう努めるものとする。

９．その他の行為基準
⑴　会員は、証券分析業務を行う場合には、すべての顧客を公平に取り扱うようにしなければならない。
⑵　会員は、自己の証券保有や個人的取引によって、公正かつ客観的な証券分析業務の遂行を阻害しないよう注意しなければならない。
⑶　会員は、証券分析業務を行う場合には、証券の発行者等との関係において、独立性と客観性を保持するよう注意し、公正な判断を下さなければならない。
⑷　会員は、証券分析業務を行う場合には、当該業務の依頼者である顧客に関し知り得た秘密を他に漏らしてはならない。
⑸　会員は、「ＣＭＡ資格称号規程」第２条に定める資格称号または検定会員等の会員称号を使用する場合には、称号の権威と信頼性を保持するよう良識ある方法を用いなければならない。

以　上

Point ③ 「必ずしなければならない行為」と「絶対にしてはならない行為」

証券アナリスト職業行為基準は、「必ずしなければならない行為」と「絶対にしてはならない行為」に分類することができる。

「必ずしなければならない行為」に分類される基準
基準３．投資情報の提供等
基準４．投資の適合性の確認等
基準６．受任者としての信任義務
基準７．利益相反の防止及び開示等
基準９．その他の行為基準

「絶対にしてはならない行為」に分類される基準
基準５．不実表示に係る禁止等
基準８．未公開の重要な情報の利用の禁止等

ただし、基準３、基準７、基準９のうち、

基準3(4)　投資成果を保証するような表現の禁止

基準7(5)　顧客との取引において当事者となること、双方代理の禁止

基準9(4)　証券分析業務の依頼者である顧客に関し知り得た秘密の漏洩の禁止

は、「絶対にしてはならない行為」に分類される基準である。

Point ④ 職業倫理で重要な金融市場における業態

職業行為基準の対象となる主な業態は、投資顧問会社（アセットマネジメント会社）と証券会社である。投資顧問会社（アセットマネジメント会社）は投資信託や年金などを運用する機関投資家であり、運用会社、投資信託会社、投信投資顧問会社の名称が使われることもある。ここでは、この２つの業態に属する主な登場人物について説明する。

職業行為基準で定める「証券分析業務」には、次の３つが含まれる。

- 「投資情報の提供」：顧客の証券投資にかかわる意思決定の参考になると目

される情報を、有償であるか無償であるかを問わず会員が提供する行為である。

- 「投資推奨」:「投資情報の提供」より踏み込んだ証券の売り、買い、保持あるいはポートフォリオの構成の変更といった具体的投資行動についての助言を指す。
- 「投資管理」: 顧客のために行う（経済的利害が顧客に帰属する）ポートフォリオの運用・管理であり、投資意思決定の実践段階である執行を含む。

「投資情報の提供」と「投資推奨」を行う主な業態は、証券会社、投資銀行、投資信託を販売する銀行である。大手証券会社では、投資銀行業務も行っている。「投資管理」を行う主な業態は、投資顧問会社（アセットマネジメント会社）、信託銀行、生命保険会社などである。

⑴　投資顧問会社（アセットマネジメント会社）

主な登場人物：

①　ファンドマネジャー

投資信託や年金などの資金の運用、それに関わる売買執行を行う。

②　アナリスト（バイサイド（buy side）・アナリスト）

投資顧問会社などの機関投資家が自社の内部に擁するアナリスト。主に社内のファンドマネジャーに向けて調査レポートを作成し、投資情報を提供する。

※信託銀行や生命保険会社も顧客資産の運用業務を行っているので、それらに帰属するファンドマネジャーやアナリストも、投資顧問会社（アセットマネジメント会社）のファンドマネジャーやアナリストと類似した業務を行っている。

③　投資助言担当者（投資アドバイザー）

顧客へ投資助言業務を行う。

④　営業担当者

顧客に対して所属企業の運用するファンドのセールスを行う。

⑵　証券会社

主な登場人物：

① アナリスト（セルサイド（sell side）・アナリスト）

調査レポートを作成し、顧客等社外を含めた不特定多数に対して情報提供を行う。顧客には、個人投資家と機関投資家（投資顧問会社を含む）がある。

② 営業担当者

顧客に対して証券等のセールスを行う。個人投資家にサービスを提供するリテール部門と、機関投資家（投資顧問会社を含む）にサービスを提供するホールセール部門がある。

※投資信託の販売において、銀行でも、証券会社の個人投資家向け営業担当者と類似した業務を行っている。

③ 投資銀行部門（インベストメントバンク）

資金調達業務（株式や債券の引き受け等）やM&A（買収・合併）のアドバイザリー業務などを行う。

2　職業行為基準における主な用語の定義

基準１では、基準で使用する６個の重要語句を定義している。

Point ①　会員

基準１(1) 「会員」とは、個人会員（検定会員および一般会員）ならびに個人賛助会員をいう。ただし、基準「５．不実表示に係る禁止等」に定める会員には、法人会員および証券分析業務を行う法人賛助会員を含む。

【キーフレーズ】

① 個人会員（検定会員および一般会員）ならびに個人賛助会員

② 法人会員および法人賛助会員

会員という場合は個人会員および個人賛助会員を指すが、基準５．不実表示に係る禁止等については、法人会員および法人賛助会員を含む。

Point ② 証券分析業務

> **基準1(2)** 「証券分析業務」とは、証券投資に関する諸情報の分析と投資価値の評価とに基づく投資情報の提供、投資推奨または投資管理をいう。

注解

1.「投資情報の提供、投資推奨または投資管理」

投資情報の提供	顧客の証券投資にかかわる意思決定の参考となるような情報を、有償か無償かにかかわらず会員が提供する行為。株価指数やその他のインデックス、資産配分、業種その他のセクターに関する情報を含む。内容が投資判断に関連するものであれば、政治・経済分析、マクロ経済予測等を幅広く含む。
投資推奨	「投資情報の提供」よりも踏み込んだ証券の売り、買い、中立またはポートフォリオの構成の変更といった具体的な投資行動についての助言。投資情報の提供と同様、特定の証券に関する推奨に限らず、株価指数やその他のインデックス、業種やその他のセクターに関するものを含み、また資産配分の変更等に関するものも含まれる。さらに、「投資情報の提供、投資推奨」は、特定または少数の顧客を対象とする場合と、不特定かつ多数の顧客を対象とする場合のいずれをも含む。また、口頭、リサーチ・レポート、講演その他のプレゼンテーションあるいはインターネット、eメール等の電子媒体を利用するもの等、多様な形態を含む。
投資管理	顧客のために行う（経済的利害が顧客に帰属する）ポートフォリオの運用・管理であり、投資意思決定の実践段階である執行を含む。運用形態により、顧客には投資信託の受益者や年金加入者が含まれる。また、自分のための運用・管理は投資管理業務ではない。

Point ③　信任関係と信任義務

基準1(3)「信任関係」とは、会社とその役員、信託の受益者と受託者、証券の発行者と引受人、年金基金とその理事、顧客と投資顧問業者等、一方が相手方の信頼を受けて、専門的業務または相手方の授権に基づく業務を行う関係をいう。

基準1(4)「信任義務」とは、信任関係に基づき信頼を受けた者が、相手方に対して真に忠実に、かつ職業的専門家としての十分な注意をもって行動する義務をいう。

【キーフレーズ】

①　授権に基づく業務：委託を受けて行う法律行為・その他の事務の処理。

②　信任関係：授権に基づく関係。

③　信任義務：いわゆるフィデューシャリーデューティー（Fiduciary Duty）。注意義務と忠実義務からなる（基準6を参照）。

〈注意点：契約関係と信任関係の違い〉

契約は対等な当事者間の関係であるのに対し、信任関係では、信任し授権する側よりも、信任され授権される側のほうが情報・知識等の点で優位にある（情報の非対称性）。信任義務はそうした優位にある専門家が劣位にある顧客の無知を悪用し、みずからのために利用してはならないことを意味する。

Point ④ 実質的保有

基準1(5) 「実質的保有」とは、証券の名義人であるか否かにかかわりなく、当該証券に関する経済的利害が当人に帰属する場合の保有その他の関係を持つことをいう。

【キーフレーズ】

① 名義人であるか否かにかかわりなく

② 経済的利害が当人に帰属する：名義借り、生計を共にする親族による保有を含む。

③ 保有その他の関係：その他とは空売りのケースなどを含む。

Point ⑤ 重要な情報

基準1(6) 「重要な情報」とは、特定の証券の発行者に係る情報であって、一般の投資者の投資判断または証券の価格に重大な影響を与えるものをいう。

【キーフレーズ】

① 特定の証券の発行者に係る：重要な情報のうち発行者に係る情報が対象で、政府の政策情報や特定の投資家の動向等の市場に関する情報は含まれない。一方、直接発行者でなくても子会社等の情報は含む。

② 重大な影響を与える：金融商品取引法第166条よりも厳しい。たとえば新製品等は、金融商品取引法では会社の業務執行決定機関（取締役会など）が決定するまでは重要な情報として扱わないのに対し、基準ではこれは価格に重大な影響を与えるものである限り決定される前でも重要な情報に該当する。

3　総則

Point ① 証券アナリストの社会的信用と地位の向上

基準２(1)　会員は、証券分析業務のもつ重要な社会的役割にかんがみ、誠実に職務を励行し、互いに証券アナリストの社会的信用および地位の向上に努めなければならない。

注解

１．「社会的役割」

投資について様々な条件下でのリターンとリスクを予測し、投資家に合理的な投資の判断材料を提供することで、証券の発行者と投資家の間の情報ギャップを埋め、証券市場を通じた資本の効率的な配分に資する。

２．「互いに」

会員個人としてだけでなく、同業者団体の一員として他の会員と協力し、証券アナリスト全体の社会的信用と地位の向上を図る。

【キーフレーズ】

① 社会的役割にかんがみ、誠実に職務を励行

② 互いに……向上に努めなければならない。

公益社団法人日本証券アナリスト協会の定款では、次のような定めがある。

第13条　会員は、証券分析業務の健全な発展を図るため、専門能力の向上と職業倫理の高揚に努めなければならない。

２　会員は、品位の保持に努め、会員としての信用と名誉を傷つける行為をしてはならない。

３　会員は、証券分析業務を行うに当たって、理事会において別に定める、職業行為基準を遵守しなければならない。

Point ② 専門能力の維持と向上

基準2(2) 会員は、常に証券分析に関する理論と実務の研鑽に精進し、その職務にふさわしい専門能力を維持し、向上させなければならない。

注解

1.「専門能力」

専門能力は、高度な知識体系と、その実際業務への応用力とで構成される。継続的な教育を受け、日々進歩する証券分析の理論や技術に対応し、専門能力を向上させる必要がある。

【キーフレーズ】

① 理論と実務の研鑽に精進し

② 専門能力を維持し、向上させ

Point ③ 公正かつ客観的な判断

基準2(3) 会員は、証券分析業務を行うに当たって、専門的見地から適切な注意を払い、公正かつ客観的な判断を下すようにしなければならない。

注解

1.「公正かつ客観的な判断」

証券の発行者、引受業者、ブローカー等複雑な利害関係の錯綜する中で、証券アナリストは業務を行うことになる。しかし、証券アナリストはこれらの利害関係にとらわれず、投資家のために常に「公正な判断」を下すようにしなければならない。また、証券分析は、多様な情報に基づいて将来の収益性等を予測するという業務の性格から、常に不確実性を伴う。そのため恣意的な判断を避け、綿密な分析に基づく「客観的な判断」を心掛けなければならない。

なお、この「公正」または「客観的」という表現は、**基準5．不実表示に係る禁止等**(2)、(3)、**基準7．利益相反の防止および開示等**(1)、(2)、**基準9．その他の行為基準**(2)、(3)でも用いられる。

【キーフレーズ】

① 専門的見地から適切な注意を払い：注意義務

② 公正かつ客観的な判断：顧客の利益のための判断

Point ④ 関係諸規則の遵守

基準２(4) 会員は、関係法令ならびに本協会の定款、規則およびこの職業行為基準を遵守しなければならない。

注解

1．「関係法令」

証券分析業務に直接関連する法令	金融商品取引法、投資信託及び投資法人に関する法律など
それ以外に会員の行う業務について規制している法令	銀行法、信託業法、保険業法など

【キーフレーズ】

① 関係法令

② 本協会の定款、規則およびこの職業行為基準を遵守

関連法令に関して、公益社団法人日本証券アナリスト協会は、『顧客本位の業務運営に関する原則』と『職業行為基準』を次のように関連付けている。

『顧客本位の業務運営に関する原則』と『職業行為基準』

『顧客本位の業務運営に関する原則』		『職業行為基準』
原則２【顧客の最善の利益の追求】	⇔	基準６．受任者としての信任義務
原則５【重要な情報の分かりやすい提供】	⇔	基準３．投資情報の提供等 基準５．不実表示に係る禁止等
原則６【顧客にふさわしいサービスの提供】	⇔	基準４．投資の適合性の確認等

『顧客本位の業務運営に関する原則』（2021年１月15日改訂　金融庁）

【顧客本位の業務運営に関する方針の策定・公表等】

原則１．金融事業者は、顧客本位の業務運営を実現するための明確な方針を策定・公表するとともに、当該方針に係る取組状況を定期的に公表すべきである。当該方針は、より良い業務運営を実現するため、定期的に見直されるべきである。

【顧客の最善の利益の追求】

原則２．金融事業者は、高度の専門性と職業倫理を保持し、顧客に対して誠実・公正に業務を行い、顧客の最善の利益を図るべきである。金融事業者は、こうした業務運営が企業文化として定着するよう努めるべきである。

【利益相反の適切な管理】

原則３．金融事業者は、取引における顧客との利益相反の可能性について正確に把握し、利益相反の可能性がある場合には、当該利益相反を適切に管理すべきである。金融事業者は、そのための具体的な対応方針をあらかじめ策定すべきである。

【手数料等の明確化】

原則４．金融事業者は、名目を問わず、顧客が負担する手数料その他の費用の詳細を、当該手数料等がどのようなサービスの対価に関するものかを含め、顧客が理解できるよう情報提供すべきである。

【重要な情報の分かりやすい提供】

原則５．金融事業者は、顧客との情報の非対称性があることを踏まえ、上記原則４に示された事項のほか、金融商品・サービスの販売・推奨等に係る重要な情報を顧客が理解できるよう分かりやすく提供すべきである。

【顧客にふさわしいサービスの提供】

> 原則６．金融事業者は、顧客の資産状況、取引経験、知識及び取引目的・ニーズを把握し、当該顧客にふさわしい金融商品・サービスの組成、販売・推奨等を行うべきである。

【従業員に対する適切な動機づけの枠組み等】

> 原則７．金融事業者は、顧客の最善の利益を追求するための行動、顧客の公正な取扱い、利益相反の適切な管理等を促進するように設計された報酬・業績評価体系、従業員研修その他の適切な動機づけの枠組みや適切なガバナンス体制を整備すべきである。

注）『顧客本位の業務運営に関する原則』は出題範囲ではない。

また、資産運用と関連する規制として日本版スチュワードシップ・コード（2014年金融庁策定）がある。その中で、機関投資家に対してスチュワードシップ責任の遂行が求められているが、その責任は以下のように規定されている。

> 「スチュワードシップ責任」とは、機関投資家が、投資先企業やその事業環境等に関する深い理解のほか運用戦略に応じたサステナビリティ（ESG要素を含む中長期的な持続可能性）の考慮に基づく建設的な「目的を持った対話」（エンゲージメント）などを通じて、当該企業の企業価値の向上や持続的成長を促すことにより、顧客・受益者（最終受益者を含む）の中長期的な投資リターンの拡大を図る責任を意味する。

一方、企業は適切なガバナンス機能の構築、運用が法規定により求められている。このように機関投資家、企業双方の役割を明確化するとともに、適切に行使されることで、より質の高い企業統治が実現され、企業の持続的な成長と顧客・受益者の中長期的な投資リターンの拡大が図られることが期待されている。つまり、このコードは機関投資家が顧客に対してフィデューシャリー・デューティーを果たすことを求めるものである。

なお、このコードでは、金融機関に重要な原則（principle）だけを示してそれを遵守させ、経営の自由度を確保したまま自主的な取り組みを促すプリンシプルベース・アプローチや、原則を遵守（Comply）するか、守らない場合は理由を説明（Explain）させるコンプライ・オア・エクスプレインといった手法が採用されている。

Point ⑤ 法人会員等の本基準の尊重と会員への指導

> **基準2(5)** 法人会員および法人賛助会員は、本基準を尊重し、その役職員または構成員である会員が関係法令ならびに本協会の定款、規則およびこの職業行為基準に違反することのないよう必要な指導を行うとともに、会員による証券分析業務の独立性および客観性が確保されるよう努めなければならない。

注解

1．法人会員および法人賛助会員

具体的には、法人や団体の代表者

2．役職員または構成員である会員

（個人）会員でないものは除かれる

3．必要な指導

文書・口頭による指導

4．会員による証券分析業務の独立性および客観性

独立性：証券の発行者、引受業者、ブローカー等の利害関係にとらわれず、自らの判断に基づき業務を行う

客観性：恣意的、独断的な判断を避け、事実の綿密かつ専門的な分析に基づく合理的な根拠を持った業務を行う

証券アナリストによる証券分析業務の独立性および客観性の確保に関するルールとして「アナリスト・レポートの取扱い等に関する規則」（日本証券業協会）の「第10条アナリストの意見の独立性の確保等」がある。

例題１

《2022年（秋）. 1. 1》

職業行為基準の対象となるCMAの証券分析業務に関する次の記述のうち、正しくないものはどれか。

A　証券会社の調査部門のアナリストが担当企業の業績を予想する業務は、証券分析業務に含まれる。

B　運用会社のファンドマネジャーが顧客の資産を運用する業務は、証券分析業務に含まれない。

C　証券会社のエコノミストがマクロ経済に関するレポートを作成する業務は、証券分析業務に含まれる。

D　銀行の窓口担当者が顧客に定期預金を推奨する業務は、証券分析業務に含まれない。

解答  B

解　説

基準１⑵では、「証券分析業務」として「投資情報の提供」、「投資推奨」、「投資管理」の３つを規定している。「証券アナリスト職業行為基準　実務ハンドブック　2021年改訂」（以下、ハンドブック）p.14によれば、各業務の具体的内容は次の通りである。

投資情報の提供	顧客の証券投資にかかわる意思決定の参考になると目される情報を、有償か無償かを問わず会員が提供する行為。
投資推奨	「投資情報の提供」よりも踏み込んだ証券の売り、買い、中立あるいはポートフォリオの構成の変更といった具体的な投資行動についての助言。
投資管理	顧客のために行う（経済的利害が顧客に帰属する）ポートフォリオの運用・管理であり、投資意思決定の実践段階である執行を含む。

A　正しい。証券会社の調査部門のアナリストが担当企業の業績を予想することは、投資情報の提供にあたる。

B　正しくない。運用会社のファンドマネジャーが顧客の資産を運用することは、投資管理に当たる。

C　正しい。証券会社のエコノミストがマクロ経済に関するレポートを作成することは、投資情報の提供にあたる。

D　正しい。証券分析業務は証券投資に関する諸情報の分析と投資価値の評価であり、銀行の定期預金は証券投資の対象ではない。よって、銀行の窓口担当者が顧客に定期預金を推奨することは、証券分析業務に含まれない。

例題２　《2022年（春）.１.１》

職業行為基準に関する次の記述のうち、正しいものはどれか。

A　職業行為基準は、証券分析業務に関する行為基準として、CMAが自主的に遵守すべき基準である。

B　CMAの資格は医師や弁護士と同様に国家資格であり、職業行為基準に違反した場合は刑事罰が科せられる。

C　証券分析業務は証券投資に関する情報分析に基づくレポート発行などを指すため、銀行窓口で投資信託を販売するCMAには、職業行為基準は適用されない。

D　職業行為基準はCMAの自主的な規律なので、職業行為基準が規則対象としている行為はすべて、金融商品取引法でも禁止されているものである。

解答　A

解　説

A　正しい。証券アナリスト職業行為基準の前文で「この基準は、会員の所属する業界のいかんにかかわらず、証券分析に関するすべての職務に共通する行為基準として、自主的に遵守すべきものである」と謳われている。

B　正しくない。CMAの資格は医師、弁護士、公認会計士などと同様に、高い倫理観を求められる職業的専門家であるが国家資格ではなく、違反したからといって刑事罰に直接つながるものではない。

C　正しくない。基準１⑵では、「証券分析業務」として「投資情報の提供」、「投資推奨」、「投資管理」の３つを規定している。銀行窓口で投資信託を販売する業務は、証券分析業務のうち投資推奨業務に当たるので、職業行為基準が適用される。

D　正しくない。職業行為基準は職業的専門家にふさわしい自主的ルールであり、職業行為基準の規制対象となっている行為でも、金融商品取引法で禁止されていないものがある。例えば基準１⑹の「重要な情報」は、金融商品取引法の「重要事実」より適用される範囲が広くなっている。

MEMO

職業的専門家に重要な信任義務

1. 傾向と対策

この章では、信任義務について学習する。一方が他方の信頼を受けて専門的業務を行う関係を信任関係といい、その信任関係に基づき信頼を受けた者が、相手方に対して真に忠実に、かつ職業的専門家としての十分な注意を持って行動する義務を信任義務という。信任義務はフィデューシャリー・デューティーとも呼ばれる。

過去の出題傾向としては、毎回最低１問はこの章に関する出題がなされるが、他の分野の問題の一部として出題されることもある。

「総まとめテキスト」の項目と過去の出題例

「総まとめ」の項目	過去の出題例	重要度
第２章　職業的専門家に重要な信任義務		
１職業的専門家に重要な信任義務	2022年秋・第１問・問４ 2023年春・第１問・問２ 2023年秋・第１問・問２ 2024年春・第１問・問２、問３	A

2. ポイント整理

1　職業的専門家に重要な信任義務

基準6(1)　会員は、証券分析業務を行うに当たっては、顧客その他信任関係にある者の最善の利益に資することのみに専念しなければならず、自己および第三者の利益を優先させてはならない。

基準6(2)　会員は、前項の業務を行う場合には、その時々の具体的な状況の下で、専門家として尽すべき注意、技能、配慮および勤勉さをもってその業務を遂行しなければならない。

趣旨

基準6では証券分析業務に関連する最も重要な義務として、忠実義務と注意義務の2つを規定している。この2つの義務は信任義務の基本であり、本基準の他の条項に規定されている義務にもこの2つからの派生形がある。また、この義務を誰に対して負うのか、どのようにすれば義務を果たしたことになるのか、あるいは、その負うべき程度は、会員が属する業態や従事する仕事内容によって異なる。

基準6(1)は、受任者としての忠実義務についての規定である。会員が、証券分析業務を行う際には、専ら顧客その他信任関係にある者（以下本条においては顧客等）の最善の利益を図るため行動しなければならず、顧客等の利益を犠牲にして自己や第三者の利益を図ってはならない。

本基準によれば、会員は、顧客等の利益を犠牲にしてその財産を利用し、自己や第三者の利益を図るような行為が許されないことだけでなく、証券分析業務の公正性、客観性を阻害する可能性のある利益相反の状況に置かれることを回避するように努めることが求められる。もし利益相反の状況に置かれたときは、**基準7(1)**の定めに従い、その事実を顧客等に開示しなければならない。

信任義務は英米法の歴史の中で形成されてきた。英米における忠実義務の主な内容には次の点が含まれる。

① 受任者は、受益者の利益を最優先に行動し、受益者の間で利益相反の行動をとってはならない。

② 受任者は、受益者の財産を利用して、自己または第三者の利益を図る行為をしてはならない。

③ 受任者は、特別の場合を除いて自身が受益者の取引相手となってはならない。

④ 受任者は、受益者について得た情報の秘密を守る義務を負う。

忠実義務の構成要素のうち、証券分析業務との関連において他の条文に、より具体的に定められたものがある。①については**基準7⑵～7⑷**および**基準9⑵**、③については**基準7⑸**、④については**基準9⑷**に、各々上記に記された義務のうち一部あるいは全部に該当する規定がある。これらの条文の理解に当たっては、その内容が忠実義務に由来することを念頭に置くことが望ましい。

基準6⑵は注意義務についての規定である（注1）。会員は、その時点での顧客やファンドなど投資の主体の状況、客観的な経済・金融情勢などの投資環境を考慮したうえで、投資の専門家として要求される注意や配慮を払い、また専門的な技能を発揮し、信任を受けたものとしての勤勉さを発揮して証券分析業務を行わなければならないとされている。さらに、会員は、専門家として顧客等から信任を得て証券分析業務を行うため、その注意義務には通常の人以上のものが要求される。注意義務を果たしたとみなされる具体的な行動は、会員の属する業態や担う業務によって異なるが、基本的な原則としてはプルーデント・インベスター・ルール（注2）が適用できる。これは米国の信託法における受託者の行為基準として広く認められていたプルーデント・マン・ルール（注2）が、資産運用の理論および実務の発展を考慮して修正されたルールで、受託者が合理的な投資家として投資判断をすべきであるとされている。具体的な適用のあり方は会員が置かれている状況により異なるが、このルールの考え方は証券分析業務に従事する者全般に適用され得る。

（注１）注意義務にもその構成要素のうち、証券分析業務との関連において他の条文に、より具体的に定められたものがある。**基準２．総則⑴～⑶、基準３．投資情報の提供等、基準４．投資の適合性の確認等**の規定がそれに当たる。それ以外に**基準５．不実表示に係る禁止等⑵**に規定する投資管理の成果の表示に関する義務などもそれに該当する。これらの規定の解釈に当たっては、注意義務に由来することを念頭におくことが望ましい。

（注２）プルーデント・マン・ルールとプルーデント・インベスター・ルール

プルーデント・マン・ルールは、信託の受託者の投資行動に関する原則として、20世紀になって広く米国各州の裁判所や連邦法で取り入れられるようになったものである。その要旨は、信託財産の運用はプルーデント・マン（思慮ある合理的な人間）が自分の財産を運用するように行われるべきというものである。それまでは、多くの州で信託の受託者の投資対象は、法律により公債などごく一部に限られていたが、プルーデント・マン・ルールは、このような硬直的な規制から脱却して、状況に応じた柔軟な資産運用を行うことを可能にするものだった。しかし、その後の判例や、判例法を条文化した信託法リステイトメント（１次、２次）の作成過程で、信託財産の名目元本維持を最重視するようになるなどその趣旨は変質し、逆に受託者の投資行動を制約するものとなった。しかし、資産運用についての理論および実務の発展とともに、これらの考え方に対して以下のような批判が高まった。

①　投資の評価は、ポートフォリオに組み入れられた個々の投資対象ではなく、ポートフォリオ全体の収益率とリスクで行うべき

②　リスク回避の観点からは、安全とされる特定の投資対象のみに投資するよりも、広く分散投資を行う

③　インフレーションを考慮すれば、元本の名目的価値を保全することだけでは不十分で、実質的価値の保全が必要

これらの批判を取り入れ、プルーデント・マン・ルールを拡張、発展させた考え方がプルーデント・インベスター（Prudent Investor）・ルールである。そして、その狙いは受託者が、一般的に資産運用業界に受け入れ

られているポートフォリオ理論に従って運用を行っていればそれを適法なものとして認められることにある。この原則は、1992年に刊行された第3次信託法リステイトメントに採用されている。

注解

1.「顧客その他信任関係にある者」

投資に関する専門家としての会員の能力を信頼し、会員の提供する証券分析業務を受け入れる者をいう。

例：

・ブローカー・ディーラーに所属する会員の場合は所属する会社の顧客
・投資顧問会社の場合は投資顧問契約に基づく助言または投資一任契約に基づき運用を行う相手方
・アセットマネジメント会社で投資信託の運用を行う者の場合は投資信託の受益者
・年金基金の理事の場合はその基金

2.「最善の利益」

「最善の利益」とは、顧客等の利益の犠牲の上に自己や第三者の利益を図ることなく、専ら顧客等の利益を追求した場合に最大限実現可能な利益である。

3.「その時々の具体的な状況の下で」

顧客に関する状況、投資対象に関する状況および経済・金融情勢といった投資環境に関する状況など証券分析業務を行う時点で関連するすべての状況を前提にして、という意味である。「その時々の」というのは、注意義務が尽されたかどうかの判断は、その証券分析業務が行われた時点での状況を前提に行われ、その後に生じた状況で結果責任を問われることはないということである。

4.「専門家として尽すべき注意、技能、配慮および勤勉さ」

「専門家として尽すべき」：注意、技能、配慮および勤勉さのいずれについても、会員は投資の専門家として、通常の人以上の水準を求められる。

「注意」：証券分析業務を適正に遂行するうえで関連するすべての要素に払うべき心配り。

「技能」：証券分析業務を行うために要求される経済、金融、財務、投資理論などに関する知識、経験。

「配慮」：投資のリスクを合理的に管理し、相応の収益率が確保されるよう心配りをする。**基準４**の投資の適合性の確保は、「配慮」の重要な構成要素。

「勤勉さ」：証券分析業務に精励すること。専門家として他者から信任を受けて受任者となった者は、単なる契約上の当事者としての義務を超えて他人のために自発的に尽すという道義的・倫理的な努力が期待される。そのため、この「勤勉さ」も、通常の人以上の水準が求められる。

【キーフレーズ】

(1)　忠実義務

①　顧客その他信任関係にある者：顧客、受益者、年金加入者など。

②　最善の利益：自分や会社などの利益よりも顧客の利益を優先した場合における最大限実現可能な利益（リターン最大という意味ではない）。

(2)　注意義務

①　その時々の具体的な状況の下で：結果論でこうしていればよかった、ではなく、事前ベースで、ということ。

②　専門家として尽すべき注意、技能、配慮および勤勉さ：上記①の状況の下で、通常の人以上の能力を持つ専門家として当然にあるべき注意、技能、配慮および勤勉さを持っている、ということ。たとえばある種の人々がよく言う「自分は聞かされていなかった」、「自分は知らなかった」は、専門家としての注意を払っていないので言い訳にはならない。

注意事項：業務毎に見る信任義務

1．資産運用に従事する者：信任義務の相手となる「顧客」が特定できる点が特徴。

①　運用担当者は、常に高い倫理観を保持し、**基準６(1)**に定める忠実義務に従い、顧客の最善の利益に資することに専念し、利益相反行為などにより顧客の利益を害することがないようにしなければならない。

② **基準4**に規定する投資の適合性を考慮し、ポートフォリオの収益率とリスクの組み合わせが顧客にとって最適になるように努めることが求められる。

2．証券会社、調査会社等のリサーチ・アナリスト：信任義務の相手となる「顧客」が必ずしも特定できない点が特徴。レポートが**基準3．投資情報の提供等**を遵守して作成されていれば、通常の場合、リサーチ・アナリストとしての注意義務は果たされる。

① リサーチ・レポートを受け取る顧客の利益のための情報提供を心がける。

② レポート内容が合理的根拠を持ち、適切な表現による質の高いレポートを提供する。

3．ブローカー・ディーラー業務に従事する者：ブローカー・ディーラー業務に従事する会員も、顧客に対し受任者としての一定の信任義務を負っていると言える。金融商品の推奨・説明時には専門家としての知識を駆使する。

「顧客本位の業務運営に関する原則」（金融庁 2017年3月策定、2021年1月改訂）においても、ブローカー・ディーラーを含めた金融事業者に顧客本位の業務運営を行うことが求められている。

（設例）

証券アナリスト職業行為基準に違反する次の行為について、該当する条項を1つ示し、その理由を述べなさい。

ESG投資のファンドマネジャー（CMA）が、投資先企業の役員から内密に、同社がCO_2排出量を実際の計測よりも少なく開示していたことに気が付いたが、社長が公表を渋っていると聞かされた。CO_2排出量を同業他社と比較したところ、企業規模に比べて不自然に少ないため、同社が排出量を実際より少なく開示しているのは確実であり、この事実が公表されれば株価は下落すると予想し、同社の株式を直ちに売却することにした。

ファンドマネジャーは、まず自身の保有株式を売却し、その後で自身の運用するファンドの保有株式を売却した。

（解答）

該当条項：基準６(1)

投資先企業の株価下落が懸念される状況にある中、自身が運用しているファンドでの保有株式を売却する前に、自身の保有株式を売却し、その後、ファンドでの保有株式を売却しており、顧客の最善の利益を資することに専念せず、自己の利益を優先させた。

他の違反基準：基準７(4)、８(2)

（設例）

証券アナリスト職業行為基準に違反する次の行為について、該当する条項を１つ示し、その理由を述べなさい。

支店の投資アドバイザー（CMA）は、担当顧客の顧客カードを２年間更新していなかったが、最新の財務状況や投資スタンスを確認しないまま、販売手数料が他の商品に比べて高いため自身の営業成績を上げるのに都合がよいが、リスク特性をよく理解していない新興国ハイイールド債券ファンドを強く勧めた。

（解答）

該当条項：基準６(1)

推奨する投資商品について、顧客の投資の適合性を考慮することなく、販売手数料が高く、自身の営業実績を上げるために選んでおり、自己の利益を優先して顧客の最善の利益に資することに専念していない。

該当条項：基準６(2)

リスク特性をよく理解していない商品を勧めることは、専門家として尽すべき注意、技能、配慮および勤勉さをもってその業務を遂行しているとは言えない。

他の違反基準：基準３(1)、４(1)、４(2)

(設例)

証券アナリスト職業行為基準に違反する次の行為について、該当する条項を1つ示し、その理由を述べなさい。

化学業界担当のアナリスト（CMA）は、A社が開発中の新しい触媒について、専門知識がなく、詳しいことはわからなかったが、他社の競合製品の状況を調べたり、市場規模を推計したりはしなかった。しかし、この触媒の需要は大きいと考え、「開発中の触媒の製品化により、A社の業績の急回復が確実なため、買い推奨に引き上げる」という内容のレポートをすぐに作成した。

(解答)

該当条項：基準6(2)

新しい触媒について専門知識がなく詳しいことはわからないにもかかわらず、他社の競合製品の状況を調べたり、市場規模を推計したりしなかったことは、専門家として尽すべき注意、技能、配慮および勤勉さをもって業務を遂行しているとは言えない。

他の違反基準：基準3(1)、3(2)

例題１

《2022年（春）.１.２》

CMAの信任義務に関する次の記述のうち、正しいものはどれか。

A　信任義務は、契約の締結によってのみ発生する法律的な義務である。

B　CMAの信任義務は、顧客に対するのみでなく、自らが所属する会社に対しても課せられる。

C　証券会社のアナリスト（CMA）は、作成する調査レポートの読者に関して、信任義務を負わない。

D　資産運用会社で投資信託を運用するファンドマネジャー（CMA）は、投資信託を購入する受益者に対して信任義務を負っている。

解答  D

解　説

A　正しくない。信任関係は、一方が相手方の信頼を受けて、専門的業務または相手方の授権に基づく業務を行う関係をいう。そして信任義務は、その信任関係に基づき信頼を受けた者が、相手方に対して真に忠実に、かつ職業的専門家としての十分な注意をもって行動する義務であり、法律的な義務ではない。

B　正しくない。CMAの信任義務は、顧客に対してのみ課せられる。

C　正しくない。証券会社のアナリスト（CMA）は、証券分析業務のうち投資情報の提供を行っており、調査レポートの読者（読む顧客）に対して信任義務を負う。

D　正しい。資産運用会社で投資信託を運用するファンドマネジャー（CMA）は、証券分析業務のうち投資管理を行っており、投資信託を購入する受益者（購入する顧客）に対して信任義務を負う。

MEMO

信任義務を果たすための忠実義務

1. 傾向と対策

この章では、忠実義務について学習する。忠実義務は利益相反に関係する義務で、顧客その他信任関係にある者の最善の利益に資することのみに専念し、自己及び第三者の利益を優先させてはならないとする。なお、忠実義務の系となる主な基準として、利益相反の防止に関する基準7や未公開の重要な情報の利用の禁止等に関する基準8などがある。

過去の出題傾向としては、毎回最低1問はこの章に関する出題がなされる。また、未公開の重要な情報の利用の禁止等、忠実義務の系である基準について直接問う問題も出題された。

「総まとめテキスト」の項目と過去の出題例

「総まとめ」の項目	過去の出題例	重要度
第3章　信任義務を果たすための忠実義務		
1 忠実義務の系となる主な基準	2022年秋・第1問・問2 2023年春・第1問・問4 2023年秋・第1問・問3 2024年春・第1問・問3	A
2 利益相反の防止および開示等	2022年秋・第1問・問2 2023年秋・第1問・問3 2024年春・第1問・問3	A
3 その他の行為基準		C
4 CMAが絶対にしてはならないインサイダー取引（未公開の重要な情報の利用の禁止等）	2022年秋・第1問・問3 2023年秋・第1問・問3	A

（注）小問1問の中で選択肢が複数の論点にまたがるものは複数の項目で計上している。

2. ポイント整理

1　忠実義務の系となる主な基準

基準6(1)　会員は、証券分析業務を行うに当たっては、顧客その他信任関係にある者の最善の利益に資することのみに専念しなければならず、自己および第三者の利益を優先させてはならない。

基準6(1)の他に、忠実義務を果たす前提として、**顧客の公平な取り扱い**や**公正かつ客観的な証券分析を阻害しない**ことや、忠実義務を果たすうえで最も重要な**基準7．利益相反の防止**が定められている。

基準7．利益相反の防止および開示等

基準7(1)　会員は、公正かつ客観的な証券分析業務の遂行を阻害すると合理的に判断される事項を、顧客に開示しなければならない。

基準7(2)　証券分析業務のうち顧客に対する投資情報の提供または投資推奨（以下「投資推奨等」という。）の業務に従事する会員は、顧客に投資推奨等を行う証券の実質的保有をしてはならない。ただし、公正かつ客観的な証券分析業務の遂行が阻害されることがないと合理的に判断される場合において、投資推奨等において当該証券の実質的保有の事実が顧客に開示されるときは、この限りでない。

基準7(3)　投資推奨等の業務に従事する会員は、投資推奨等を行う場合は、自己が実質的保有をしまたはそれが見込まれる証券の取引に優先して、顧客が当該投資推奨等に基づいて取引を行うことができるよう、十分な機会を与えなければならない。

基準7(4)　投資管理業務に従事する会員は、自己が実質的保有をしまたはそれが見込まれる証券の取引が、自己の関与する運用財産において行う取引の利益を損なうことがないよう、当該運用財産のための取引を自己の取引に優先させなければならない。

基準７(5)　会員は、顧客が同意した場合を除き、顧客との取引において当事者となりまたは自己の利害関係者の代理人となってはならない。

基準９．その他の行為基準

基準９(1)　会員は、証券分析業務を行う場合には、すべての顧客を公平に取り扱うようにしなければならない。

基準９(2)　会員は、自己の証券保有や個人的取引によって、公正かつ客観的な証券分析業務の遂行を阻害しないよう注意しなければならない。

2　利益相反の防止および開示等

Point ①　公正かつ客観的な証券分析業務の遂行を阻害する事項の開示

基準７(1)　会員は、公正かつ客観的な証券分析業務の遂行を阻害すると合理的に判断される事項を、顧客に開示しなければならない。

趣旨

基準６．受任者としての信任義務における忠実義務を果たすためには、会員は証券分析業務を自己や第三者の利害に影響されることなく、公正かつ客観的に行わなければならない。そのためには、自身を公正さと客観性を阻害する可能性のあるような状況にできるだけ置かないよう会員は努力する必要があるが、所属組織内での職務遂行の過程で、あるいは個人として社会生活を営む際に、意図的かどうかに関わらず、顧客と自身の間で利益相反の状況が発生することがしばしば起こり得る。

そのような事態が生じたとき、会員に対してすべての場合について利益相反状況の解消の義務付け、あるいは利益相反の状況が生じる行為を禁止することは、会員の義務としては重すぎる可能性がある。一方、顧客に損害を与える可能性のある利益相反の事情があるにもかかわらず、会員がそれを秘密にしたまま証券分析業務を行うことはフェアでなく、例え顧客の犠牲の上に会員が利益を得たのではない場合でも、顧客が損失を被った際には、利益相反に関する情報が秘密にされていたため損失が発生したのではないかとの疑念を生む可能性がある。

そこで**基準７(1)**は、公正かつ客観的な証券分析業務を阻害すると合理的に判断される事情がある際には、会員がそれを顧客に開示することを義務付けている。そして、その情報に基づき、会員が提供する投資推奨、投資管理等の証券分析業務を受け入れるかどうかを、顧客自身が判断できるようにしたものである。

注解

１．「公正かつ客観的な証券分析業務の遂行を阻害すると合理的に判断される事項」

「公正かつ客観的な証券分析業務」：自己または第三者の利益を考慮すること

なく、独立した専門家としての見地から、顧客の最善の利益に資することのみを目的に行われる証券分析業務。

「阻害すると合理的に判断される事項」：利益相反の状況。

具体例：

・会員が証券の発行企業の役員に就任している場合
・会員が証券の発行企業とコンサルタント契約を結んでいる場合
・会員が証券分析業務の対象となっている証券を実質的保有している場合
・会員の所属する企業の他部門（引受・投資銀行部門など）の業務に関与している場合

本基準と同様の趣旨を定めたルールとして、「アナリスト・レポートの取扱い等に関する規則」（日本証券業協会）の「第６条 利益相反についての表示等」がある。

（設例）

証券アナリスト職業行為基準に違反する次の行為について、該当する条項を１つ示し、その理由を述べなさい。

ファンドマネジャー（CMA）は、以前に勤務していた企業の株式を社員持株会で取得し、現在も保有しているが、投資家である顧客には開示しないまま自身が運用しているファンドに組み入れている。

（解答）

該当条項：基準７(1)

ファンドマネジャーは、担当前から投資先企業の株式を保有しているが、公正かつ客観的な証券分析業務の遂行を阻害すると合理的に判断される場合に該当するため、保有している旨を顧客に開示する必要がある。

Point ② 投資推奨等を行う会員の当該証券の実質的保有の禁止

> **基準７(2)**　証券分析業務のうち顧客に対する投資情報の提供または投資推奨（以下「投資推奨等」という。）の業務に従事する会員は、顧客に投資推奨等を行う証券の実質的保有をしてはならない。ただし、公正かつ客観的な証券分析業務の遂行が阻害されることがないと合理的に判断される場合において、投資推奨等において当該証券の実質的保有の事実が顧客に開示されるときには、この限りでない。

趣旨

投資推奨等の業務を行う証券アナリストが、担当する企業の証券（以下「担当証券」という。）へ個人的に投資することは、証券分析業務の公正さと客観性を守り、同業務に対する投資家の信頼の確保という観点からは、原則としては望ましくないと考えられる。具体的には、自身が値上がり益を得るために合理的な裏付けなく買い推奨を行ったり、値下がり要因があるにもかかわらず売り推奨を控えたりといった行為を行う誘因となる危険性がある。

一方で、「個人的にも投資する方が、投資推奨に対する顧客の信頼が得られる」という意見もあり、担当証券の保有の全面的な禁止は性急といえる。そのため、**基準７(2)**では、まず顧客に対する投資推奨等の業務に従事する会員は担当証券の実質的保有を行ってはならないとの基本原則を示し、そのうえで、公正かつ客観的な証券分析業務の遂行が阻害されないと合理的に判断され、かつ実質的な保有の事実が投資推奨等において顧客に開示される場合は実質的保有が認められるという例外規定を置いている。

注解

１.「公正かつ客観的な証券分析業務の遂行が阻害されることがないと合理的に判断される場合」

①　短期の売買を目的とせず、かつ投資推奨等の方向と整合性がある場合

②　相続または贈与により取得する場合

③　当該企業の担当前に担当証券の実質的保有を開始している場合

【キーフレーズ】

①　顧客に対する投資情報の提供または投資推奨等の業務に従事する会員：リサーチ・アナリスト、セルサイドの（証券会社や銀行などでブローカー・ディーラー業務を行う）会員。

本基準と同様の趣旨を定めたルールとして、「アナリスト・レポートの取扱い等に関する規則」（日本証券業協会）の「第15条 アナリスト等の証券取引への対応」がある。

（設例）

証券アナリスト職業行為基準に違反する次の行為について、該当する条項を１つ示し、その理由を述べなさい。

リサーチ・アナリストであるＡさん（CMA）は、相続で３年前から担当企業の株式を保有しているが、誰にも報告していない。

（解答）

該当条項：基準７⑵

投資推奨等の業務に従事する会員は、投資推奨等を行う証券の実質的な保有を行ってはならない。相続による保有は、公正かつ客観的な証券分析業務の遂行が阻害されることはないと合理的に判断される場合に該当するが、保有していることを開示しなければならない。

Point ③ 顧客が投資推奨等に基づく証券取引を行える十分な機会の提供

> **基準７⑶**　投資推奨等の業務に従事する会員は、投資推奨等を行う場合は、自己が実質的保有をしまたはそれが見込まれる証券の取引に優先して、顧客が当該投資推奨等に基づいて取引を行うことができるよう、十分な機会を与えなければならない。

趣旨

投資推奨等の業務に従事する会員が、**基準７⑵**の例外規定に基づき自己が個人的に実質的保有をしている証券に関し、買い推奨（売り推奨）のときには、買い推奨（売り推奨）後、顧客がそれを考慮して買う（売る）かどうかの判断をするのに十分な時間が経過した後でなければ、対象証券を購入（売却）してはならないとする規定である。これは、会員が常に顧客の最善の利益に資することに専念しなければならないという信任義務から導かれたものである。

注解

１．「投資推奨等を行う場合」

基準７⑶においては、「投資推奨等を行う場合」とは、ある証券について投資推奨等を行う意思決定をした以降のことをいい、投資推奨等を行うための情報分析作業を行っている間も含まれる。

２．「十分な機会を与える」

調査レポート等の情報提供手段の違いにより、顧客への情報の到達時間は一様ではないため、提供手段の状況に応じて、「十分な機会」と呼べる時間は自主的に定めるべきである。

本基準と同様の趣旨を定めたルールとして、「アナリスト・レポートの取扱い等に関する規則」（日本証券業協会）の「第15条 アナリスト等の証券取引への対応」がある。

(設例)

証券アナリスト職業行為基準に違反する次の行為について、該当する条項を１つ示し、その理由を述べなさい。

素材セクターのアナリスト（CMA）は、建材会社Ａ社のIR担当者から「大口顧客向けの製品で品質管理の不正の内部告発があり、社内で調査中だが、納入済の製品の多くが契約基準に達せず、他の納入先にも同様なことがあった模様で、時期は分からないが詳細が判明したら公表する予定だ。この件は業績への影響が大きそうだ。」との説明を受けた。アナリストが改めて分析したところ、Ａ社は大きな影響を受け、業績は中長期的に低迷するという結論に至った。そこで、アナリストはまず相続で自己保有していたＡ社の株式をその日に売却し、その後にＡ社に対する投資評価を売り推奨に変更した。

(解答)

該当条項：基準７(3)

アナリストがまず相続で自己保有していたＡ社の株式をその日に売却し、その後にＡ社に対する投資評価を売り推奨に変更したことは、投資推奨等の業務に従事する会員が、自己の取引に優先して、顧客が投資推奨等に基づいて取引を行うことができるよう十分な機会を与えていないことになる。

他の違反基準：基準６(1)、８(2)、９(2)

Point ④ 担当運用財産の取引優先

> **基準７(4)**　投資管理業務に従事する会員は、自己が実質的保有をしまたはそれが見込まれる証券の取引が、自己の関与する運用財産において行う取引の利益を損なうことがないよう、当該運用財産のための取引を自己の取引に優先させなければならない。

趣旨

基準７(4)は、**基準７(3)**と同様の趣旨を投資管理業務に従事する会員に対して規定している。ある証券について会員が関与する運用財産で購入（売却）予定がある場合には、運用財産より先に会員自身が購入（売却）を行ってはならないという規定である。

注解

１．「当該運用財産のための取引を自己の取引に優先」

「当該運用財産のための取引を自己の取引に優先」とは、会員が自己の取引を行おうとする場合、それと同じ証券を会員が関与する運用財産で取引を行おうとしているときは、自己の取引より運用財産の取引を優先させなければならないということである。

【キーフレーズ】

①　投資管理業務に従事する会員：運用会社、投資顧問会社や金融機関で顧客の資産を運用・管理する業務を担当する（ファンドマネジャー）会員。

②　自己の取引に優先：運用財産で取引する証券と同一の証券を個人的に取引する場合、運用財産の取引を優先させるということ。

(設例)

証券アナリスト職業行為基準に違反する次の行為について、該当する条項を1つ示し、その理由を述べなさい。

ESG投資のファンドマネジャー（CMA）が、投資先企業の役員から内密に、同社がCO_2排出量を実際の計測よりも少なく開示していたことに気が付いたが、社長が公表を渋っていると聞かされた。CO_2排出量を同業他社と比較したところ、企業規模に比べて不自然に少ないため、同社が排出量を実際より少なく開示しているのは確実であり、この事実が公表されれば株価は下落すると予想し、同社の株式を直ちに売却することにした。ファンドマネジャーは、まず自身の保有株式を売却し、その後に自身の運用するファンドの保有株式を売却した。

(解答)

該当条項：基準7(4)

投資先企業の株価下落が懸念される状況にある中、自身が運用しているファンドの取引を優先すべきところを、自身の保有株式を優先して売却し、その後、ファンドで保有株式を売却している。

他の違反基準：基準6(1)、8(2)

証券分析業務の内容と利益相反の防止および開示等

証券業務の種類・内容	投資情報の提供・投資推奨	投資管理
	「投資情報の提供」 有償・無償を問わず、顧客に証券投資の参考になる情報を提供すること。 「投資推奨」 証券の売り・買い・保有等、具体的な投資行動について助言すること。	ポートフォリオの運用、管理、執行を、顧客のために行うこと。
主な業態	証券会社、投資銀行	投資顧問会社、投資信託会社、信託銀行、生命保険会社等
主な職種	・営業担当 ①証券会社や銀行の営業担当者 顧客に対して投資情報の提供や、証券の売買等の助言をする投資推奨を行う。 ②資産運用会社の営業担当者 年金基金などの顧客にファンドの運用状況を報告することは、投資情報の提供に該当する。 ・リサーチ・アナリスト 調査レポートを作成し、セルサイド・アナリストは顧客等社外を含めた不特定多数に対して、バイサイド・アナリストは運用会社内部のファンドマネジャーに対して投資情報を提供する。リサーチ・アナリストはセルサイド、バイサイドともに投資情報の提供に該当する。	・ファンドマネジャー 顧客のポートフォリオの運用、それに関わる売買執行を行う。

<table>
<tr><td rowspan="2">利益相反の防止および開示等で関連する主な基準</td><td>基準７(2)
投資推奨等を行う会員の当該証券の実質的保有の禁止
基準７(3)
顧客が投資推奨等に基づく証券取引を行える十分な機会の提供</td><td>基準７(4)
担当運用財産の取引優先</td></tr>
<tr><td colspan="2">共通
基準７(1)　公正かつ客観的な証券分析業務の遂行を阻害する事項の開示
基準７(5)　顧客との取引当事者となることおよび双方代理の禁止
基準７(6)　所属する企業・団体以外からの報酬および紹介料の開示</td></tr>
</table>

Point ⑤ 顧客との取引当事者となることおよび双方代理の禁止

> **基準７(5)**　会員は、顧客が同意した場合を除き、顧客との取引において当事者となりまたは自己の利害関係者の代理人となってはならない。

趣旨

会員が顧客の取引の当事者（相手方）となる場合、会員と顧客の間で利益が相反する。そのため、顧客が同意した場合を除いて会員が取引の当事者となることを禁止する。同様の問題が起こり得るので、会員本人が利害関係者の代理人となることも禁止する。

注解

１.「自己の利害関係者」

会員の親族等のうち会員と経済的一体性がある者、会員が役職員となっている法人等。

〈注意点〉：同様の内容の趣旨を定めた金融商品取引法の規定

金融商品取引法第41条の3：有価証券の売買等の禁止

金融商品取引法第42条の2：禁止行為

（設例）

証券アナリスト職業行為基準に違反する次の行為について、該当する条項を１つ示し、その理由を述べなさい。

ベンチャーキャピタルのＡファンドは投資事業有限責任組合を組成し、その運用はＡファンドの役員Ｂ氏（CMA）が担当している。この組合では同一企業グループに対する投資額が組合財産の５％を超える時は、組合員全員の同意を事前に得る規約となっている。Ｂ氏は、社外取締役を兼任しているＣ社から100％子会社のＤ社の株式を買い取って欲しいとの打診を受けた。今、組合がＤ社の株式を取得するとＣ社グループへの投資額が５％を超えてしまうが、他の組合員への同意を後回しにしてＤ社の全株式を購入した。

（解答）

該当条項：基準７⑸

Ｃ社の社外取締役であるＢ氏は、Ｃ社の利害関係者である。Ｄ社株式の売買において、Ｂ氏は顧客にあたる他の組合員の同意なく、自己の利害関係人であるＣ社の代理人となった。

Point ⑥　所属する企業・団体以外からの報酬および紹介料の開示

基準７⑹　会員は、⑴のほか次の事項を顧客に開示しなければはならない。

イ．会員が、その顧客に対して提供した証券分析業務の対価として、自己の所属する会社または団体以外から収受しまたは収受することを約束したあらゆる報酬

ロ．会員が、その顧客に第三者の役務提供を受けることを推奨すること、またはその顧客を第三者に紹介することに関して収受しもしくは収受することを約束した、すべての報酬

趣旨

基準7(6)イは、会員が証券分析業務の対価として、所属企業や所属団体以外から報酬を受け取る場合はそれを開示する規定である。一方**基準7(6)ロ**は、会員が自らの意思、あるいは顧客の依頼に基づいて、投資顧問、コンサルタント、ブローカー、ディーラー等の第三者を紹介することで報酬が得られる場合にそれを開示する規定である。見返り付きの推奨や報酬付きの顧客紹介、および、そう見做される可能性のある行為は、公正かつ客観的な証券分析業務を阻害すると合理的に判断される。そこで、会員がそれを顧客に開示することを義務付け、顧客自身がその情報に基づき、受け入れるかどうかを判断できるようにするということである。

(設例)

証券アナリスト職業行為基準に違反する次の行為について、該当する条項を1つ示し、その理由を述べなさい。

資産運用会社が外国投資信託に投資すると、その投資信託の販売会社から、投資額に応じた報酬がその資産運用会社の社長(CMA)個人に支払われているが、このことは顧客に開示されていない。

(解答)

該当条項:基準7(6)イ

外国投資信託への投資に対する販売会社からの個人的な報酬は、自分が行う証券分析業務の対価として自己が所属する会社や団体以外から報酬に当たり、その受け取りは顧客に開示されなければならない。

他の違反基準:基準7(1)

（設例）

証券アナリスト職業行為基準に違反する次の行為について、該当する条項を１つ示し、その理由を述べなさい。

証券会社の支店の営業担当者（CMA）は、担当する顧客が経営している企業に、兄の経営するマーケティング・コンサルタント会社を紹介した。兄から顧客紹介料として50万円を受領したが、その報酬については、自社にも顧客にも報告していない。

（解答）

該当条項：基準７(6)ロ

営業担当者が第三者である兄の経営する会社を顧客の経営する企業に紹介して得た50万円の報酬は、「会員が、その顧客に第三者の役務提供を受けることを推奨すること、またはその顧客が第三者に紹介することに関して収受しもしくは収受することを約束した、すべての報酬」に該当する。その報酬を受け取ったにもかかわらず、そのことについて顧客に開示していない。

3　その他の行為基準

Point ① 顧客の公平な取扱い

基準9(1)　会員は、証券分析業務を行う場合には、すべての顧客を公平に取り扱うようにしなければならない。

趣旨

CMAに対する社会的信頼を維持するため、会員が証券分析業務を行う際には、すべての顧客を差別することなく、公平に扱わなければならない。

注解

1.「公平に取り扱う」

「公平に」ということは、必ずしも「同一に」という意味ではなく、顧客の投資目的、知識・経験の程度、情報提供への対価等の状況に応じ、その必要な情報を適時適切に提供するということである。したがって、同じ属性の顧客に対しては、同質のサービスを同じタイミングで提供しなければならない。

公平な取り扱いを徹底させるためには、CMA個人の心掛けのみでなく、法人会員および法人賛助会員も、それを実現するための内部体制を整備する必要がある。

(設例)

証券アナリスト職業行為基準に違反する次の行為について、該当する条項を1つ示し、その理由を述べなさい。

アナリスト（CMA）は、レポートの配信前に、いつも大量の証券取引を自社に発注してくれる大手機関投資家2社にレポートの内容を電話で伝えた後、すべての顧客に一斉配信した。

（解答）

該当条項：基準9(1)

　レポートの内容をすべての顧客に一斉配信する前に、大量の証券取引を発注してくれる大手機関投資家2社にその内容を電話で伝えており、すべての顧客を公平に扱っていない。

Point ② 自己の証券保有や個人的取引に対する注意

基準9(2)　会員は、自己の証券保有や個人的取引によって、公正かつ客観的な証券分析業務の遂行を阻害しないよう注意しなければならない。

趣旨

　会員は、自己計算で行う証券取引などで利益を得たり損失を避けたり、あるいは会員と個人的に特別な関係がある者の利益を図るために、証券分析業務の公正かつ客観的な遂行を阻害するようなことはあってはならない。

　基準9(2)は**基準7(2)**、**基準7(4)**の規定を、一般的、確認的に規定したものである。

注解

1．「自己の証券保有や個人的取引」

　会員による証券の実質的保有（**基準1(5)**参照。）や証券の取引のほかに、会員が通常の顧客との関係以上の特別な個人的関係（生計を共にしていない親族関係、友人関係等）を持つ者による証券の実質的保有および証券の取引も含まれる。

(設例)

証券アナリスト職業行為基準に違反する次の行為について、該当する条項を1つ示し、その理由を述べなさい。

素材セクターのアナリスト（CMA）は、建材会社A社のIR担当者から「大口顧客向けの製品で品質管理の不正の内部告発があり、社内で調査中だが、納入済の製品の多くが契約基準に達せず、他の納入先にも同様なことがあった模様で、時期は分からないが詳細が判明したら公表する予定だ。この件は業績への影響が大きそうだ。」との説明を受けた。アナリストが改めて分析したところ、A社は大きな影響を受け、業績は中長期的に低迷するという結論に至った。そこで、アナリストはまず相続で自己保有していたA社の株式をその日に売却し、その後にA社に対する投資評価を売り推奨に変更した。

(解答)

該当条項：基準9(2)

アナリストがまず相続で自己保有していたA社の株式をその日に売却し、その後にA社に対する投資評価を売り推奨に変更したことは、自己の証券保有（含む実質的保有）や個人的取引によって公正かつ客観的な証券分析業務の遂行を阻害している。

他の違反基準：基準6(1)、7(3)、8(2)

4　CMAが絶対にしてはならないインサイダー取引（未公開の重要な情報の利用の禁止等）

Point ①　未公開の重要な情報の証券分析業務への利用と伝達の禁止

基準８⑴　会員は、証券の発行者との信任関係その他特別の関係に基づき当該発行者に係る未公開の重要な情報を入手した場合には、これを証券分析業務に利用し、または他の者に伝えてはならない。

基準８⑵　会員は、証券の発行者に係る未公開の重要な情報を入手した場合において、その情報が信任関係その他特別の関係に基づく義務または法令もしくは関係諸規則に違反して伝えられたことを知りまたは知りうべきときは、これを証券分析業務に利用し、または他の者に伝えてはならない。

趣旨

基準８⑴および**基準８⑵**は、両条項とも証券の発行者に関する未公開の重要な情報（いわゆる内部情報）の利用に関する規定となっている。このうち、**基準８⑴**は、会員自身が内部者（インサイダー）やこれに準ずる立場の者が、未公開の重要な情報を入手した場合、**基準８⑵**は、会員が**基準８⑴**以外の状況で未公開の重要な情報を入手し、さらに、その情報の伝達について信任義務違反等があったことを知りあるいは違反等を知って当然の場合について、その情報を証券分析業務へ利用したり他者へ伝達したりすることに対して規制するものである。

注解

１．「信任関係その他特別の関係」

信任関係	会社とその役員、信託の受益者と受託者、証券の発行者と引受人、年金基金とその理事、顧客と投資顧問業者、会社と顧問弁護士等
その他特別の関係	発行会社とその職員、発行会社と業務委託契約等を締結している者やその役職員等

2.「未公開の」

「未公開の」とは、一般の投資者が知らない状況を指す。

金融商品取引法においては、次のような場合に重要事実の公表が行われたことになる（同法第166条の第４項、同法施行令第30条）。

・法定の届出書、報告書等が公衆縦覧に供された場合または所定の二以上の報道機関に公開後12時間経過した場合

・当該証券の金融商品取引所等の適時開示情報伝達システム上で公衆縦覧に供された場合

・いわゆるフェア・ディスクロージャー・ルールに従い、上場会社等がインターネットの利用その他の方法により公表する場合（同法第27条の36、金融商品取引法第二章の六の規定による重要情報の公表に関する内閣府令）

3.「法令もしくは関係諸規則」

内部者取引規制関係法令

内部者取引を直接規制する法令の規定としては、金融商品取引法第166条（会社関係者等の禁止行為）、第167条（公開買付者等関係者の禁止行為）など、多くのものがある。内部者取引を直接規制する法令の条項が規定している内部者の範囲および規制対象となる重要事実の範囲について整理要約して示すと、次のとおりである。

内部者の範囲

イ．会社関係者（法第166条第１項）

(イ)　上場会社等（当該上場会社等の親会社及び子会社並びに上場会社等が投資法人等である場合における上場会社等の資産運用会社及びその特定関係法人を含む。）の役員、代理人、使用人その他の従業者（役員等。役員等でなくなった後、１年以内の者についても同様）

(ロ)　当該上場会社等の会計帳簿等の閲覧等請求権を有する株主等

(ハ)　上場投資法人等の会計帳簿等の閲覧等請求権を有する投資主等

(ニ)　当該上場会社等に対する法令に基づく権限を有する者

(ホ)　当該上場会社等と契約を締結（または交渉）している者であって、当該上場会社等の役員等以外のもの

(ヘ)　(ロ)、(ハ)、(ホ)に掲げる者であって法人であるものの役員等

ロ．会社関係者から重要事実の伝達を受けた者（法第166条第３項。いわゆる第一次情報受領者）

重要事実の範囲

法第166条第２項が定める重要事実は、次のとおりである。

① 決定事実（株式の発行等について会社の業務執行決定機関等実質的な意思決定機関が決定し、または当該機関が決定公表したそれらの事項を行わないことを決定したこと）

② 発生事実（災害・業務に起因する損害等）

③ 決算予想値等の差異の発生

④ その他投資判断に著しい影響を及ぼす事実

⑤ 子会社についての決定事実、発生事実、決算予想値等の差異の発生、その他投資判断に著しい影響を及ぼす事実

⑥ 上場投資法人等についての決定事実、発生事実、決算予想値等の差異の発生、その他投資判断に著しい影響を及ぼす事実

⑦ 上場投資法人等の資産運用会社についての決定事実、発生事実

なお、会員自身の個人としての取引は証券分析業務（証券投資に関する諸情報の分析と投資価値の評価とに基づく投資情報の提供、投資推奨または投資管理）に当たらないので、**基準８**に対する違反にはならない。

（設例）

証券アナリスト職業行為基準に違反する次の行為について、該当する条項を１つ示し、その理由を述べなさい。

資産運用会社Ａ社の営業担当者（CMA）は、企業年金の受託先企業Ｂ社の担当者から「他社に委託した運用で大きなマイナスが出てしまい、年金は積立金不足で特別損失を計上する必要があり、その結果、当期利益は大幅減益になる見込みだ。このことはまだ公表していないので、他言無用でお願いする。」と聞かされた。

営業担当者は、Ｂ社を担当する自社のアナリストに、特別損失の発生で大幅減益になる見込みについて伝えた。

（解答）

該当条項：基準８(1)

Ａ社の営業担当者がＢ社を担当する自社のアナリストに、顧客の担当者から聞いた年金の積立金不足による特別損失の発生で大幅減益になる見込みという未公開の重要な情報を伝えたことは、「証券の発行者との信任関係その他特別の関係に基づき当該発行者に係る未公開の重要な情報を入手した場合には、これを証券分析業務に利用し、または他の者に伝えてはならない。」とされる基準８(1)に違反する。

なお、未公開の重要な情報の利用の禁止等に関わる基準８(1)と８(2)の違いは、基準８(1)が証券の発行者と信任関係その他特別の関係にある者（内部者またはこれに準ずる立場にある者）を対象としているのに対し、基準８(2)はそれ以外の者を対象としていることである。Ａ社はＢ社から年金運用を受託しているため、Ａ社の営業担当者とＢ社とは信任関係その他特別の関係にあり、基準８(1)に該当する。

(設例)

証券アナリスト職業行為基準に違反する次の行為について、該当する条項を１つ示し、その理由を述べなさい。

ESG投資のファンドマネジャー（CMA）が、投資先企業の役員から内密に、同社がCO_2排出量を実際の計測よりも少なく開示していたことに気が付いたが、社長が公表を渋っていると聞かされた。CO_2排出量を同業他社と比較したところ、企業規模に比べて不自然に少ないため、同社が排出量を実際より少なく開示しているのは確実であり、この事実が公表されれば株価は下落すると予想し、同社の株式を直ちに売却することにした。

ファンドマネジャーは、まず自身の保有株式を売却し、その後で自身の運用するファンドの保有株式を売却した。

(解答)

該当条項：基準８(2)

ファンドマネジャーが、投資先企業がCO_2排出量を実際の計測よりも少なく開示していたという未公開の重要な情報を、同社の役員が守秘義務に反して伝えられたことを知りながら、その情報を元に運用ファンドで保有する同社の株式を売却するという証券分析業務を行った。

他の違反基準：基準６(1)、７(4)

(設例)

証券アナリスト職業行為基準に違反する次の行為について、該当する条項を1つ示し、その理由を述べなさい。

証券会社調査部のアナリストAさん（CMA）は、担当企業B社の社長から、B社の業績が会社予想として公表した当期利益額を約25%上回っていると教えられた。B社は金融商品取引法の定める「上場会社等に係る業務等に関する重要事実」に該当しないと判断してこの情報を対外公表していない。

市場参加者が全く予想していないB社の業績上振れは、株価に大きなインパクトを与えることが確実と考えられ、Aさんは早速B社のレポートを作成し、独自分析の業績予想として、その日のうちに発表した。

(解答)

該当条項：基準8(2)

B社社長がAさんに伝達した業績上振れに関する情報は金融商品取引法で定める「重要事実」に当たらなくとも、株価に影響を与えることからフェア・ディスクロージャー・ルールに抵触し、また「未公開の重要な情報」に該当するため、業績上振れに関する情報をレポート作成という証券分析業務に利用してはならない。

例題１

《2022年（秋）.１.２》

CMAの忠実義務に関する次の記述のうち、正しくないものはどれか。

A　顧客の最善の利益に資することだけに専念しなければならない。

B　顧客に個別株式を推奨するに当たって、自己の取引を優先してはならない。

C　顧客の同意があった場合を除き、自己が顧客の取引相手になってはならない。

D　顧客との利益相反の回避のため、上場株式の売買や保有を一切してはならない。

解答  D

解　説

A　正しい。会員は、証券分析業務を行うに当たっては、顧客その他信任関係にある者の最善の利益に資することのみに専念しなければならず、自己および第三者の利益を優先させてはならないため、基準６(1)に準拠する。

B　正しい。投資推奨等の業務に従事する会員は、投資推奨等を行う場合は、自己が実質的保有をしまたはそれが見込まれる証券の取引に優先して、顧客が当該投資推奨等に基づいて取引を行うことができるよう、十分な機会を与えなければならないため、基準７(3)に準拠する。

C　正しい。会員は、顧客が同意した場合を除き、顧客との取引において当事者となりまたは自己の利害関係者の代理人となってはならないため、基準７(5)に準拠する。

D　正しくない。公正かつ客観的な証券分析業務の遂行が阻害されることがないと合理的に判断される場合において、投資推奨等において当該証券の実質的保有の事実が顧客に開示されるときは、例外的に証券の実質的保有が許される。

例題２ 《2022年（秋）.１.３》

職業行為基準における「未公開の重要な情報」に関する次の記述のうち、正しいものはどれか。

A　「重要な情報」とは、特定の証券の発行者に係る情報で、一般の投資者の投資判断または証券の価格に重大な影響を与えるものをいう。

B　「未公開の重要な情報」を入手しても、自分がその情報を利用しなければ、友人や親戚に知らせてもよい。

C　上場企業の新製品に関する予測記事は、企業による正式な公表前であれば、内容によらず、すべて「未公開の重要な情報」に該当する。

解答  A

解　説

A　正しい。「重要な情報」とは、特定の証券の発行者に係る情報であって、一般の投資者の投資判断または証券の価格に重大な影響を与えるものをいうため、基準１(6)に準拠する。

B　正しくない。基準８の「未公開の重要な情報」は、証券分析業務への利用だけでなく、他者への伝達も禁止している。

C　正しくない。新製品に関する予測記事は証券の発行者が公表したものではなく、第三者の見解も含まれるので、内容にかかわらず、すべてが「未公開の重要な情報」に該当するわけではない。

例題３

《2022年（春）.１.３》

CMAの忠実義務に関する職業行為基準６⑴の文章で、空欄（①）～（③）に当てはまる語句の組合せとして、正しいものはどれか。

証券分析業務を行う場合には、顧客その他（　①　）関係にある者の最善の（　②　）に資することのみに（　③　）しなければならず、自己および第三者の（　②　）を優先させてはならない。

A　①雇用　②要求　③専念

B　①雇用　②利益　③配慮

C　①信任　②利益　③専念

D　①信任　②要求　③配慮

解答  C

解　説

基準６⑴の条文は次の通り。

会員は、証券分析業務を行うに当たっては、顧客その他（①　信任）関係にある者の最善の（②　利益）に資することのみに（③　専念）しなければならず、自己および第三者の（②　利益）を優先させてはならない。

例題４

《2022年（春）.１.４》

運用会社で様々な業務に携わるCMAにとって、そのCMAが職業行為基準における忠実義務を負う対象として、最も不適切なものはどれか。

A　投資信託を運用するファンドマネジャー（CMA）にとっての、投資信託を保有する受益者

B　営業担当者（CMA）にとっての、投資信託の販売会社

C　投資信託を運用するファンドマネジャーに報告する調査部門のアナリスト（CMA）にとっての、投資信託を保有する受益者

D　投資顧問契約に基づく助言を行うCMAにとっての、助言を受ける顧客

解答  B

解　説

A　適切である。投資信託を保有する受益者は、投資信託を運用するファンドマネジャー（CMA）にとって投資管理業務の顧客であり、忠実義務を負う。

B　不適切である。営業担当者（CMA）にとって、投資信託の販売会社ではなく投資信託を購入する受益者が投資推奨業務の顧客であり、受益者に対して忠実義務を負う。

C　適切である。投資信託を保有する受益者は、投資信託を運用するファンドマネジャーにとって投資管理業務の顧客であり、ファンドマネジャーに報告する調査部門のアナリスト（CMA）にとっても顧客に当たるため忠実義務を負う。

D　適切である。助言を受ける顧客は、投資顧問契約に基づく助言を行うCMAにとって投資推奨業務の顧客であり、忠実義務を負う。

信任義務を果たすための注意義務

1. 傾向と対策

この章では、注意義務について学習する。注意義務では、専門家として尽くすべき注意、技能、配慮および勤勉さをもってその業務を遂行しなければならないとされている。なお、注意義務の系となる主な基準として、投資情報の提供等に関する基準３や投資の適合性の確認等を求める基準４、不実表示の禁止等を求める基準５がある。

過去の出題傾向としては、毎回最低１問はこの章に関する出題がなされる。また、投資情報の提供等、注意義務の系である基準について直接問う問題も出題された。

「総まとめテキスト」の項目と過去の出題例

「総まとめ」の項目	過去の出題例	重要度
第４章　信任義務を果たすための注意義務		
１注意義務の系となる主な基準	2022年秋・第１問・問４ 2023年秋・第１問・問４ 2024年春・第１問・問４	A
２投資情報の提供等	2022年秋・第１問・問４、問５ 2023年春・第１問・問５ 2023年秋・第１問・問４、問５ 2024年春・第１問・問４	A
３投資の適合性の確認等	2022年秋・第１問・問４、問５ 2023年秋・第１問・問４ 2024年春・第１問・問５	A
４不実表示に係る禁止等		C

(注) 小問１問の中で選択肢が複数の論点にまたがるものは複数の項目で計上している。

2. ポイント整理

1　注意義務の系となる主な基準

基準６(2)　会員は、前項の業務を行う場合には、その時々の具体的な状況の下で、専門家として尽くすべき注意、技能、配慮および勤勉さをもってその業務を遂行しなければならない。

注意義務に関する具体的な基準として、**基準３．投資情報の提供等**と**基準４．投資の適合性の確認等、基準５．不実表示に係る禁止等**が定められており、これらの基準群を遵守していれば、**基準６(2)**の注意義務を果たすことができる。

基準３．投資情報の提供等

基準３(1)　綿密な調査･分析に基づく合理的かつ十分な根拠をもつこと。この場合、それを裏付ける適切な記録を相当期間保持するように努めるものとする。

基準３(2)　事実と意見とを明確に区別すること。

基準３(3)　重要な事実についてすべて正確に表示すること。

基準３(4)　投資成果を保証するような表現を用いないこと。

基準３(5)　顧客または広く一般に提供する投資情報の作成に当たり、他人の資料を利用する場合には、出所、著者名を明示するなど慎重かつ十分な配慮をしなければならない。

基準４．投資の適合性の確認等

基準４(1)　顧客の財務状況、投資経験、投資目的を十分に確認すること。また、必要に応じてこれらの情報を更新（最低でも年１回以上）すること。

基準４(2)　顧客の状況、ニーズ、投資対象およびポートフォリオ全体の基本的特徴など関連する要素を十分に考慮して、投資情報の提供、投資推奨または投資管理の適合性と妥当性を検討し、顧客の投資目的に最も適合する投資が行われるよう常に配慮すること。

基準4(3)　次の事項を顧客に開示すること。

イ．投資対象の選定またはポートフォリオの構築を行う際に適用する基本的原則と手法およびこれらについての重大な変更

ロ．個々の投資対象の基本的特徴

基準5．不実表示に係る禁止等

基準5(1)　会員は、次に掲げる事項について不実表示をしてはならない。

イ．会員が顧客に対して行うことができる証券分析業務の種類、内容および方法その他証券分析業務に係る重要な事実

基準5(2)　会員は、自己またはその所属する会社が達成しまたは達成することが合理的に期待される投資管理の成果を、顧客または広く一般に提示するときは、公正、正確、かつ十分な提示が行われるよう合理的な努力をしなければならない。

2　投資情報の提供等

Point ①　綿密な調査・分析に基づく合理的で十分な根拠

基準３　会員は、投資情報の提供、投資推奨または投資管理を行う場合には、次の事項を守り、合理的な根拠をもつ適正な表示に努めなければならない。

(1)　綿密な調査・分析に基づく合理的かつ十分な根拠をもつこと。この場合、それを裏付ける適切な記録を相当期間保持するように努めるものとする。

趣旨

基準３(1)は、**基準２**(3)「専門的見地から適切な注意を払い、公正かつ客観的な判断を下す」という規定に則し、証券分析業務の基本的前提を定めたものである。

適切な記録を相当期間保持するのは、主として、後日、証券分析業務に関して争いが起きた時、自衛のための証拠とするためである。

注解

１.「適切な記録」

基準３(1)の規定に則って証券分析業務を行ったことの裏付けとなる文書や資料のこと。調査レポートや企業への訪問記録などをいう。

２.「相当期間」

法令や、会員の所属団体に規定があるものはそれに基づく期間。規定がないものは権利の消滅時効などを考慮して自主的に決める。

【キーフレーズ】

①　投資情報の提供、投資推奨、投資管理：基準１「定義」参照。

②　綿密な調査・分析

③　合理的かつ十分な根拠

④　裏付ける記録を相当期間保持

（設例）

証券アナリスト職業行為基準に違反する次の行為について、該当する条項を１つ示し、その理由を述べなさい。

顧客勧誘用の資料には、「ESGの観点から、投資銘柄を独自に評価して選定します」と記載している運用会社（法人会員）のESG投資ファンドのファンドマネジャー（CMA）が、個々の会社を自分で調査せず、外部のESG評価会社が高い評価を付けた銘柄に、その評価内容の確認もせずに投資している。

（解答）

該当条項：基準３(1)

ファンドの投資銘柄を選ぶ際、運用会社は独自に評価することを標榜しているにもかかわらず、自身で個々の会社を調査することなく、ESG評価会社の評価基準についてもその内容を確認することもなく、評価会社の評価の高い銘柄に投資しており、綿密な調査・分析を行っていない。

他の違反基準：基準５(1)イ（法人会員の運用会社）

（設例）

証券アナリスト職業行為基準に違反する次の行為について、該当する条項を１つ示し、その理由を述べなさい。

化学業界担当のアナリスト（CMA）は、Ａ社が開発中の新しい触媒について、専門知識がなく、詳しいことはわからなかったが、他社の競合製品の状況を調べたり、市場規模を推計したりはしなかった。しかし、この触媒の需要は大きいと考え、「開発中の触媒の製品化により、Ａ社の業績の急回復が確実なため、買い推奨に引き上げる」という内容のレポートをすぐに作成した。

(解答)

該当条項：基準３(1)

開発中の新しい触媒について専門知識がなく詳しいことはわからないにもかかわらず、他社の競合製品の状況を調べたり、市場規模を推計したりせず、綿密な調査・分析に基づく合理的かつ十分な根拠をもつことなくレポートを書いている。

他の違反基準：基準３(2)、６(2)

Point ② 事実と意見の明確な区別

基準３(2) 事実と意見とを明確に区別すること。

趣旨

証券分析を行う場合には、客観的事実の分析だけでなくアナリストの意見や判断も含まれる。顧客の投資判断を誤らせることがないよう、客観的な事実とアナリストの意見とは明確に区別するよう定めた規定である。

注解

１．「事実と意見」

企業の財務情報を例にとれば、既に企業から公表された決算実績は「事実」、アナリストによる将来の収益予測、配当予想等は、確実性が高いものであっても「意見」に当たる。したがって、それは、ある前提に基づく予測であること、今後の状況により左右される可能性があることを、何らかの形で付け加えておく。

(設例)

証券アナリスト職業行為基準に違反する次の行為について、該当する条項を１つ示し、その理由を述べなさい。

化学業界担当のアナリスト（CMA）は、Ａ社が開発中の新しい触媒について、専門知識がなく、詳しいことはわからなかったが、他社の競合製品の状況を調べたり、市場規模を推計したりはしなかった。しかし、この触媒の需要は大きいと考え、「開発中の触媒の製品化により、A社の業績の急回復が確実なため、買い推奨に引き上げる」という内容のレポートをすぐに作成した。

(解答)

該当条項：基準3(2)

開発中の触媒の製品化により、A社の業績の急回復が確実とレポートに断定的に記述したことは、事実と意見を明確に区別しているとは言えない。

他の違反基準：基準3(1)、6(2)

Point ③ 重要な事実の正確な表示

基準3(3) 重要な事実についてすべて正確に表示すること。

趣旨

顧客の投資判断を誤らせることのないよう、重要な事実について、すべて正確に表示するよう定めた規定である。

注解

1.「重要な事実」

重要な事実とは、顧客の投資判断に重要な影響を及ぼすと考えられる事実で、分析対象企業に関する重要な情報、証券価格に影響を与えるマクロ経済や金融市場に関する情報等が該当する。

2.「正確に表示」

正確に表示とは、投資判断に必要な重要な事項はすべて網羅され、その内容が十分かつ明瞭であることを意味する。なお、表示の手段については、口頭や調査レポート等の文書その他いかなる手段であるかを問わない。

（設例）

証券アナリスト職業行為基準に違反する次の行為について、該当する条項を１つ示し、その理由を述べなさい。

新興国ハイイールド債券ファンドを推奨する際、リターンの説明には情報端末で検索した米国のハイイールド債券の直近１年間の利回りのグラフを使用した。

（解答）

該当条項：基準３(3)

新興国ハイイールド債券ファンドのリターンの説明に、先進国である米国のハイイールド債券の直近１年間の利回りのグラフを用いて説明しており、重要な事実について正確に表示していない。

Point ④　投資成果を保証する表現の禁止

基準３(4)　投資成果を保証するような表現を用いないこと。

趣旨

顧客に対し、投資推奨や投資管理サービスを提供するとき、一定の利益を確実に保証するような表現を用いてはならない。

注解

１．「投資成果を保証」

投資運用契約を締結する際に、一定の期待パフォーマンスを約束するようなことは、投資成果の保証に当たる。一方、将来の株価水準等について、一定の判断を示して投資推奨を行う場合、**基準３(2)**（事実と意見との区別）に即して、株価等の予測はあくまで意見であり、将来の状況次第で予想と結果が異なることもあり得ることを明示すれば、投資成果の保証または金融商品取引法第38条に定める断定的判断の提供による勧誘には当たらない。

（設例）

証券アナリスト職業行為基準に違反する次の行為について、該当する条項を１つ示し、その理由を述べなさい。

ESG投資ファンドのファンドマネジャー（CMA）が顧客に、「気候変動リスクの抑制に着目したESG投資による運用が、TOPIXを上回る投資成果を確保できるのは間違いありません」と説明している。

（解答）

該当条項：基準３(4)

顧客に自分の担当するESG運用を説明する際に、「ESG投資による運用が、TOPIXを上回る投資成果を確保できるのは間違いありません」と投資成果を保証するような表現を使って説明している。

Point ⑤ 剽窃行為の禁止

基準３(5)　顧客または広く一般に提供する投資情報の作成に当たり、他人の資料を利用する場合には、出所、著者名を明示するなど慎重かつ十分な配慮をしなければならない。

趣旨

投資情報を作成する際に、他人の資料を引用するときは剽窃行為にならないように注意する。

注解

１．「慎重かつ十分な配慮」

他人の作成した資料をその出所等を明示して引用する場合にも著作権法違反

にならないようにするばかりでなく、専門家としての信用を失墜させることのないように配慮する。

（設例）

証券アナリスト職業行為基準に違反する次の行為について、該当する条項を1つ示し、その理由を述べなさい。

資産運用会社の社長（CMA）は、多数の外国投資信託を評価しているファンド評価会社の資料を基に、ファンドの選定作業を行うように部下に指示したが、このことは販売用資料に記載されず、社外秘となっている。

（解答）

該当条項：基準3(5)

ファンド評価会社の資料を基に外国投資信託を選定するように部下に指示したが、そのことを販売用資料で開示していないため、出所を明示しなければならない。

他の違反基準：基準4(3)イまたは4(3)ロ

3　投資の適合性の確認等

Point ①　財務状況、投資経験、投資目的の確認と投資の適合性への配慮

基準４　会員は、投資情報の提供、投資推奨または投資管理を行う場合には、次の事項を守らなければならない。 (1)　顧客の財務状況、投資経験、投資目的を十分に確認すること。また、必要に応じてこれらの情報を更新（最低でも年１回以上）すること。 (2)　顧客の状況、ニーズ、投資対象およびポートフォリオ全体の基本的特徴など関連する要素を十分に考慮して、投資情報の提供、投資推奨または投資管理の適合性と妥当性を検討し、顧客の投資目的に最も適合する投資が行われるように常に配慮すること。

趣旨

基準４は、会員が顧客のため証券分析業務を行う際に、顧客の投資目的に最も適合した投資が行われるよう配慮することを求める、適合性の原則について規定している。

基準４(1)は、適合性の原則を実践するうえで前提となる顧客に関する情報の把握についての規定であり、顧客に関する情報の確認義務と更新の必要性について記されている。

顧客の置かれている状況

個人	資産の額、年齢、家族構成、資金の必要となる時期などにより異なり、投資目的、資産運用に関する知識・経験においても異なる。 例：・収益を生計費に充てるために投資を行う場合 　　・将来の老後資金を増やすために投資を行う場合

事業法人、 機関投資家	運用資産の規模、事業の性格、将来の資金需要の見通しなどにより投資目的は異なり、資金運用に関するノウハウの蓄積度合いも異なる。 例：・事業法人…通常は短期の投資 ・年金基金…通常は長期の運用

基準４(2)は、適合性の原則そのものを規定したものである。証券分析業務に従事する会員は、**基準４(1)**に基づいて得られた情報に照らし、投資に関する顧客の制約条件を検討した上で、顧客のリスク許容度を考慮しながら、目標とする収益率を決める。これを踏まえて、顧客の投資目的に最もふさわしい収益率とリスクの組み合わせをもった投資対象を選び、ポートフォリオの構築に努める。これが適合性の原則であり、証券分析業務の従事者が守らなければならない最も基本的な原則の一つである。また、これは受任者としての信任義務を構成する要素の一つである**基準６(2)**の注意義務に由来する。

適合性の原則において、求められる適合性の考慮の度合いは、会員が属する業態や従事する業務の種類によって異なる。

・リサーチ・アナリストの会員

多数の顧客向けにレポートを作成・配布することから、個々の顧客の情報が特定されない場合が多い。このように適合性の原則を考慮することは事実上困難な場合、リサーチ・アナリストは投資対象の特徴、特にリスクについてできる限り解説し、顧客自身で適合性を判断する材料を提供しなければならない。

・資産運用会社の会員

特定の顧客から投資目的、財務内容、所有ポートフォリオ等の開示を受けたうえで委託を受けるため、適合性への配慮が強く求められる。近年、年金基金をはじめとする機関投資家は、基準資産配分比率、ベンチマーク、資産クラスごとの銘柄選択についての投資スタイルなどを含む投資政策を、資産運用会社に示すようになってきた。そのとき会員が運用担当者である場合、提示された投資政策を前提としながら適合性を考慮しなければならない。

注解

1.「財務状況、投資経験、投資目的を十分に確認」

会員は顧客のニーズに最も適合した投資が行われるようにするために、そのニーズに適合しているかどうかを判断するのに重要な情報のカテゴリーを挙げ、それらの情報を十分に収集して適切に評価しなければならない。

・財務状況に関する情報

流動性、投資期間など投資の制約条件の確認、投資の必要収益率の設定、リスク許容度の認定などのために必要である。

・投資経験に関する情報

専門家である会員が適合性を考慮して投資推奨等を行う場合でも、最終的には、顧客の自己責任において投資の適合性を判断してもらう必要がある。そのため、投資経験が乏しい顧客に対しては、理解するのが難しい複雑・高度な商品を投資対象とすることは避けるべきである。

・投資目的

個人の場合は、余剰資金の運用や老後の生活費に充てるために一定金額の積み立てを希望するというものがある。一方、法人の場合は、余裕資金の短期運用や経常損益を一定水準に維持するため何%の収益率を目標としたいなどである。なお、ポートフォリオ・マネジメント理論においては、投資目的を必要収益率とリスク許容度と定義している場合が多く、数字で示すのが必須であるが、ここでいう投資目的はもう少し広く解釈しており、必ずしも必要収益率やリスク許容度が具体的な数字で示されないものも含む。

・投資信託のような集団的投資スキームの金融商品

通常は、販売の際に顧客に対して運用方針（運用スタイル）が示されており、顧客はそれを確認して自身の投資目的に合致した商品を選択する。そのため、販売従事者は、顧客の投資目的に適合した運用方針（運用スタイル）を持った商品が選ばれるように配慮する必要がある。また、これらの商品の契約は一律定型的な集団契約であるため、販売後、商品の運用担当者が個々の顧客の財務状況等の情報を入手することはできず、個々の顧客の特性に応じた投資を実践することは難しい。運用担当者は、顧客に約束した運用方針

（運用スタイル）を遵守しながら、そのファンドに許されるリスクの範囲内で、できるだけ期待リターンの高い運用になるように努めれば、結果的に適合性の原則を守っていることになる。

２．「ポートフォリオ全体の基本的特徴」

基本的特徴とは、ポートフォリオ全体の投資収益率（リターン）とリスクの組み合わせのことである。機関投資家か個人投資家かに関わらず、ポートフォリオが構築されている場合の投資の適合性の判断には、個別の投資対象ではなくポートフォリオ全体について、顧客の投資目的に最も適合したリターンとリスクの組み合わせを実現することが求められる。

（設例）

証券アナリスト職業行為基準に違反する次の行為について、該当する条項を１つ示し、その理由を述べなさい。

支店の投資アドバイザー（CMA）は、担当顧客の顧客カードを２年間更新していなかったが、最新の財務状況や投資スタンスを確認しないまま、販売手数料が他の商品に比べて高いため自身の営業成績を上げるのに都合がよいが、リスク特性をよく理解していない新興国ハイイールド債券ファンドを、投資経験の乏しい顧客に強く勧めた。

（解答）

該当条項：基準４(1)

投資アドバイザーが顧客カードを２年間更新せず、最新の財務状況や投資スタンスを確認しなかった。

該当条項：基準４(2)

顧客情報を２年間更新しておらず、顧客が退職金の運用相談に来店したことを認識しているにもかかわらず、顧客の状況やニーズなどを確認することなく、投資経験の乏しい顧客にリスクの高い新興国ハイイールド債券ファンドの説明を行っており、投資推奨の適合性と妥当性を十分に検討していない。また、推奨した商品が顧客の投資目的に適合しているかどうかに配慮していない。

他の違反基準：基準3(1)、6(1)

Point ② 投資対象選定時における基本的事項の開示

基準4(3) 次の事項を顧客に開示すること。

イ．投資対象の選定またはポートフォリオの構築を行う際に適用する基本的原則と手法およびこれらについての重大な変更

ロ．個々の投資対象の基本的特徴

趣旨

基本的に、投資は顧客の自己責任において行われるべきものである。しかし、一般の投資家は証券分析業務を提供する側に比べて情報量が少なく、適切な判断を行うことが難しい。しかも昨今の金融技術の革新や金融サービスの多様化で、顧客が投資対象のリスク・リターン特性を理解することはますます難しくなっている。現状、顧客の自己責任原則を求めるためには、証券分析業務の提供者が投資対象の選定等に関する原則や投資対象について十分な情報を開示し、顧客自身が証券分析業務の提供者が適合性の原則を守っているかどうかをチェックできるようにする必要がある。

以上のようなことから、**基準4(3)**は顧客に対する一定事項の開示義務を定めたもので、この義務は、直接顧客対応する場合だけでなく、顧客向けにリサーチ・レポート等を作成する場合にも適用される。

なお、「金融商品の販売等に関する法律」には、元本欠損のおそれ等一定の重要事項の説明義務違反があった場合には、金融商品販売業者等の行為により損害が生じたとの因果関係および元本欠損額が損害額であると推定すると規定されており、被害者による損害賠償請求が容易になっている。

注解

１.「適用する基本的原則と手法」

運用政策、運用哲学など、運用に関して採用している基本的な考え方、手法および運用を実行するための体制・手続きのことである。

・基本的な考え方：

資産配分や資産ごとの銘柄選択についての投資スタイルの特徴

アクティブ運用かパッシブ運用かの別

ボトム・アップアプローチかトップ・ダウンアプローチかの別

クオンティタティブ・アプローチ（クオンツ運用）か総合判断アプローチ（伝統的運用）かの別

・運用体制・手続き：

投資意思決定に当たる委員会などの組織の概要

意思決定までの手続き

運用を担当するファンドマネジャーの氏名など

これらの恣意的な変更は、契約違反となることもあり得るので注意を要する。

２.「個々の投資対象の基本的特徴」

個々の投資対象のリスク・リターン特性のこと。

（設例）

証券アナリスト職業行為基準に違反する次の行為について、該当する条項を１つ示し、その理由を述べなさい。

資産運用会社の社長（CMA）は、多数の外国投資信託を評価しているファンド評価会社の資料を基に、ファンドの選定作業を行うように部下に指示したが、このことは販売用資料に記載されず、社外秘となっている。

（解答）

該当条項：基準４⑶イまたは４⑶ロ

ファンド評価会社の資料を基に外国投資信託を選定するように指示したが、そのことを販売用資料で開示されておらず、投資対象の選定またはポートフォリオの構築を行う際に適用する基本的原則と手法や個々の投資対象の基本的特徴を顧客に開示していない。

他の違反基準：基準３⑸

4　不実表示に係る禁止等

Point ①　証券分析業務に関する重要な事実の不実表示の禁止

> **基準５(1)**　会員は、次に掲げる事項について不実表示をしてはならない。
> イ．会員が顧客に対して行うことができる証券分析業務の種類、内容および方法その他証券分析業務に係る重要な事実

趣旨

会員が行う証券分析業務の能力に関し、虚偽や誇張または誤解を生じさせるような内容の発言、記載、広告をしてはならない。

注解

１．「その他証券分析業務に係る重要な事実」

顧客が会員に証券分析業務を委託するかどうかを判断したり、レポートなど会員の証券分析業務の成果を受け入れるかどうかの判断をしたりする際の材料として重要な意味を持つ要素すべてである。

基準に列挙したもの以外

個人会員および個人賛助会員	金融機関等における経歴など
法人会員および証券分析業務を行う法人賛助会員	証券分析業務に従事する証券アナリストの人数、親会社・子会社関係などの企業グループに関する情報、会社の沿革など

(設例)

証券アナリスト職業行為基準に違反する次の行為について、該当する条項を1つ示し、その理由を述べなさい。

ある運用会社（法人会員）の顧客勧誘用の資料には、「多数のベテランESGスペシャリストが、ESGの観点から、投資銘柄を独自に評価して選定します」と記載されているが、ESG投資の専門家は一人しかいない。

(解答)

該当条項：基準5(1)イ

ESG投資の専門家が一人しかいないにもかかわらず、多数のベテランESGスペシャリストが評価選定すると顧客勧誘用資料に記載していることは、会員が顧客に対して行うことができる証券分析業務の種類や内容に関する不実表示に当たる。

(設例)

証券アナリスト職業行為基準に違反する次の行為について、該当する条項を1つ示し、その理由を述べなさい。

指数先物を利用したブルベア型の投資信託を売り込む際、支店の投資アドバイザー（CMA）は、「株価指数の方向が変わる節目には、私が電話で、ファンド運用の幹部が作成した内密の売買判断の情報を提供しますから、ご安心ください。」と口約束をした。しかし、ファンド運用の幹部による売買判断の情報なるものは存在しない。

(解答)

該当条項：基準5(1)イ

存在しない、ファンド運用幹部の内密の売買判断の情報を提供すると言って投資信託への投資を勧めたことは、会員が顧客に対して行うことのできる証券分析業務の種類、内容及び方法その他証券分析業務に係る重要な事実についての不実表示である。

他の違反基準：基準３(3)、３(4)

Point ② 期待される投資管理の成果の提示

基準５(2)　会員は、自己またはその所属する会社が達成しまたは達成することが合理的に期待される投資管理の成果を、顧客または広く一般に提示するときは、公正、正確かつ十分な提示が行われるよう合理的な努力をしなければならない。

趣旨

基準５(2)は主に投資管理を行う資産運用会社を念頭に置いた規定である。投資家が資産運用会社を選ぶ際の判断材料として過去の運用実績（パフォーマンス）を重視することが多いため、パフォーマンスが適切に提示され、複数の運用会社間のパフォーマンスが相互に比較可能である必要がある。しかし、ある資産運用会社がマーケティングで他社に競り勝つために、運用資産額が少額でも、パフォーマンスの良いファンドを代表ファンドと称して提示したり、パフォーマンスの良好な期間だけ提示したりして自社のパフォーマンスを良く見せようとする可能性がある。

パフォーマンスの算出において、計算方法、評価時期、対象ファンド、期間などについて多くの選択肢があり、パフォーマンスをできるだけ良く見せる方法を採用することができる。会員は明らかに虚偽のパフォーマンス提示をしてはならないだけでなく、パフォーマンス算出過程における選択肢を恣意的に操作し、虚偽とまでは言えないがグレー・ゾーンの提示を行い、顧客をミスリードすることも避けなければならないというのが本規定の趣旨である。

注解

１．「公正、正確かつ十分な提示」

運用実績を的確に示し、顧客をミスリードするおそれのないパフォーマンス提示。

① 資産運用会社の運用実績のある報酬を課している投資一任ポートフォリオのすべてを、投資戦略や投資目的の類似性に従って区分されたグループ（コンポジット）のいずれかに組み入れ、そのグループごとにパフォーマンスを提示

② パフォーマンス計算に必要なデータの正確性を確保

③ パフォーマンス算出の過程で幾つか選択肢のある計算方法、評価時期、期間などの決定に当たっては、合理的なものを採用し、かつ一貫して使用

④ 提示するパフォーマンスを顧客が正しく理解できるよう、必要な関連情報を適切に開示

（設例）

証券アナリスト職業行為基準に違反する次の行為について、該当する条項を１つ示し、その理由を述べなさい。

ファンドの運用を開始した当初２年間の運用収益率はプラスであったが、その後は現在にいたるまでの３年間の収益率はマイナスであった。しかし、既存顧客の解約を恐れる資産運用会社社長（CMA）は、解約を防ぐため、部下に命じて３年目以降も毎年10％程度のプラスの収益率を上げているとした運用報告書を作成し、顧客に提供していた。

（解答）

該当条項：基準５(2)

解約を防ぐために虚偽の運用報告書を部下に作成させたことは、投資成果に関する不実表示である。

他の違反基準：基準６(1)

例題１

《2022年（秋）. １. ４》

CMAに求められる注意義務に関する次の記述のうち、正しいものはどれか。

A　業務中の飲酒などの非常識な行動をせずに、一般常識に従って業務を遂行していれば、必ず注意義務を果たしたことになる。

B　顧客の満足のためには投資成果を上げることが重要であり、顧客の投資目的に最も適合する投資が行われるように配慮しなくともよい。

C　結果として投資成果を上げたとしても、専門家として当然に必要とされる取材・調査や分析は行わなければならない。

D　CMA資格を取得するときに得た専門的知見を基に業務を遂行していれば、資格取得から年数が経過していても、常に注意義務を果たしたことになる。

解答  C

解　説

A　正しくない。証券分析業務の専門家であるCMAには、通常のビジネスにおける以上の注意、技能、配慮、勤勉さを持った行動が求められる。

B　正しくない。顧客の投資目的に最も適合する投資が行われるように配慮する必要があるため、基準４(2)に違反する。

C　正しい。専門家として当然に必要とされる取材・調査や分析は不可欠であるため、基準３(1) に準拠する。

D　正しくない。常に証券分析業務に関する理論と実務の研鑽に精進する必要があるため、基準６(2)の注意義務に違反する。

例題２ 《2022年（秋）. １. ５》

CMAに求められる注意義務に関する次の記述のうち、正しいものはどれか。

A　ファンドの運用方針に重大な変更がある場合、顧客に事前に開示する必要がある。

B　自分の予想に自信があるならば、将来の投資成果を保証する表現を用いてもよい。

C　外貨建ての外国証券を推奨するとき、為替変動リスクがあることは常識であり、初めて投資する顧客であっても、必ずしも説明する必要はない。

D　顧客が継続的に有価証券投資を行う一般の投資者であっても、顧客が望まなければ、顧客の財務や金融資産の状況を定期的に確認する必要はない。

解答  A

解　説

A　正しい。ファンドの運用方針の重大な変更は、顧客に事前に開示しなければならないため、基準４(3)イに準拠する。

B　正しくない。投資成果を保証するような表現を用いてはならないため、基準３(4)に違反する。

C　正しくない。個々の投資対象の基本的特徴は顧客に開示しなければならないため、基準４(3)ロに違反する。

D　正しくない。顧客の財務状況、投資経験、投資目的を十分に確認すること。また、必要に応じてこれらの情報を更新（最低でも年１回以上）しなければならないため、基準４(1)に違反する。

例題３

《2022年（春）. １. ５》

CMAに求められる注意義務に関する次の記述のうち、正しいものはどれか。

A　自分の財産が一番大切なので、顧客から業務として運用を受託した場合、自分の財産を運用する場合ほど注意する必要はない。

B　専門家として尽すべき注意、技能、配慮および勤勉さをもって業務として投資を行う場合でも、損失が発生すれば結果責任として、注意義務違反が問われる。

C　専門家として尽すべき注意、技能、配慮および勤勉さをもって業務として投資を行う場合、運用成果さえ良ければ、顧客の適合性の確認を継続して行う必要はない。

D　業務を遂行するに当たっては、尽すべき注意、技能、配慮および勤勉さには、専門家としての高度な水準が求められる。

解答　D

解　説

A　正しくない。顧客から業務として運用を受託した場合には、プルーデント・インベスター（思慮ある合理的な投資家）・ルールに基づき、自分の財産を運用する場合と同様の注意を必要とする。

B　正しくない。注意義務を果たすためにCMAが最善を尽くしたか否かは、経済・金融情勢などの投資環境、投資対象の状況、顧客の状況など、証券分析業務を遂行する時点で関連する全ての状況を前提に判断され、その後に発生した状況を踏まえて、結果責任を問われることはないとされる。

C　正しくない。顧客の投資の適合性を確認するため、最低でも年に１回以上、顧客の財務状況、投資経験、投資目的を確認する必要があるため、基準４⑴に違反する。

D　正しい。

M E M O

巻末

付　録

(1) 標準正規分布

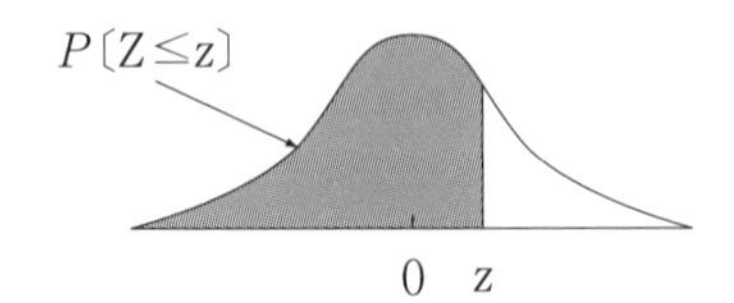

z	.00	.01	.02	.03	.04	.05	.06	.07	.08	.09
.0	.5000	.5040	.5080	.5120	.5160	.5199	.5239	.5279	.5319	.5359
.1	.5398	.5438	.5478	.5517	.5557	.5596	.5636	.5675	.5714	.5753
.2	.5793	.5832	.5871	.5910	.5948	.5987	.6026	.6064	.6103	.6141
.3	.6179	.6217	.6255	.6293	.6331	.6368	.6406	.6443	.6480	.6517
.4	.6554	.6591	.6628	.6664	.6700	.6736	.6772	.6808	.6844	.6879
.5	.6915	.6950	.6985	.7019	.7054	.7088	.7123	.7157	.7190	.7224
.6	.7257	.7291	.7324	.7357	.7389	.7422	.7454	.7486	.7517	.7549
.7	.7580	.7611	.7642	.7673	.7703	.7734	.7764	.7794	.7823	.7852
.8	.7881	.7910	.7939	.7967	.7995	.8023	.8051	.8078	.8106	.8133
.9	.8159	.8186	.8212	.8238	.8264	.8289	.8315	.8340	.8365	.8389
1.0	.8413	.8438	.8461	.8485	.8508	.8531	.8554	.8577	.8599	.8621
1.1	.8643	.8665	.8686	.8708	.8729	.8749	.8770	.8790	.8810	.8830
1.2	.8849	.8869	.8888	.8907	.8925	.8944	.8962	.8980	.8997	.9015
1.3	.9032	.9049	.9066	.9082	.9099	.9115	.9131	.9147	.9162	.9177
1.4	.9192	.9207	.9222	.9236	.9251	.9265	.9279	.9292	.9306	.9319
1.5	.9332	.9345	.9357	.9370	.9382	.9394	.9406	.9418	.9429	.9441
1.6	.9452	.9463	.9474	.9484	.9495	.9505	.9515	.9525	.9535	.9545
1.7	.9554	.9564	.9573	.9582	.9591	.9599	.9608	.9616	.9625	.9633
1.8	.9641	.9649	.9656	.9664	.9671	.9678	.9686	.9693	.9699	.9706
1.9	.9713	.9719	.9726	.9732	.9738	.9744	.9750	.9756	.9761	.9767
2.0	.9772	.9778	.9783	.9788	.9793	.9798	.9803	.9808	.9812	.9817
2.1	.9821	.9826	.9830	.9834	.9838	.9842	.9846	.9850	.9854	.9857
2.2	.9861	.9864	.9868	.9871	.9875	.9878	.9881	.9884	.9887	.9890
2.3	.9893	.9896	.9898	.9901	.9904	.9906	.9909	.9911	.9913	.9916
2.4	.9918	.9920	.9922	.9925	.9927	.9929	.9931	.9932	.9934	.9936
2.5	.9938	.9940	.9941	.9943	.9945	.9946	.9948	.9949	.9951	.9952
2.6	.9953	.9955	.9956	.9957	.9959	.9960	.9961	.9962	.9963	.9964
2.7	.9965	.9966	.9967	.9968	.9969	.9970	.9971	.9972	.9973	.9974
2.8	.9974	.9975	.9976	.9977	.9977	.9978	.9979	.9979	.9980	.9981
2.9	.9981	.9982	.9982	.9983	.9984	.9984	.9985	.9985	.9986	.9986
3.0	.9987	.9987	.9987	.9988	.9988	.9989	.9989	.9989	.9990	.9990
3.1	.9990	.9991	.9991	.9991	.9992	.9992	.9992	.9992	.9993	.9993
3.2	.9993	.9993	.9994	.9994	.9994	.9994	.9994	.9995	.9995	.9995
3.3	.9995	.9995	.9995	.9996	.9996	.9996	.9996	.9996	.9996	.9997
3.4	.9997	.9997	.9997	.9997	.9997	.9997	.9997	.9997	.9997	.9998
3.5	.9998	.9998	.9998	.9998	.9998	.9998	.9998	.9998	.9998	.9998

(注) 縦軸はzの小数点以下第1位まで、横軸は小数点以下第2位を示している。

(2) t 分布

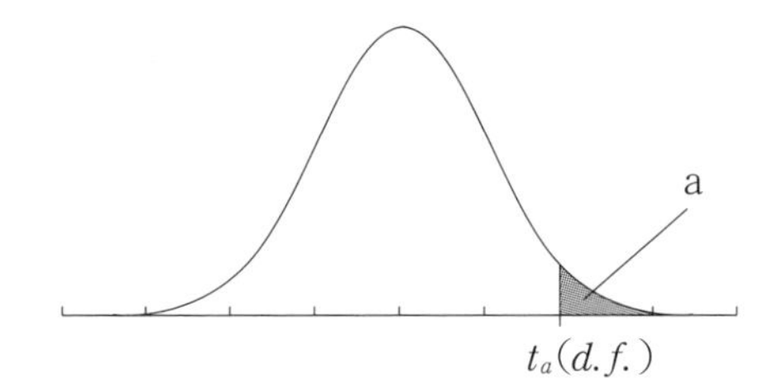

$d.f.$ ＼ a ($2a$)	0.15 (0.300)	0.1 (0.200)	0.05 (0.100)	0.025 (0.050)	0.01 (0.020)	0.005 (0.010)	0.0005 (0.001)
1	1.963	3.078	6.314	12.706	31.821	63.656	636.578
2	1.386	1.886	2.920	4.303	6.965	9.925	31.600
3	1.250	1.638	2.353	3.182	4.541	5.841	12.924
4	1.190	1.533	2.132	2.776	3.747	4.604	8.610
5	1.156	1.476	2.015	2.571	3.365	4.032	6.869
6	1.134	1.440	1.943	2.447	3.143	3.707	5.959
7	1.119	1.415	1.895	2.365	2.998	3.499	5.408
8	1.108	1.397	1.860	2.306	2.896	3.355	5.041
9	1.100	1.383	1.833	2.262	2.821	3.250	4.781
10	1.093	1.372	1.812	2.228	2.764	3.169	4.587
11	1.088	1.363	1.796	2.201	2.718	3.106	4.437
12	1.083	1.356	1.782	2.179	2.681	3.055	4.318
13	1.079	1.350	1.771	2.160	2.650	3.012	4.221
14	1.076	1.345	1.761	2.145	2.624	2.977	4.140
15	1.074	1.341	1.753	2.131	2.602	2.947	4.073
16	1.071	1.337	1.746	2.120	2.583	2.921	4.015
17	1.069	1.333	1.740	2.110	2.567	2.898	3.965
18	1.067	1.330	1.734	2.101	2.552	2.878	3.922
19	1.066	1.328	1.729	2.093	2.539	2.861	3.883
20	1.064	1.325	1.725	2.086	2.528	2.845	3.850
21	1.063	1.323	1.721	2.080	2.518	2.831	3.819
22	1.061	1.321	1.717	2.074	2.508	2.819	3.792
23	1.060	1.319	1.714	2.069	2.500	2.807	3.768
24	1.059	1.318	1.711	2.064	2.492	2.797	3.745
25	1.058	1.316	1.708	2.060	2.485	2.787	3.725
26	1.058	1.315	1.706	2.056	2.479	2.779	3.707
27	1.057	1.314	1.703	2.052	2.473	2.771	3.689
28	1.056	1.313	1.701	2.048	2.467	2.763	3.674
29	1.055	1.311	1.699	2.045	2.462	2.756	3.660
30	1.055	1.310	1.697	2.042	2.457	2.750	3.646
40	1.050	1.303	1.684	2.021	2.423	2.704	3.551
50	1.047	1.299	1.676	2.009	2.403	2.678	3.496
60	1.045	1.296	1.671	2.000	2.390	2.660	3.460
80	1.043	1.292	1.664	1.990	2.374	2.639	3.416
120	1.041	1.289	1.658	1.980	2.358	2.617	3.373
240	1.039	1.285	1.651	1.970	2.342	2.596	3.332
∞	1.036	1.282	1.645	1.960	2.326	2.576	3.290

例：自由度 $d.f.=60$ の両側５％点（p＝0.025）は、$t_{0.025}(60)=2.000$ である。

索　引

英字

ア行

カ行

サ行

タ行

ナ行

ハ行

マ行

ヤ行

ラ行

ワ行

参考文献

公益社団法人日本証券アナリスト協会編「証券アナリスト第1次レベル通信教育講座テキスト（科目Ⅲ　職業倫理・行為基準）」

公益社団法人日本証券アナリスト協会編「証券アナリスト第1次試験　試験問題および解答例」

公益社団法人日本証券アナリスト協会編「証券アナリスト第2次試験　試験問題および解答例」

公益社団法人日本証券アナリスト協会編「証券アナリスト職業行為基準　実務ハンドブック　2021年改訂」

2025年試験対策　証券アナリスト１次対策総まとめテキスト　科目Ⅲ
市場と経済の分析、数量分析と確率・統計、職業倫理・行為基準

（平成10年試験対策　1998年１月20日　初版発行）
2024年11月20日　初　版　第１刷発行

編著者	ＴＡＣ株式会社 （証券アナリスト講座）
発行者	多田敏男
発行所	ＴＡＣ株式会社　出版事業部 （TAC出版）
	〒101-8383 東京都千代田区神田三崎町3-2-18 電話 03（5276）9492（営業） FAX 03（5276）9674 https://shuppan.tac-school.co.jp/
印刷	株式会社ワコー
製本	株式会社常川製本

ISBN 978-4-300-11493-3
N.D.C. 338

資格の学校 TAC

2025年
1次春合格目標

1次重要論点強化ゼミ

2025年3月
開講予定

重要論点強化ゼミは、本試験での重要論点・頻出論点を
集中して短期間で効率的に再確認するための講座です。
直前期の学習効率を高めるためにも当ゼミの活用をオススメします。

＼ここがPOINT／

ここが
POINT

試験直前の総仕上げ！
重要論点・頻出論点を効率的に総チェック！

『総まとめテキスト』は、試験範囲の各テーマの解説をコンパクトにまとめるとともに、テーマに即した例題も掲載されています。当ゼミでは、『総まとめテキスト』を使用して、本試験での重要論点・頻出論点を解説していきます。本試験直前の効率的な総チェックに最適です。

※当ゼミの科目Ⅲには「職業倫理・行為基準」は
含まれません。

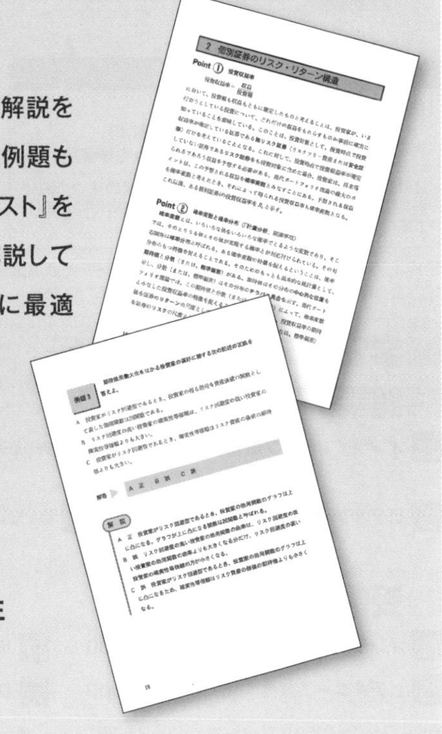

●対象者

受験経験者・学習経験者・現TAC受講生

詳細は、2025年3月刊行予定のリーフレット・ホームページをご覧ください。
※予告なく、カリキュラム等を変更する場合や開講を中止する場合があります。予めご了承ください。

2025年1次春合格目標 スーパー速修本科生 全33回

約5ヵ月で合格を目指す短期集中コースです。

カリキュラム

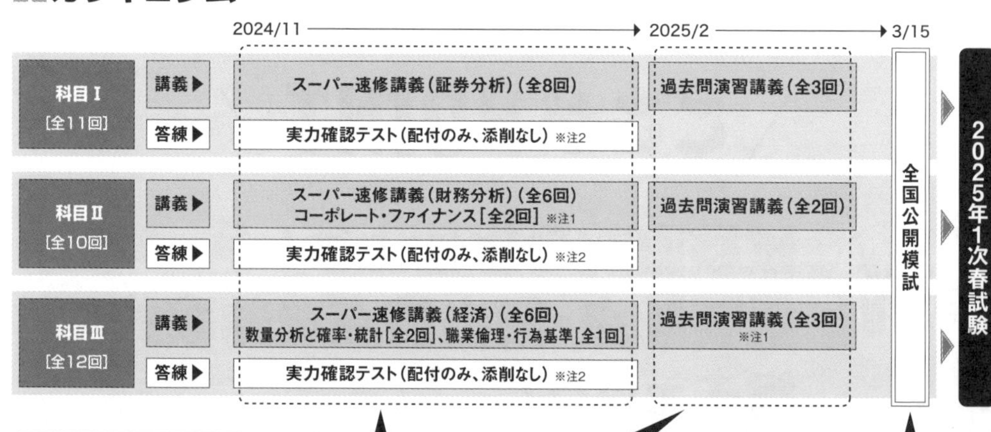

スーパー速修講義

【使用教材】 ●基本テキスト ●実力確認テスト(自宅学習用) ●基本例題集 ●問題集(自宅学習用)

重要論点に絞って、講義を展開します。学習の途中で消化不良にならないように合格に直結する知識だけに的を絞り、丁寧に解説していきます。

過去問演習講義

【教材】 ●直前例題集

講義内で過去問のポイントを解説し、本試験で通用する実践力を磨いていきます。

全国公開模試

【配付物】 ●問題 ●解答・解説冊子

本試験の出題傾向を徹底的に分析し作成するTACの本試験予想問題。本試験と同一形式での出題のため、本試験のシミュレーションとしても活用できます。

注1)オンラインライブ通信講座・ビデオブース講座・Web通信講座の方はWeb視聴、DVD通信の方はDVDによる視聴となります。
注2)実力確認テストは配付のみで、解説講義等はございません。

学習メディア・開講地区

開講一覧

オンラインライブ通信講座 11/24(日)～配信開始

ビデオブース講座(新宿校) 11/22(金)～視聴開始

Web通信講座 11/20(水)～教材発送 11/22(金)～配信

DVD通信講座 11/20(水)～教材発送 11/20(水)～DVD発送

受講料

講座	受講料	講座	受講料
オンラインライブ通信講座	¥95,000	Web通信講座	¥ 95,000
ビデオブース講座	¥95,000	DVD通信講座	¥115,000

詳細は、スーパー速修パンフレット、ホームページをご覧ください。※予告なくカリキュラム、受講料等を変更する場合があります。予めご了承ください。

※0から始まる会員番号をお持ちでない方は、受講料の他に別途入会金¥10,000(税込)が必要です。
会員番号につきましては、TAC各校またはカスタマーセンター(0120-509-117)までお問い合わせください。
※上記受講料は、教材費・消費税10%が含まれます。

2025年
1次春合格目標

全国公開模試

2025.3/15㊏開催

**Web解説講義と成績表（PDF）は
TAC WEB SCHOOL内マイページで配信！**

※Web解説講義のご視聴、成績表PDFの閲覧には「TAC WEB SCHOOL」の「マイページ」への登録が必要です。詳細は、お申込後にお渡しする「受験上の注意」もしくは「自宅受験」の手引きをご確認ください。
※「TAC WEB SCHOOL」のご利用にはインターネット環境が必要です。お申込前に必ず動作環境をご確認ください。

出題傾向を加味した
予想問題を提供！

充実の成績判定により
自身の実力が明確に！

公開模試終了後も充実の
復習ツールでバックアップ！

受験形態・開催地区

- 会場受験 ※校舎未定
- 自宅受験

お申込みは2025年2月（予定）より

詳しくは、全国公開模試案内書やホームページをご覧ください。
※予告なくカリキュラム、受講料等を変更する場合があります。予めご了承ください。

書籍の正誤に関するご確認とお問合せについて

書籍の記載内容に誤りではないかと思われる箇所がございましたら、以下の手順にてご確認とお問合せをしてくださいますよう、お願い申し上げます。
なお、正誤のお問合せ以外の**書籍内容に関する解説および受験指導などは、一切行っておりません。**
そのようなお問合せにつきましては、お答えいたしかねますので、あらかじめご了承ください。

1 「Cyber Book Store」にて正誤表を確認する

TAC出版書籍販売サイト「Cyber Book Store」の
トップページ内「正誤表」コーナーにて、正誤表をご確認ください。

CYBER BOOK STORE TAC出版書籍販売サイト

URL:https://bookstore.tac-school.co.jp/

2 1の正誤表がない、あるいは正誤表に該当箇所の記載がない ⇒ 下記①、②のどちらかの方法で文書にて問合せをする

★ご注意ください★

お電話でのお問合せは、お受けいたしません。
①、②のどちらの方法でも、お問合せの際には、「お名前」とともに、
「対象の書籍名(○級・第○回対策も含む)およびその版数(第○版・○○年度版など)」
「お問合せ該当箇所の頁数と行数」
「誤りと思われる記載」
「正しいとお考えになる記載とその根拠」
を明記してください。
なお、回答までに1週間前後を要する場合もございます。あらかじめご了承ください。

① ウェブページ「Cyber Book Store」内の「お問合せフォーム」より問合せをする

【お問合せフォームアドレス】

https://bookstore.tac-school.co.jp/inquiry/

② メールにより問合せをする

【メール宛先 TAC出版】

syuppan-h@tac-school.co.jp

※土日祝日はお問合せ対応をおこなっておりません。
※正誤のお問合せ対応は、該当書籍の改訂版刊行月末日までといたします。

乱丁・落丁による交換は、該当書籍の改訂版刊行月末日までといたします。なお、書籍の在庫状況等により、お受けできない場合もございます。
また、各種本試験の実施の延期、中止を理由とした本書の返品はお受けいたしません。返金もいたしかねますので、あらかじめご了承くださいますようお願い申し上げます。

TACにおける個人情報の取り扱いについて
■お預かりした個人情報は、TAC(株)で管理させていただき、お問合せへの対応、当社の記録保管にのみ利用いたします。お客様の同意なしに業務委託先以外の第三者に開示、提供することはございません(法令等により開示を求められた場合を除く)。その他、個人情報保護管理者、お預かりした個人情報の開示等及びTAC(株)への個人情報の提供の任意性については、当社ホームページ(https://www.tac-school.co.jp)をご覧いただくか、個人情報に関するお問い合わせ窓口(E-mail:privacy@tac-school.co.jp)までお問合せください。

2年7月現在)